Una guía diaria para la vida espiritual

También por Jim Rosemergy

Libros (sólo en inglés)

A Recent Revelation
Living the Mystical Life Today
The Watcher
Transcendence Through Humility

Albumes en audiocasetes (sólo en inglés)

What Unity Teaches
Raising Children or Raising Consciousness, Which?
The Science of Prayer
From Metaphysics to Mysticism
How to Win the Human Race: Lessons in Unconditional Love
The Cornerstone of a New World: Personal and Planetary Change
Awakening Spiritual Consciousness
Famous Bible Stories From the Old Testament: A Mystical View
Living the Mystical Life Today
A New Species for the 21st Century: Exploring the Sacredness of Your Humanity

Una guía diaria para la vida espiritual

Jim Rosemergy

Unity Books
Unity Village, Missouri USA

Respaldado por la Junta Asesora del Movimiento Unity, un comité formado por la Asociación de Iglesias de Unity y Unity School of Christianity.

Para recibir un catálogo de todas las publicaciones de Unity en español (libros, casetes y la revista *La Palabra Diaria*) o hacer un pedido, escriban a nuestro Departamento de Traducciones, Unity School of Christianity.

Diseño de la portada por Gretchen West

Library of Congress Cataloging-in-Publication Data

Rosemergy, Jim.
[Daily guide to spiritual living. Spanish]
Una guía diaria para la vida espiritual / Jim Rosemergy.
p. cm.
ISBN 0-87159-212-6
1. Unity School of Christianity—Prayer-books and devotions—English. 2. Devotional calendars. I. Title.
[BV4811.R6718 1998]
242' .2—dc21 97-13415
CIP

Para Unity Books es un deber sagrado ser una presencia sanadora en el mundo. Al imprimir con tinta biodegradable de soya en papel reciclado, creemos que ponemos de nuestra parte para ser administradores sabios de los recursos de nuestro planeta Tierra.

**Dedicado al Humano Sagrado,
cuyo viaje interior revela su naturaleza
espiritual y la misión que Dios le ha dado.**

Hola primita, este Regalo es muy especial porque es un momento que te puedes dar de tú a tú. a mi me ha servido mucho esta frase que es.

soy un ser espiritual viviendo una experiencia Humana

acuerdate de esto, te ayudara.
te quiere tu prima Blanca.

Indice

Semana 4 - Lo único que es constante

Semana 5 - Comenzando de nuevo

Semana 6 - El humano sagrado

Semana 7 - Transformaos

Semana 8 - Sentimientos

Semana 9 - Estad firmes

Semana 10 - No clasifiques

Semana 15 - El reino de los cielos está en mí

Semana 16 - Sacude el polvo de tus pies

Semana 17 - El pecado imperdonable

Semana 18 - "Yo y el Padre uno somos"

Semana 31 - El eterno ahora

Semana 32 - Fortaleza espiritual

Semana 33 - Soy perfecto

Semana 42 - Lo que Dios puede hacer . . .

Semana 43 - El aprendiz

Semana 44 - No soy yo . . .

Semana 45 - Aquí estoy, Señor

Semana 46 - Mi misión divina

Semana 47 - Para la gloria de Dios

Semana 48 - El trabajo sagrado

Una guía diaria para la vida espiritual

Prefacio

A medida que nos desarrollamos en el viaje por la vida hacia la perfección, cada ser humano siente el anhelo de libertad y cumplimiento. Primeramente, cada uno de nosotros anhela vivir libre de las preocupaciones mundanas. Después, buscamos el respeto y amor de los miembros de la familia y de nuestros compañeros. Luego comenzamos a pensar en hacer una aportación al mundo. Estos deseos nos obligan a buscar sus cumplimientos, y de vez en cuando triunfamos. Sin embargo, hay un deseo mayor que el de una vida que incluye amor de otros, servicio y libertad de preocupaciones mundanas. Es el deseo de vivir una vida espiritual, una vida centrada en Dios.

Algunos de nosotros tal vez hayamos tratado de vivir esa vida y hayamos creído fracasar. Quizás hayamos desechado por un tiempo esa noción "absurda" de una vida cuyo centro es Dios, mas luego el deseo vuelve como para decirnos que lo anhelado puede realizarse.

Una guía diaria para la vida espiritual provee aliento diario a la persona que ha permitido que ese deseo divino llegue a ser la fuerza motivadora de la vida. Esta guía es más que palabras que leer; es una compañera para el viaje. La hemos planeado para ser empleada por un año completo, mas puede utilizarse repetidamente. Según practicas las lecciones diarias, ten presente que no estás solo. Mucha gente alrededor del mundo se une en el deseo de vivir una vida espiritual y en el estudio y la práctica de las lecciones de *Una guía diaria para la vida espiritual.*

Introducción

Una guía diaria para la vida espiritual está dividida en cuatro secciones de trece semanas cada una. Cada semana tiene un tema central, y los siete días de esa semana contienen ideas que complementan y amplían el pensamiento o concepto de la semana. Estas lecciones diarias no son solamente para ser leídas, sino para ser vividas, porque ellas requieren tu participación persistente. A veces pedimos que expreses un pensamiento, o compartas un sentimiento. En otras ocasiones, pedimos que repitas un pensamiento en silencio, hagas pausa por unos momentos durante el día, o anotes en la guía una impresión o un sueño.

Estas lecciones invitan tu atención diaria. Esto es útil, porque una vida espiritual requiere compromiso y práctica diaria. Tu persistencia resultará en realización que se extenderá mucho más allá de la imaginación humana, porque Dios ha preparado para ti paz que sobrepasa comprensión, pleno gozo y amor eterno.

A medida que trabajas con *Una guía diaria para la vida espiritual,* reserva veinte minutos cada día, de modo que obtengas el beneficio máximo de su uso. Algunas lecciones requieren que ocurra una acción temprano en el día, de manera que tal vez desees establecer tu tiempo de estudio regular poco después de levantarte, o examinar la lección del próximo día la noche anterior.

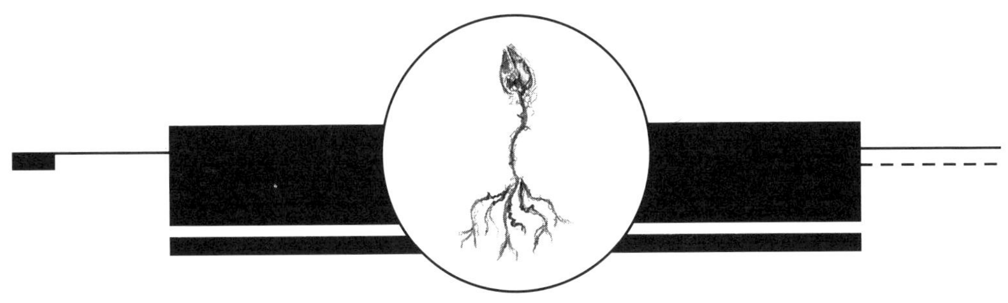

Sección 1
El humano sagrado

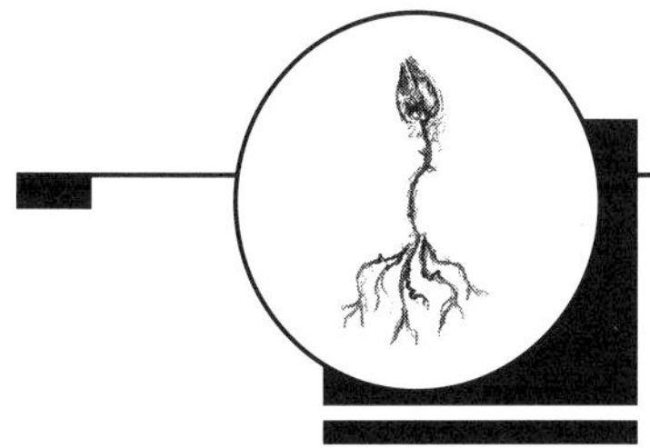

Semana 1
El descontento divino

La búsqueda espiritual es innata en todo hombre y mujer. El descontento establece primero este viaje o expedición y nos hace buscadores, mas habrá otros dirigentes en el viaje de la vida. Así como el hambre y la sed estimulan el cuerpo para cuidarse, así el descontento es el primer deseo del alma de conocerse a sí misma. Temprano en la búsqueda este descontento nos motivará, mas un día llegará a ser cumplimiento y satisfacción.

Toma un momento para aquietarte y volverte consciente del descontento divino. Hoy tal vez parezca inquietante, pero antes de que la búsqueda progrese mucho, bendecirás este sentimiento.

¿Qué aspectos de tu vida parecen incompletos? Usa la descripción más breve que puedas para indicar esos aspectos de la vida diaria, mas ten la seguridad de que lo que escribes te hace recordar fácil y rápidamente el aspecto o los aspectos que parecen carentes.

Haz una lista de cualesquiera aspectos de tu vida que parecen incompletos:

- Hoy me siento muy feliz, no siento nada incompleto, sinembargo lo que a veces me afecta son los altercados con mi mama el no poder desprenderme y dejarla que sufra ella sola pero permito que me arrastre.
- Aunque no me hace falta nada quisiera tener mas ahorros, mas tranquilidad financiera

Después de haber descrito brevemente el aspecto o los aspectos de tu vida con los cuales te sientes descontento, procede a la Semana 1, Día 1.

- A veces mas romance.
- No me siento satisfecha como profesional.

Semana 1
Día 1

El descontento es evidencia de que un bien mayor toca a la puerta de la vida.

El viaje espiritual, como todos los viajes, empieza con un solo paso. Singularmente, lo que conduce a una vida más elevada y satisfaciente a menudo comienza con descontento. Sabemos que la vida puede ser más de lo que parece ser; por lo tanto, somos motivados, pero a menudo no somos motivados a vivir una vida espiritual. Nuestra motivación inicial es disipar el dolor. Si el dolor se apacigua, suspiramos con alivio y olvidamos la búsqueda espiritual, pero en un breve período de tiempo el descontento regresa, y buscamos de nuevo.

Hoy, reconozcamos nuestro descontento y este útil discernimiento. La infelicidad es evidencia de que un bien mayor es asequible a nosotros. Por ejemplo, supónte que estás sentado en un sillón en la terraza posterior de tu hogar y lees el periódico de la tarde. Alguien viene y te dice que hay un visitante a la puerta de entrada que desea hablar contigo. Podemos ver el toque a la puerta como una intrusión, pero ¿y si la persona a la puerta entrega un regalo? El descontento es la persona que nos llama para que nos levantemos, abramos la puerta y recibamos el regalo.

Si tienes sentimientos de descontento hoy, rehúsa considerarlos como una aflicción. En vez, declara: *El descontento llama para que me levante y abra la puerta a un bien mayor.*

"No te dejaré, si no me bendices."

En el capítulo 32 de Génesis, hay un relato de la vida de Jacob. Jacob fue el personaje bíblico que engañó a su hermano, Esaú, y a su padre, Isaac. El engaño resultó en que Jacob recibió el derecho de primogenitura como cabeza de familia y la bendición de Isaac, los que debieron ser conferidos al primogénito, Esaú. Aunque Jacob fue oficialmente cabeza de familia, él temía la ira de su hermano y huyó a otra tierra.

Años más tarde Jacob y su familia regresaron a su hogar, y se enteraron de que Esaú venía a "saludarlos" con 400 hombres. Sobra decir que esto causó gran temor en Jacob, y mientras su familia acampaba en el vado de Jaboc, Jacob cruzó el río solo y luchó con un hombre hasta el amanecer. Cuando el hombre (algunos creen que el "hombre" es Jacob, quien luchaba consigo y con sus sentimientos de culpabilidad) trató de huir, Jacob dijo: "No te dejaré, si no me bendices"(Gn. 32:26).

Este versículo famoso de la Biblia es el tema de hoy. Hay una bendición en cada una de las circunstancias de la vida. La experimentamos primeramente cuando rehusamos evitar el problema o los sentimientos que lo acompañan. La tendencia humana es querer evitar los problemas y el dolor mental o emocional, mas la vida espiritual requiere integridad personal y una disposición para experimentar la vida a plenitud.

Durante este día, cuando ocurra un pensamiento de una circunstancia negativa, una sensación de descontento, o un suceso retador, recuerda hacer una pausa y declarar silenciosamente: "No te dejaré, si no me bendices".

Semana 1
Día 3

Reconozco lo que una vez creí que me traería gozo.

Hay, por lo menos, dos clases de descontento. El descontento humano promete que nos sentiremos mejor cuando los cambios tengan lugar en nuestro mundo externo. El descontento divino nos hace desear cambiar la manera en que pensamos, actuamos y vivimos. Este descontento requiere un cambio interno.

El descontento humano es tan parte de la vida como el descontento divino. Es un "pueblo" a través del cual viajamos de camino a nuestro destino final. Hoy reconocemos lo que una vez creíamos que disiparía el descontento y nos traería gozo.

En el espacio abajo, haz una lista de algunos de los cambios externos que una vez creíste que eran las respuestas a tus problemas:

Algunas cosas externas si me han traido mucha satisfaccion, la risa de mi hijo, la compra de nuestra casa grande.

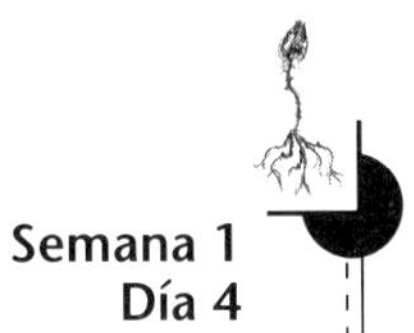

Admito no saber cómo encontrar satisfacción.

Una vez creímos saber cómo encontrar satisfacción. Como el caballo y la zanahoria suspendida en una cuerda frente a él, fuimos forzados. Sabíamos, o así creíamos, lo que nos traería paz y gozo. Una de dos cosas sucedió finalmente.

Una posibilidad es que continuamos viendo la zanahoria, o sosteniéndonos en la convicción firme de saber la contestación a nuestro problema. Simplemente no sabíamos cómo lograrla. Fuimos de una persona a otra, de un libro a otro, de iglesia en iglesia, buscando el modo de obtenerla, mas nunca la encontramos. La otra posibilidad es que obtuvimos finalmente la zanahoria —adquirimos el empleo, encontramos nuestra alma gemela perfecta— pero el descontento permaneció.

Ahora admitimos no saber lo que nos concederá satisfacción. Estamos dispuestos a empezar otra vez en una nueva manera.

Tres veces hoy, una vez en cada comida, haz una pausa y declara silenciosamente: *Admito no saber lo que me concederá satisfacción.*

Todavia ahi ciertos vacios apesar de toda la felicidad y admito a veces no saber como llenarlos

Semana 1
Día 5

Hoy no necesito saber cómo encontrar alegría.

Una vida espiritual es una vida de misterio, fe y liberación. Hoy se nos provee la oportunidad de continuar admitiendo no saber la respuesta. Ojalá encontremos gozo en el misterio.

Esto es necesario si hemos de vivir una vida espiritual, porque Dios es misterio. Si Dios ha de ser parte de nuestras vidas, el misterio debe ser parte de nosotros. No es necesario saber todas las contestaciones. Nuestra mayor necesidad hoy es empezar a encontrar gozo en el misterio.

Vuélvete como un niño (niña) y describe brevemente desde tu perspectiva los cuatro aspectos más misteriosos en el universo o en tu vida:

1. El tiempo su indescifrable linea recta.
2. Nuestra verdadera locacion tierra → universo en expansion → ?
3. Pensamientos que no parecen mios a veces.
4. Mucho poder para atraer mis deseos, pero no suficiente capacidad de sacrificio para lograr metas profesionales

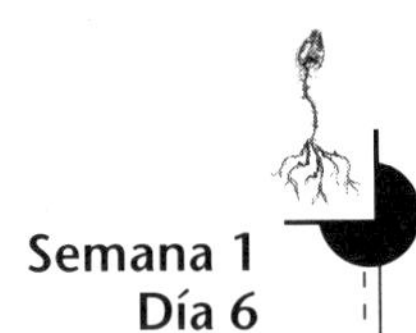

Mi descontento es un paso que di hace mucho tiempo en busca de gozo y propósito.

Parte de la vida espiritual es visión: la habilidad de ver sucesos, pensamientos y sentimientos, y su relación con nuestro desenvolvimiento. Antes de que un melocotonero dé fruto, pasa por muchas etapas. Primero la pepita se desmorona en la tierra. Luego la semilla se extiende en la tierra y establece sus raíces, de modo que pueda empezar a esforzarse por obtener luz. Después una brizna verde y delicada emerge de la obscuridad de la tierra. El árbol comienza a formarse, y las hojas dan sombra a la tierra debajo del árbol. Las flores dan fragancia al aire y atraen abejas para ayudar en la polinización. Finalmente, la fruta se forma. Cuán útil es ver este proceso de una manera más amplia y saber que el tiempo que pasamos en la obscuridad es tan importante como el tiempo que pasamos creciendo en la luz.

El descontento es el retoño de la semilla.

En el espacio que proveemos abajo, describe las etapas de tu crecimiento:

La semilla
la adolescensia

La brizna verde
College years → santi son las hojas

El árbol y las hojas
Creo que soy el arbol y las hojas, profesional-

La flor
mente todavia no soy la flor.

La fruta

Puedes necesitar volver a este día en el futuro a medida que tu crecimiento continúa, porque en estos momentos pueden haber etapas en tu desenvolvimiento que no has logrado.

Semana 1
Día 7

La satisfacción, el gozo y el propósito son mi destino.

Sabemos que nuestro descontento es una parte importante de nuestro viaje espiritual. Aceptamos nuestros sentimientos de infelicidad con la comprensión de que ellos no son nuestro destino. Estamos destinados a ser productivos.

Los días anteriores han sido una considerable mirada retrospectiva a nuestro descontento. Ahora ya no miramos atrás, sino adelante hacia una vida de satisfacción, gozo y propósito.

Tres veces durante el día, haz una pausa y afirma silenciosamente: *La satisfacción, el gozo y el propósito son mi destino.* Empieza a establecer orden en tu vida y la habilidad de seguir hasta el fin tus compromisos al escribir el momento del día en que hiciste una pausa para declarar tu destino.

Primera vez: ____________

Segunda vez: ____________

Tercera vez: ____________

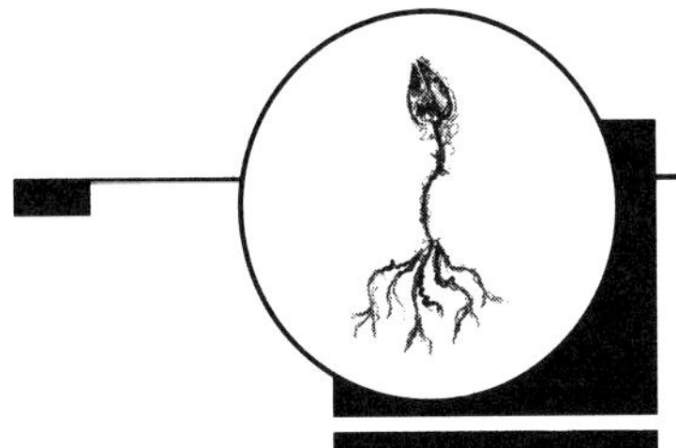

Semana 2

La esperanza mana eternamente

El descontento divino y el desagrado con nuestras vidas causan que la esperanza mane eternamente. Ninguno de nosotros puede existir por mucho tiempo a menos que no haya una creencia de que las cosas pueden ser diferentes de lo que son en la actualidad. La esperanza sostiene a alguna gente y le permite soportar los ciclos negativos de la vida. Ella tal vez fantasee acerca de cómo las cosas pueden ser, o agarre toda "oportunidad" que se presente, mas los sueños raramente se vuelven realidad.

El sueño que has soñado

En el espacio abajo, bosqueja tu sueño para una nueva vida. Acaso sea un matrimonio que anticipas, un empleo particular que te gustaría tener, o un honor para ser conferido a ti.

En mi vida personal no quisiera que nada cambiara, amo mi hogar, mi hijo, mi esposo, mi casa, solo pido poder mantener esa estabilidad.

En el ambito profesional seria muy feliz si pudiera ser mas tomada en cuenta y lograra diseñar y mi diseño fuera exitoso. Puede ser mas automatizacion como hace un tiempo pero mas exitoso o diseño de semiconductores.

Semana 2
continuación

Los sueños que se han realizado

Enumera cuatro "cosas" que has esperado y se han manifestado en tu vida:

1. Mi hijo mi mas grande amor y bendicion lo mas preciado en mi vida.
2. Mi matrimonio, mi hogar, el hombe que amo a mi lado.
3. Mi trabajo en Anadigics que me traido tanto aprendizaje y tanta boronza economica
4. mi graduacion una meta por la que luche por tanto tiempo

Hay veces cuando los sueños se cumplen, y hay veces cuando no se realizan y la desesperación sobreviene. Suprimimos la esperanza temporalmente, pero surge de nuevo. Sin embargo, la limitación continúa. La esperanza nos mantiene activos, mas nunca nos lleva adonde deseamos llegar.

La esperanza no ha de ser el centro de nuestras vidas. No es un fin en sí; es un escalón a la manera en que la vida puede ser. El descontento divino es el primer paso que damos en busca de una vida espiritual, y la esperanza es el segundo paso. Dejemos que la esperanza que mana eternamente en nosotros haga más que capacitarnos a hacer frente a la limitación y los problemas. Dejemos que ella nos habilite a entrar en una nueva vida libre de restricción y retos crónicos.

La esperanza es la convicción de que hay una respuesta.

La esperanza surge desde nuestro interior con una rapidez asombrosa. Sólo se necesita una palabra positiva de aliento o la perspectiva de un cambio constructivo, y de nuevo estamos llenos de esperanzas. La oleada positiva de pensamiento es un preludio a la promesa, aún no hablada, de un futuro más brillante.

La esperanza no requiere que sepamos lo que el futuro depara. La perspectiva de un mañana mejor hace surgir pensamientos positivos y el deseo de experimentar la vida de nuevo.

Había una vez un consejero que escuchaba resueltamente a medida que la gente compartía sus problemas y preocupaciones. A menudo el consejero estaba tan confundido como el cliente. Aquél tenía que elegir entre participar en la desesperación de la persona, o señalar el camino a una nueva vida. La frase predilecta de este ayudante era: "Hay una respuesta". Continuaba: "Estoy tan confundido como tú, pero sé que hay una respuesta". Esas simples declaraciones avivaban la esperanza.

El énfasis inicial de este libro se ha puesto en ti, el lector. Ahora por un breve momento, la atención se dirige a otra gente. La nueva dirección no sólo ayudará a otros, sino a ti también.

A medida que pasa el día, permanece sensitivo a la gente alrededor de ti y a cualesquiera problemas que tengan. Tu contribución al mundo hoy es estar dispuesto a decir: "Hay una respuesta".

Sin una visión, perezco.

El ejercicio de ayer nos hace recordar la naturaleza alentadora de la esperanza y lo rápidamente que ella puede llegar a ser parte de la vida cuando miramos el futuro constructivamente. En Proverbios 29:18 (Versión Moderna) leemos: "Donde no hay revelación divina, el pueblo se pone desenfrenado". Tal vez se podría afirmar: "Donde no hay visión, la esperanza decae, y luego la gente perece".

Nadie sabe lo que el futuro depara. Esta visión no es vívida como la silueta de una ciudad en un día soleado y claro. No es exacta y específica. Esta visión es el deseo del alma de experimentar una nueva vida. Ella no sabe qué hay adelante, pero sabe que hay una respuesta.

Este conocimiento es suficiente para causar el nacimiento de la esperanza en nosotros, porque nada nace tan rápidamente como ella. La fe toma meses, aun años en llegar a la madurez, pero la esperanza nace en un día, en un instante. Este es el día en que la esperanza nace en ti.

Ten la bondad de escribir la fecha de hoy: 10-10-11

Por medio de la esperanza, imagino una nueva vida.

No sabemos lo que hay delante, pero podemos sentir que un bien mayor se desenvuelve en nuestras vidas.

La actividad de hoy está destinada a dar gran fruto, mas requiere un tiempo extenso de tranquilidad y quietud. Encuentra un lugar donde no te molesten. Deja que la mente vague libremente por un rato, y después declara: *Por medio de la esperanza, imagino una nueva vida*. Luego descansa, y permite surgir de tu interior la sensación de un bien mayor.

En el espacio abajo, escribe todo pensamiento, sentimiento o imagen que entre en tu mente. Quizás creas que no son importantes, pero anótalos de todos modos. Estos pensamientos, sentimientos e imágenes son el principio de una visión, no solamente para tu vida, sino para el propósito de tu vida. En otra ocasión, se dará mayor atención al propósito.

Semana 2
Día 11

La esperanza me anima para seguir adelante, pero nunca me lleva al triunfo.

La esperanza es una parte importante del viaje espiritual, mas sólo es una parte del todo, un paso en el camino. No permitas que la esperanza se vuelva fantasía y sueños acerca del futuro. De vez en cuando, una persona vive en ese mundo de la imaginación, y porque ese mundo es más pacífico y armonioso que la experiencia terrenal, la fantasía se vuelve la realidad de esa persona. Admitimos que eso es un extremo de la conducta humana, pero indica una dimensión de la esperanza, que no es constructiva.

Hoy, considera tu conducta en el pasado y determina si la fantasía y los castillos en el aire te han sostenido. No te condenes si eso ha sucedido.

Si has participado en fantasías y sueños dañinos, describe la fantasía o ilusión. Haces esto de modo que puedas estar consciente de la tendencia a fantasear.

Ahora, y en cualquier momento que la esperanza tienda a volverse fantasía, recuerda: *La esperanza me anima para seguir adelante, pero nunca me lleva al triunfo.*

Rehúso permitir que la esperanza me haga aceptar limitación.

Vemos ahora la esperanza como un paraíso *humano*, porque nos brinda alegría hoy y nos promete un mañana más resplandeciente. Sin embargo, hay otro paraíso que la mente humana no concibe y que nos aguarda. La esperanza puede ser una barrera a ese paraíso, que es nuestro destino.

Al tener la esperanza de un mañana mejor, es posible aceptar la limitación de hoy. No queremos hacer eso. La limitación no es nuestro destino; no es nuestro modo de vida.

La esperanza reside en nosotros y abre nuestras almas a nuevas posibilidades, pero ella no trae las posibilidades a existencia. Recuerda que la esperanza nos anima a seguir adelante, pero nunca nos lleva al éxito. La fe nos lleva al éxito. La fe se extiende más allá del alma, porque ayuda a traer las posibilidades a nuestro mundo. La fe llama a la acción, porque sin acción aun la fe muere. La esperanza es una llamada a la fe.

Por favor, indica lo que crees que son tus limitaciones:

En el espacio abajo, escribe: *No permito que la esperanza de un mañana más brillante me haga aceptar esas limitaciones percibidas.*

Semana 2
Día 13

Mi destino no es limitación.

Tu destino no es limitación. Tu esperanza para el futuro no es primariamente para tener una experiencia humana mejor: mayor riqueza, estimación, o reconocimiento. La gente ha prosperado y ha expresado compasión y espiritualidad extraordinarias aun cuando la limitación física era parte de su vida. Víctor Frankl, mientras estaba en un campo de concentración nazi, pudo dar atención a una flor en el patio de una prisión. El apóstol Pablo, mientras estaba en una prisión en Roma, halló una paz interna que le movió a declarar: "He aprendido a contentarme, cualquiera que sea mi situación" (Fil. 4:11).

No es suficiente decir que nuestro destino no es limitación. Intuimos que hay una parte de nosotros que no puede ser limitada. Víctor Frankl y Pablo demostraron que eso es verdad. El cuerpo puede ser encerrado, pero no la mente o el espíritu.

Este día está destinado a incluir tiempos extensos de reflexión y de escuchar internamente. Por lo menos tres veces durante el día, dedícate a sentir la verdad ilimitada de tu ser. Imagina el ambiente más ilimitado, libre y creativo, ponte en medio de él, y declara: *Deja que se revele lo que soy.*

No tengas ningunas expectaciones en cuanto a lo que pueda ser revelado.

La esperanza unida a la acción produce fe.

La Biblia declara: "La fe sin obras está muerta" (Stg. 2:26). Tal vez sea verdad decir que la fe sin obras es esperanza. La esperanza nos mantiene activos, pero nunca nos lleva al triunfo. La esperanza se aviva en nosotros, y damos gracias porque nos ha traído hasta aquí en nuestro viaje espiritual. Pero ahora añadimos acción a la esperanza, un tipo especial de acción que nos trae un poco más cerca a una vida llena de fe.

La elección es una acción poderosa del alma. Al elegir, damos nuestro consentimiento a la limitación, o decidimos vencer la ley de inercia y seguir adelante en la vida. La ciencia descubrió esta ley, que declara que un objeto inactivo tiende a permanecer inactivo; un objeto en movimiento tiende a permanecer en movimiento. Tratar de empujar un automóvil atollado es un ejemplo excelente de inercia. Primero, empleamos gran esfuerzo al intentar mover el carro; sin embargo, después que él empieza a moverse, el empujar se hace más fácil. Una persona que se limita y se atasca en negatividad experimenta la misma ley.

Escribe una declaración que ilustra el deseo de moverte de la esperanza a la fe:

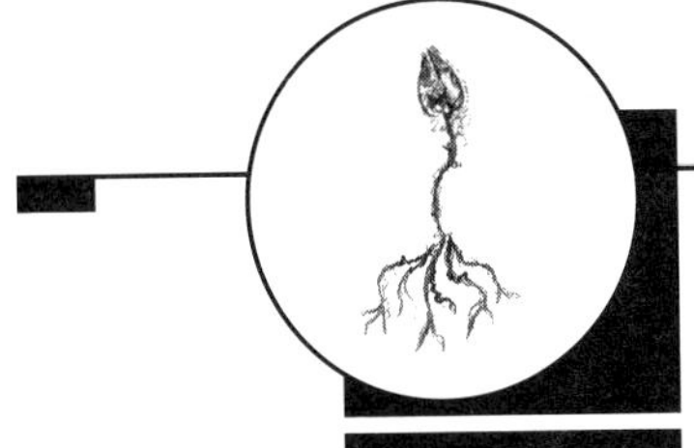

Semana 3

El poder de la elección

A los seres humanos se nos han concedido muchos poderes, y el primero es el poder de elección. No somos objetos lanzados por el mar de las circunstancias o los vientos del disturbio. Se nos han dado poder y dominio no sólo sobre los pájaros del aire y los peces del mar, sino sobre nuestras propias vidas. Al elegir podemos aceptar derrota o triunfo.

Considera por unos momentos las elecciones que has hecho que han alterado tu vida. Primero, describe brevemente una situación en la cual tu "elección" fue dejar que otra persona determinara el curso de tu vida:

Segundo, enumera tres ejemplos de elecciones que hiciste que afectaron tu vida positivamente:

1.

2.

3.

Finalmente, haz una lista de tres ejemplos de elecciones que hiciste que afectaron tu vida adversamente:

1.

2.

3.

Semana 3
continuación

Las elecciones que haces determinan la dirección y cualidad de la experiencia de tu vida. En el espacio abajo, escribe una declaración que expresa tu deseo no solamente de hacer elecciones sabias, sino de reconocer conscientemente la influencia del poder de elección en tu vida.

La elección es un regalo que se me ha dado.

Algunos regalos son ediciones limitadas, porque solamente unas pocas personas en la tierra recibirán ciertos regalos. Por ejemplo, sólo poca gente en la tierra ha sido dueña de un diamante extraordinario. Mas hay un regalo que ha sido dado a todo el mundo. Es único para cada persona y más valioso que las piedras preciosas. ¡Es el regalo de elegir!

Nadie y nada puede determinar nuestras elecciones. Se nos ha dado el poder de determinar lo que pensamos, cómo nos sentimos, lo que hacemos y cómo respondemos o reaccionamos a la gente y el mundo. No eres una persona que no tiene poder; no eres un barco llevado por el viento o la tormenta. Por medio del poder de la elección, tu vida se hace más hermosa y es una bendición para el mundo. Pasa el día de hoy con alegría y da gracias por el regalo de elección. Es un regalo que jamás te podrán quitar.

¡Hoy es un día para estar consciente! Según vives los minutos y horas de este día, simplemente está consciente de lo que eliges. Tal vez compres un artículo o establezcas la fecha para un paseo. Quizás elijas almorzar con un amigo o amiga, o regresar a la escuela para obtener un grado. Las posibilidades son infinitas.

En el espacio que proveemos abajo, indica diez elecciones que hiciste durante este día —el día para estar consciente.

1. ______________________________

2. ______________________________

3. ______________________________

4. ______________________________

5. ______________________________

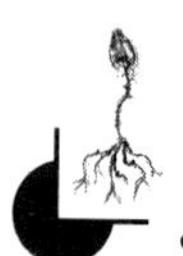

6. ______________________________________

7. ______________________________________

8. ______________________________________

9. ______________________________________

10. ______________________________________

Ya no permito más que otros elijan por mí.

Somos hábiles. Llegamos a este mundo con instrucciones completas. En nosotros hay una línea directa a la sabiduría. No es necesario depender de otros para que tomen decisiones por nosotros. Aun cuando hemos dependido de otros por sabiduría, todavía tomamos la decisión de depender de ellos. Fue nuestra elección.

Da un ejemplo de una vez cuando diste a otra persona dominio sobre tu vida:

¿Cuáles fueron los resultados de la elección de la otra persona?

Da el ejemplo más reciente en que permitiste que otra persona escogiera por ti:

Declara: *Ya no permito más que otros elijan por mí. Se me ha dado el regalo de elegir. No cederé ese regalo.*

Semana 3
Día 17

No hacer nada es mi propia elección.

Hay veces cuando la decisión más sabia es no hacer nada. Hay otras veces cuando dejar de actuar es escoger vivir con limitación.

Una de las razones principales por la cual luchamos cuando nos confrontamos con una decisión difícil es que tememos elegir erróneamente. En momentos como ésos, es importante recordar que siempre podemos elegir de nuevo. La vida es una corriente de elecciones. En casi todos los momentos de todos los días, hacemos una elección. Mucho de la vida es prueba. Por medio de este proceso muy usado, seguimos adelante a un mayor bien.

Hoy, elige no titubear en tomar una decisión. Habrá momentos en que escojas no hacer nada, pero no será por temor. Será porque la inacción es la elección apropiada en ese instante.

La indecisión, por otra parte, es tu elección de sentir ansiedad y dejar que el miedo domine tu vida. El elegir actuar es tu decisión de descubrir que tienes los recursos internos para pasar por toda circunstancia.

Periódicamente, a través del día y justo antes de acostarte, afirma: *Vivo este día en la conciencia de que no hacer nada es mi propia elección.*

Empleo sabiamente el regalo de poder elegir.

Hoy reconoce que no comprendías el impacto del poder de elección en tu vida. La elección es la fuente de la cual fluye el río de vida. Para los ríos de la tierra, la fuente es por lo general pura, pero ha habido veces cuando lo que escogimos fue inconsistente con una vida espiritual. El poder de elegir no se usó sabiamente.

Si has de usar el regalo de escoger sabiamente, deja que la sabiduría surja de tu interior para tomar decisiones. Las decisiones empiezan con humildad y el reconocimiento de que separado de Dios, no sabes qué hacer. Luego declara que tienes la disposición de actuar de acuerdo con la luz que brilla de tu ser interno. Tercero, descansa tranquilamente y deja resplandecer la luz. Finalmente, cuando la elección se revele, ponte en acción. Has descubierto que una elección sabia es expresión de una sabiduría interna.

En tus propias palabras bosqueja los cuatro pasos que llevan al uso sabio del regalo de poder elegir, y empléalos cuando enfrentes una decisión:

1.

2.

3.

4.

Semana 3
Día 19

Ya no elijo más . . .

Hacer sabias decisiones requiere que hagamos ciertas cosas. También quiere decir que dejemos de hacer otras. El enfoque de hoy es sobre las cosas y acciones que necesitas dejar ir en tu vida.

Hemos seleccionado una serie de palabras para enfatizar el hecho de que aquello que ha de ser liberado, fue seleccionado una vez. Es hora de elegir de nuevo.

En el espacio provisto, completa la siguiente oración. Luego pon en acción las palabras en tu vida diaria. Completa esta oración de tantos modos como sean necesarios para descubrir aquello que no debes hacer más:

Ya no elijo más:

Ya no elijo más:

Ya no elijo más:

Ya no elijo más:

Ya no elijo más:

Elijo . . .

Hoy, ejerce el poder de escoger que Dios te ha dado. En el curso de un día, se hacen muchas elecciones. Muchas de esas decisiones se toman con facilidad y, en algunos casos, inconscientemente. Hoy, haz una elección consciente. Contesta la pregunta: ¿Qué puedo elegir hoy que tenga un impacto supremo en mi vida espiritual?

Elijo:

Semana 3
Día 21

Las elecciones alientan el cambio.

Durante el curso de la *Semana 3* te has vuelto consciente de la idea de que lo que eliges impacta tu vida. Tal vez hayas asumido mucho, mas no se ha mencionado la naturaleza del impacto en ti. Antes de continuar a la *Semana 4*, ten presente que la elección alienta el cambio.

Este libro es una llamada al cambio. No debes esperar seguir una vida espiritual y permanecer igual. Todo el mundo percibe esta verdad. Ella es fundamental. Una vida espiritual es diferente de nuestra experiencia y expresión comunes y humanas.

Deténte ahora y declara verbalmente: *La elección alienta el cambio.* Di esto tres veces. La tercera vez que hables, nota cómo te sientes al decir esa declaración. Hazte esta pregunta: "¿Estoy dispuesto a cambiar?" Observa que no hay referencia al cambio del mundo. Eres tú el que debes cambiar. Si la contestación es sí, descansa esta noche en preparación para la *Semana 4*, que considera lo único que es constante —el cambio.

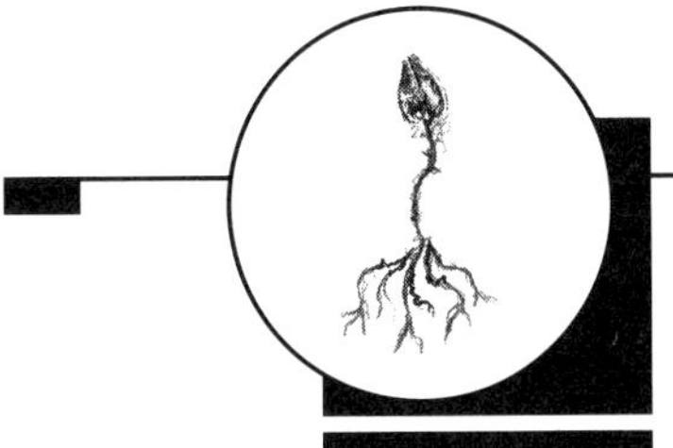

Semana 4

Lo único que es constante

Cuando reconoces el poder de elegir, invitas el cambio. Ten presente hoy que el cambio es lo único que es constante en tu viaje espiritual. Dios y tu esencia espiritual son inmutables, mas tu conciencia del Espíritu e identidad espiritual cambian perpetuamente. Toda la creación está en un estado de cambio. Todo crece o se deteriora.

La mayor parte de la gente conoce esos dos tipos de cambio, pero no todo el mundo está consciente de que la vida es cambio. El cambio es algo que no podemos evitar; es nuestro destino. Podemos elegir no crecer, pero luego experimentaremos la forma de cambio que llamamos deterioro. La cuestión es si escogeremos transformación o deterioro.

Por lo tanto, deja que el día de hoy no sólo sea un día de cambio, sino ¡de elección!

Haz una pausa por cinco minutos y considera la idea de cambio como lo único que es constante en la vida. Si crees que esta declaración es verdadera, haz una elección consciente al escribir en la línea abajo "Escojo transformación" o "Escojo deterioro".

____

____

Firma

Semana 4
Día 22

Elijo transformación.

Algunas elecciones son obvias. ¿Quién elegiría conscientemente deterioro y limitación? Nadie; no obstante, la tendencia humana es querer huir de las dificultades. Tal elección sólo conduce a angustia, limitación y deterioro. Hoy, escoge transformación.

Una persona que viajaba a una prometida tierra de abundancia se encontró con una montaña gigantesca en la senda. Sus preguntas a la gente que vivía al pie de la montaña revelaron que nadie había encontrado un camino alrededor de la montaña. Solamente había un camino al otro lado —sobre la cima. Desde luego, pensó el viajero, sólo hay un modo de salir de una dificultad, y es ascender sobre ella.

Algunos alpinistas encuentran metales preciosos y otros tesoros, mas el tesoro verdadero es el descubrimiento por un viajero (viajera) de sus capacidades innatas. Esto es transformación.

Si hay una montaña ante ti, asciende más alto. No dejas atrás ninguna dificultad hasta que hayas cambiado y te hayas transformado.

Sólo a través del cambio puedo experimentar mi destino.

Nadie ha visto ni ha oído lo que Dios ha preparado para nosotros. No hay palabras para describir nuestro destino. La paz y alegría que se ofrecen a la humanidad no tienen límites. No es de extrañarse que sigamos adelante hacia ese bien mayor.

Hoy es el día de afirmar que solamente al cambiar puedes vivir tu destino. No puedes permanecer en la niñez y volverte un adulto. Debes echar a un lado la niñez y volverte lo que eres. Tu destino está delante de ti.

Por demasiado tiempo has evitado el cambio y de este modo has evitado tu destino. Tu método de alcanzar mayor bien tal vez haya sido pedir que otra gente y el mundo cambien. Pedir que otra persona cambie es rehusar aceptar el bien mayor.

Haz una lista de la gente y las condiciones que has pedido que cambien:

Ahora declara: *Ya no rehúso más mi destino al pedir que los cambios expresados arriba se lleven a cabo. Sólo se requiere un cambio.* ¿Cuál es ese cambio?

Semana 4
Día 24

El cambio es un llamado a la fe.

El cambio es un llamado a la fe, porque solamente con fe podemos enfrentar lo desconocido. El cambio nos trae cara a cara con aquello que es incierto y misterioso. Aun cuando intuímos un bien mayor, a menudo hay ansiedad, porque no sabemos lo que está adelante. ¡Si sólo supiéramos que el mayor misterio de la vida es Dios!

Si has de ser transformado y cumplir tu propósito, el cambio debe volverse tu manera de vida. El temor a lo desconocido, el temor al cambio, radica en la comprensión de que todo cambio requiere la muerte de lo viejo y la liberación de lo que una vez era valioso. Usualmente, hay un período breve de tiempo cuando el alma deja ir lo viejo y aún no se ha asido a lo nuevo. Algunos sienten eso como temor, otros saben que es fe.

Hoy, empieza a cambiar al enfrentar lo desconocido en una manera informal. Antes de que el día termine, haz dos de las cosas siguientes:

1. Toma un camino distinto al regresar en auto a tu casa de tu empleo, o de tu recreo.

2. Ve a un lugar donde no hayas ido antes.

3. Come una clase de alimento que no hayas comido antes.

4. Háblale a un extraño.

5. Lee una revista que nunca hayas leído antes.

Que este ejercicio sencillo sea el comienzo de la revelación de que éste es un universo amigable y lo desconocido en él es un bien mayor.

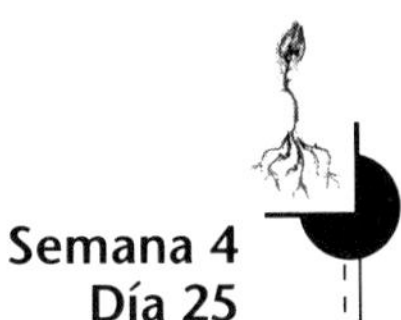

Cambiar es crecer.
Crecer es ser.

Las criaturas vivas y más viejas que hay en la tierra son los árboles. Hay olivos en el Jardín de Getsemaní que eran semillas cuando Jesús lloró en la ladera de la montaña. Parece apropiado que las criaturas vivas y más viejas son algunas de las cosas vivientes más sabias sobre la tierra. Los árboles "saben" que para vivir deben crecer. Si por un tiempo un árbol cesa de crecer, su deterioro ha empezado.

Solamente por medio del crecimiento cumplirás tu destino. Sólo a través del cambio crecerás. La tragedia más grande de la vida es permanecer igual año tras año. Algunas naciones han tratado de aislarse de otros países, de modo que puedan permanecer iguales. En todos los casos, esas naciones empezaron a deteriorarse, debido a que nada puede permanecer igual y cumplir su destino.

¿En qué aspecto de tu vida te sientes estancado (estancada)?

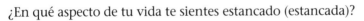

¿Qué cambio es necesario si has de crecer?

¿Qué debes dejar ir para cobrar vida?

Semana 4
Día 26

El cambio me lleva a lo desconocido.

Permitimos que las fuerzas naturales del universo nos lleven a lo desconocido y más allá, hacia la razón de nuestra existencia. Imagina la transformación que ocurre en las larvas cuando se encierran en un capullo que ellas se fabrican, sólo para emerger después de muchos días como una mariposa. No hay mayor ejemplo de cambio en la naturaleza que la transformación de las larvas en mariposas. El diminuto gusano permite que las fuerzas naturales del universo lo formen. Primero, es envuelto en un capullo de obscuridad, y luego su cuerpo sinuoso se vuelve una creación alada capaz de remontarse sobre la tierra en la que una vez solía arrastrarse. Nos espera una metamorfosis más maravillosa cuando permitimos que las fuerzas espirituales nos lleven a lo desconocido.

De los cambios mundanos del ayer echas una mirada a una región desconocida de tu alma. Considera un posible aspecto en tu vida en el cual has estado reacio a arriesgarte, e indícalo en el espacio abajo. (Algunas posibilidades son: poco amor propio, recuerdos reprimidos, mala salud, relaciones difíciles y desempleo crónico.)

Ahora declara: *Permito que se me lleve a este aspecto desconocido de mi vida.*

Estoy dispuesto a cambiar.

Nada es más natural que el cambio y, sin embargo, desde la perspectiva de la conciencia humana, nada es más inquietante. Se dice que hablar en público es el temor número uno entre los seres humanos. Esto no es verdad. El cambio es nuestro mayor temor. Es extraño que lo que guarda la mayor promesa es, también, la barrera más persistente a esa promesa.

Si a una persona que haya aceptado la gran promesa le preguntáramos: "¿Cuál es el primer mandamiento del cambio?", ésta sería la respuesta: "El cambio requiere que dejemos ir lo que creemos que somos, de modo que podamos descubrir quiénes somos. El gusano destinado a convertirse en mariposa echa de sí el capullo y luego vuela y revolotea de flor en flor".

Declara silenciosamente: *No sólo estoy dispuesto a cambiar, estoy dispuesto a unirme al primer mandamiento del cambio —dejar ir lo que creo que soy.*

Obviamente, antes de poder dejar ir lo que crees que eres, esta falsedad debe ser descubierta. En el espacio provisto, escribe cuatro descripciones de lo que crees que eres:

1.

2.

3.

4.

No importa lo exactas que parezcan esas descripciones, hay más. Tan preciadas como puedan ser esas palabras, debes liberarlas. Tal vez ahora descubras lo difícil que puede ser el cambio. Nada es sagrado cuando entra en el reino del cambio.

Semana 4
Día 28

La vida es cambio.

Estamos más vivos cuando cambiamos, porque el cambio que es transformación nos permite descubrir nuestros recursos internos. El primer mandamiento del cambio es dejar ir, pero su primer regalo es vida.

Mira alrededor de ti hoy y examina los árboles, flores o plantas en tu mundo. Recuerda que ellos viven porque crecen y cambian. Ellos no cambian por el puro placer de cambiar. Cambian porque la vida es cambio.

El trabajo de hoy es simple. Pasa doce minutos por lo menos estudiando un árbol, flor o planta. Estudia con cuidado esa criatura viviente, y escribe un recordatorio para regresar a ella en siete días y presenciar su crecimiento y mensaje perdurable de que la vida es cambio.

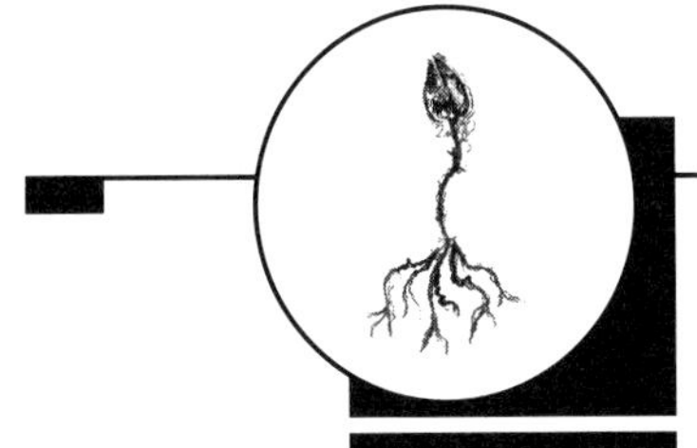

Semana 5
Comenzando de nuevo

Hay dos maneras de empezar. Podemos empezar otra vez y repetir potencialmente los mismos errores, o podemos empezar en forma diferente. Mucha gente empieza de nuevo, pero los que viven una vida espiritual han aprendido a empezar de una nueva manera. Obviamente, esto debe ocurrir, porque empezar de nuevo con un método viejo e infructuoso produce según su clase.

Al obtener el conocimiento de sí mismo, hay que hacer preguntas profundas. ¿Hay algunas experiencias improductivas y limitativas en tu vida que pueden ser clasificadas como ciclos? Por ejemplo, ¿continúan estorbándote las relaciones humanas perjudiciales? ¿Caminas sin rumbo de empleo en empleo? ¿Parece que nunca encuentras tu dirección, o lugar perfecto?

¿Puedes identificar algunos ciclos limitativos en tu vida? ¿Qué hecho inquietante está presente hoy que ha estado presente en el pasado?

Si estás consciente de un ciclo improductivo, es necesario empezar *en forma diferente*. Si lo has descrito en el espacio arriba, comienzas en forma diferente. A medida que continúas con la *Semana 5*, recibirás ideas adicionales que apoyan tu nuevo comienzo.

Semana 5
Día 29

Hoy hago algo nuevo.

Esta semana no es para aprender nuevas ideas de la lectura. Es una semana de acción. ¿No dijo Jesús que hemos de ser hacedores de la palabra así como oyentes? Los niños pueden leer sobre el juego de béisbol o tenis, y hasta observar un juego, mas la verdadera experiencia se logra al jugarlo. Desde el concepto de la palabra escrita y su difusión en los hogares, ha habido una tendencia de leer demasiado y de hacer muy poco. No será así esta semana. "Hazlo ahora" es la advertencia consistente del cambio.

Hoy haz algo nuevo, y escribe abajo lo que fue y cómo te sentiste:

Hoy digo algo nuevo.

Hoy escoge una nueva palabra que nunca has dicho antes y úsala en la conversación. Escribe la palabra abajo:

También, elige una frase positiva e inspiradora que nunca has dicho antes y úsala en la conversación. Deja que esas palabras que afirman vida sean tu compañía constante cuando te hables a ti mismo (misma) hoy. Un buen ejemplo podría ser: *Sí, puedo.* Ten la bondad de escribir la frase en el espacio abajo:

Semana 5
Día 31

Hoy viajo a un nuevo lugar.

Hoy, empieza en forma diferente al ir a un lugar donde no hayas ido nunca antes. En una lección anterior hicimos una sugerencia similar, pero el nuevo lugar pudo haber sido una tienda o algún otro sitio bullicioso. La tarea de hoy es estar en un nuevo lugar donde puedes sentarte y meditar sobre nuevos comienzos. De hecho, tal vez desees ir a ese lugar en cualquier momento que necesites considerar empezar en forma diferente. Este sitio es para ser recordado como una línea de partida. Llámalo tu "Lugar Alfa".

Por favor, describe tu Lugar Alfa y revela en pocas palabras cualesquiera discernimientos o intuiciones que llegaron a ti allí:

Hoy oigo un nuevo sonido.

El mundo está lleno de sonido, así como el alma. Aquellos que han oído la voz callada y suave han descubierto que ponernos a tono con el mundo del sonido y ser susceptibles a ese mundo es útil para desarrollar la destreza de escuchar.

Hoy, escucho un nuevo sonido. Hay la posibilidad de oír un nuevo sonido en varios aspectos de la vida. Puedes oír a alguien decir algo que nunca hayas oído antes. Acaso puedas oír lo que tu amigo(a) o esposo(a) o hijo(a) te piden realmente. Puedes oír la voz de Dios en la quietud. Puedes oír una nueva canción, o los sonidos que están alrededor de tu hogar cada día, pero que no has oído.

No importa lo que el nuevo sonido sea, ten la bondad de describirlo y describe las circunstancias que te permitieron oírlo:

Semana 5
Día 33

Hoy respondo en una nueva manera.

La acción de hoy es un reto, porque exige una reacción nueva a una persona o situación. Este día no reaccionamos automáticamente, ateniéndonos a reacciones instintivas que se repiten una y otra vez. Recuerda, dedicamos esta semana a empezar *en forma diferente*. Es posible que este ejercicio tome varios días para completar.

Vuélvete consciente de una respuesta reactiva que has repetido una y otra vez. Describe esa reacción:

Luego, describe la situación, suceso, o todo lo que precede a tu reacción instintiva. Quizás sea una llamada telefónica de tu cónyuge anterior, o algo que tus hijos o tus padres hacen a menudo. Por favor, indica la situación:

Finalmente, describe la reacción que deseas tener:

¡Lo único que falta es que reacciones en forma diferente!

Hoy soy una nueva persona.

El trabajo de ayer requirió mucho más que una reacción nueva a una persona o situación. No hacemos nada nuevo, ni reaccionamos en un nuevo modo a menos que seamos nuevos. La vida no es asunto de hacer. La vida requiere que seamos.

Regocíjate hoy porque eres un nuevo ser. Tres veces durante este día toma tiempo para aquietarte y descansar calmadamente. Ten la seguridad de que nadie esté cerca, porque vas a hablar en voz alta. Di estas palabras en la quietud de esos momentos: *Hoy soy una nueva persona.*

Semana 5
Día 35

Un cielo nuevo, una tierra nueva.

No hay otra creación que parezca más nueva o esté más llena de posibilidades que un niño recién nacido y, sin embargo, ¡el bebé no es más nuevo que nosotros!

En Apocalipsis 21:1 está escrito: "Vi un cielo nuevo y una tierra nueva". La mayor parte de la gente está familiarizada con la idea de una tierra nueva, pero la mayoría cree que el cielo permanece constante. ¿No hay perfección en el cielo? Muchos creen que la tierra pasará, pero no creen que el cielo pasará. Sin embargo, Jesús dijo: "El cielo y la tierra pasarán, pero mis palabras no pasarán" (Mt. 24:35).

Más adelante en este libro consideraremos en detalle la naturaleza del cielo, mas sembraremos una semilla hoy. El cielo que pasará es la percepción de la vida que una vez creímos ser verdadera. Del cielo nuevo que se levanta, una nueva tierra o experiencia terrenal se manifestará.

Esta ha sido una gran semana. Hay un cielo nuevo y una tierra nueva. No tienes tarea hoy, pero recuerda volver a la *Semana 4, Día 28* para completar esa lección. ¡Siente relajación y disfruta la nueva persona que has llegado a ser!

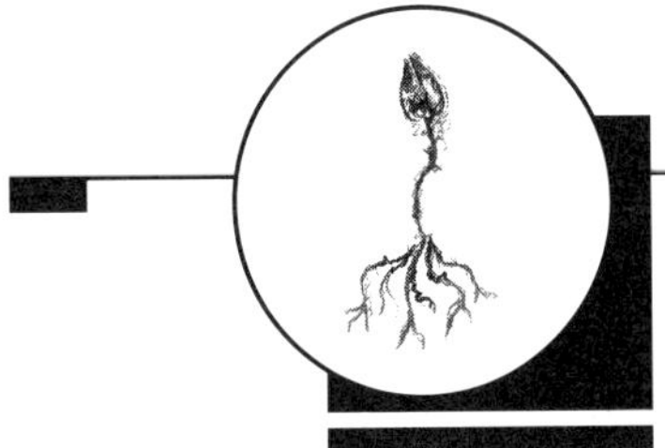

Semana 6
El humano sagrado

El hecho de que somos humanos es evidente a todos. Hay el humano perverso que comete atrocidades, que se siente herido tan hondamente que trata de herir a otros. El humano perverso se encuentra entre rejas y en las circunstancias más extenuantes. Este ser humano es fácil de identificar.

Tengamos el valor, también, de ser testigo del humano sagrado. Este siente alegría cuando el mundo está de acuerdo con sus expectaciones, y es el que se siente lastimado no sólo físicamente, sino emocionalmente, el que siente culpabilidad y remordimiento, el que llora y expresa tristeza. En general, el humano sagrado no hiere consciente y maliciosamente a otra gente; desea paz, pero no sabe cómo lograrla. Los consejeros profesionales han visto el humano sagrado, y han llegado a amarlo. Alguna gente entierra este preciado aspecto de ella con la intención de ocultarlo de otros y de sí misma. Ella cree que al esconder el mal o daño dentro de sí, éste no afectará sus vidas, y no sentirá dolor. Sin embargo, no es así. Algunas veces el cuerpo se enferma y refleja lo que se halla en él. Otras veces, la depresión viene y roba la paz y el gozo de una persona.

Ahora es el momento de aceptar, honrar y amar el humano sagrado. Solamente al aceptar esta parte de tu ser humano encontrarás y expresarás tu ser espiritual. Escribe una palabra que describe tu humano sagrado.

No debes estar avergonzado de esta parte de tu ser. Por medio del poder de la elección, puedes aceptar, honrar y amar el humano sagrado en ti y otros. En la página siguiente, escribe una declaración breve que expresa tu decisión de enfrentar y aceptar tu humano sagrado:

Semana 6
continuación

Humano sagrado, ven y únete a mí en la luz.

Una vez que te hayas disculpado con el humano sagrado, pídele que se ponga en la luz y te hable de su concepto y de lo que desea de ti y del mundo. No conoces este aspecto de ti que has esquivado, pero es hora de que esa parte de tu ser que has dejado huérfano venga a casa. Tal vez sospeches que esta oculta fase tuya no es creación de Dios. Es muy probable que ella sea algo que has creado. Está dispuesto a enfrentar tu humano sagrado.

Es evidente que esa parte de ti no quiere permanecer escondida. Ella aparece cuando menos la esperas. Ahora haz el llamado: "Ven, ponte en la luz y déjate ver. Háblame de tu concepción y lo que quieres de mí y del mundo".

Es probable que cuando es llamado a ponerse en la luz, el humano sagrado sea tímido y reservado; por lo tanto, la persistencia es necesaria a medida que continúas con el deseo de enfrentar tu ser humano. Será muy probable que la señal de la llegada del humano sagrado sea un sentimiento. A menudo durante el día, haz una pausa y di al humano sagrado: "Ven y ponte en la luz. Dime acerca de tu concepción y lo que quieres de mí y del mundo". Luego descansa y espera el sentimiento que anuncia la llegada de esta parte oculta en ti.

Cuando ella "aparezca" no la rechaces, sino escucha como una madre oye a un hijo que no ha visto por muchos años.

Semana 6
Día 37

Estoy dispuesto a enfrentar el humano sagrado.

Hoy, reconoce que hay una parte de ti que has esquivado. Esta se siente lastimada y busca amor, mas lo busca en formas impropias. Hay veces cuando crees que esta parte de ti debe permanecer escondida siempre. Qué feliz podrías ser, piensas; pero entonces, cuando menos te lo esperas, esa parte oculta de ti ya no se esconde. Estás incontrolable y actúas en maneras que sabes que no son para tu bien más alto. Eres como el apóstol Pablo, que dijo: "Pues no hago lo que quiero, sino lo que aborrezco, eso hago" (Ro. 7:15).

No más este humano sagrado ha de ser ignorado. Hoy reconoce una parte escondida en ti, un aspecto tuyo que has esquivado. Tu viaje espiritual no puede continuar hasta llegar a conocer el humano sagrado y descubrir quien es y lo que quiere.

En el espacio abajo, escribe una breve disculpa a tu humano sagrado. Ten la seguridad de incluir lo siguiente:

1. Un reconocimiento de la presencia de la parte oculta en ti.
2. Una referencia a la parte oculta en ti como el humano sagrado.
3. Un reconocimiento del temor de encarar tu humano sagrado.
4. La razón por haber evadido el humano sagrado. Si desconoces la razón, incluye ese hecho en tu disculpa.

No hay nada que deba permanecer escondido.

Cuando el humano sagrado "aparece", a menudo tenemos la tendencia de querer rechazarlo o, si resistimos esto, creer que una sola reunión con él es suficiente. Esto no es cierto. Hay mucho que debe ser revelado. Estamos destinados a saber todo sobre nosotros mismos: lo humano y lo divino. Ocultar no permite descubrir, y sin el descubrimiento la paz y el gozo permanecerán un sueño siempre.

Regresa a la actividad de ayer y repítela. A tu invitación anterior añade ahora la declaración: "No hay nada que deba permanecer escondido. Estoy dispuesto a ver todas las cosas".

Recuerda, no hay nada que sea insoportable cuando estás dispuesto a enfrentarlo. De hecho, el familiarizarte con tu humano sagrado está destinado a ser una parte preciosa de tu viaje espiritual.

Semana 6
Día 39

La intención del humano sagrado no es causarte daño.

El deseo primordial del humano sagrado es ser amado. Sin embargo, cuando nos han lastimado a menudo, junto con el clamar por amor hay la tentativa de ser protegido del dolor. Lo externo es cruel algunas veces, y aparentemente no existe el deseo por amistad o amor, mas esto no es cierto.

No importa cuáles sean las travesuras del humano sagrado, ten presente que él desea una cosa: aceptación y amor. No es la intención del humano sagrado causarte daño, pero tampoco desea ser lastimado. Algunas veces el deseo de evitar ser lastimado es mayor que el deseo de ser amado. Al ser apacible con el humano sagrado, encontrarás que lentamente, pero continuamente él disminuirá la muralla que ha levantado y se volverá como un niño.

Continúa con el ejercicio de ayer, y añade la comprensión de que el humano sagrado no tiene la intención de causarte daño. La razón por la cual enfatizamos tan concienzudamente la aceptación del humano sagrado se debe a que a menos que estés dispuesto a enfrentar, honrar, aceptar y amar tu creación, no podrás tener una visión mayor para descubrir lo que realmente eres. Recuerda siempre, el humano sagrado es tu creación y no ha de ser esquivado.

Hago surgir el humano sagrado.

La experiencia más común de nuestro humano sagrado es semejante a la de un niñito que ha sido herido y quiere ser amado. Tal vez este pequeñito fue abusado por el padre o la madre o alguien que se suponía protegerlo y respetarlo. El humano sagrado nació en el momento del trauma. No fue concebido con amor como sucedió con la imagen de Dios, sino con dolor. ¿No es de extrañarse que los adultos actúen como niños muchos años después de su infancia?

Ahora es tiempo de que este pequeñito comprenda. Por años ha querido ser amado, y ahora el acto más amoroso es ayudar al niño a comprender cómo llegó a ser lo que es. El humano sagrado ahora se ha desarrollado suficientemente para comprender lo que no pudo comprender por muchísimos años. Por ejemplo, en el pasado lejano, un niño no podía comprender por qué un adulto le abusaba. Nunca se le ocurrió al pequeñito que el padre o la madre estaba enfermo, pero buscaba ayuda.

La Verdad liberará al humano sagrado. Ella le permitirá aceptarse a sí mismo. No es necesario herir al ser lastimado. Como un niñito, necesita ser amado, necesita que le digan que todas las cosas pueden ser sanadas, necesita aprender la verdad de su concepción.

El ejercicio de hoy es el primero de un número de imágenes que se te pedirá que experimentes a medida que utilizas este libro. Antes de empezar, lee el siguiente ejercicio minuciosamente, de modo que no tengas que referirte a él al dar hoy el paso de acción.

Semana 6
Día 40
continuación

Usando tu imaginación ve o siente la presencia de un niñito, teniendo presente que este niñito eras tú en los momentos en que fuiste lastimado. Tú, el adulto amoroso, eres el único con este humano sagrado. Abre los brazos a este pequeñito e invítale a sentarse en tu regazo. No te sorprendas si al principio hay renuencia, mas recuerda que este niño quiere ser amado, quiere comprender. Observa a medida que el niño viene ante ti y anda paso a paso hasta tu regazo. Tal vez haya lágrimas —tus lágrimas. Descansa en silencio por un momento y luego habla a tu humano sagrado de tu amor y de la verdad que lo libertará. Al terminar de compartir, abrázense el uno al otro estrechamente y permite que los dos se vuelvan uno.

Amo y honro el humano sagrado.

Lee las siguientes declaraciones siete veces durante este día:

"Amo y honro mi humano sagrado. De hecho, amo ser humano. Esto es algo especial que no deseo perder. Dios me ha honrado con la habilidad de crear de acuerdo con mi visión. Tal vez ella no sea exacta, pero es aún mi creación y no ha de ser evitada.

Los primeros intentos de un niño en la pintura no resultan en obras maestras, pero son preciosas para el niño y sus padres. Mi creación no se acerca a la verdad del ser, pero es mi primer encuentro con el proceso creativo. Es el primer paso de un niño que un día correrá. Una vez que aceptamos, amamos y honramos el humano sagrado, se acerca el momento cuando la creación de Dios puede emerger."

Semana 6
Día 42

Acepto el humano sagrado.

Esta semana es crucial a medida que continúas la búsqueda para vivir una vida espiritual. Es obvio que esta manera especial de vida requiere transformación. Para ser específico, debes ser transformado. A menudo acaso hayas pensado que otros deberían cambiar, o que el mundo tendría que ser diferente para que tu vida fuera todo lo que podría ser.

La particularidad es que antes de que pueda haber transformación, primero debe haber aceptación. Podríamos pensar que si aceptamos algo, éste nunca cambiará, mas la dinámica del cambio revela que una vez que traemos lo escondido a la luz y lo aceptamos, entonces puede ser liberado. La *Semana 6* ha sido un tiempo para permanecer con el humano sagrado y aceptarlo tal como es. No se requiere cambio, sino aceptación. Esta aceptación es el principio de la transformación.

Esta ha sido una buena semana. Pero recuerda, el humano sagrado tiene la tendencia de huir asustado de la luz. El y sus pensamientos y emociones deben ser llamados una y otra vez para estar en la luz, de manera que los pensamientos y emociones del pasado puedan sentir tu aceptación.

La tarea de hoy es simple, pero una que has de recordar. Está dispuesto a llamar el humano sagrado todos los días, si es necesario, y aceptar sus pensamientos y emociones tales como son.

¡Deja que la transformación comience!

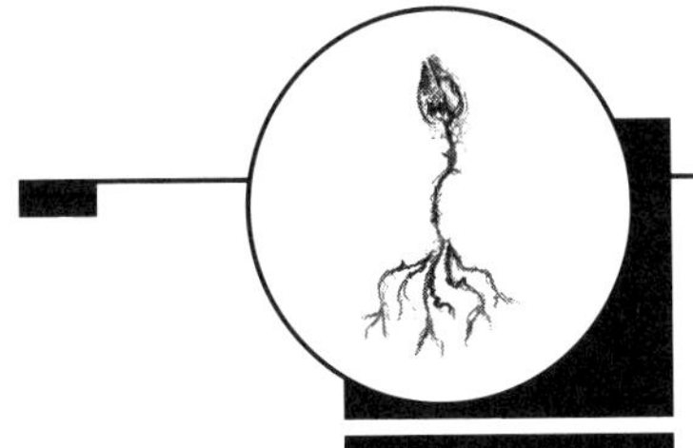

Semana 7
Transformaos

El comienzo de nuestra nueva vida es como la llegada de la primavera. El aire es fresco y las semillas empiezan a germinar y crecer. De hecho, la primavera es la manifestación de una ley: "Pues todo lo que el hombre sembrare, eso también segará" (Gá. 6:7). La cosecha de la primavera es el resultado de la siembra de semillas. Hay semillas de numerosas variedades, y ellas justifican los abundantes colores que llegan cuando el sol calienta la tierra y las semillas brotan. Mucha gente no sabe que las semillas que dan fruto como nuestras vidas son los pensamientos.

La sabiduría antigua declara: "Transformaos por medio de la renovación de vuestro entendimiento" (Ro. 12:2), y "Porque cual es su pensamiento en su corazón, tal es él" (Pr. 23:7). La gente que practica esta manera de vivir afirma: *Los pensamientos que sostenemos en la mente producen según su género.* La llave de la nueva vida es la comprensión de la naturaleza constructiva y no constructiva del pensamiento. Ejerzamos nuestro poder de elección al empezar a elegir pensamientos que, cuando manifiestan según su clase, producen una cosecha de belleza, paz, amor y alegría.

La gente cuyas vidas cambian, cambia siempre sus pensamientos y puntos de vista acerca de ella misma, de otros y del mundo. Escribe una declaración abajo que expresa tu disposición de cambiar tu manera de pensar:

Semana 7
Día 43

Los pensamientos son cosas.

Estamos destinados a ser transformados, pero somos nosotros los que debemos abrir la puerta de esta nueva vida. Ya no tenemos que preguntarnos qué hacer. Se nos ha dado la llave que nos cambia: **LOS PENSAMIENTOS SON COSAS.** Estas cuatro palabras revelan una gran verdad que toda persona comprenderá finalmente: la experiencia de nuestra vida fluye de los pensamientos que sostenemos en la mente. Los pensamientos se manifiestan realmente en nuestras vidas.

¿Piensa negativamente la gente feliz? Las personas que piensan que la vida es una lucha tienen mucho que pueden mostrar que justifica su creencia. Antes de una vida desdichada, hay siempre pensamientos de desdicha. Antes de levantarnos de la desesperación, debe haber siempre pensamientos de esperanza.

Había una vez un hombre que asistía al funeral de su hermano. Antes de los servicios religiosos el hombre habló con el ministro, quien compartió una historia interesante con el hombre. El ministro dijo: "Su hermano vino a mí hace varios meses con perfecta salud. Insistió en hacer sus arreglos funerales porque dijo que iba a morir pronto. El dijo: 'Los hombres en mi familia siempre mueren cuando tienen más o menos sesenta años, y mi cumpleaños está a la vuelta de la esquina.' Cuando tu hermano murió poco después de cumplir los sesenta años, recordé lo que me había dicho".

El hermano replicó: "Varios hombres en nuestra familia han muerto cuando tenían más o menos sesenta años, pero no todos; yo estoy en los setenta. Y dicho sea de paso, hay algo que mi hermano no sabía: él fue adoptado".

Nuestros pensamientos y creencias tienen un impacto poderoso en nuestras vidas. Cuando no estamos conscientes de esto, la transformación no sólo es difícil, sino imposible. Sin embargo, hoy es un día de regocijo para ti, porque ahora comprendes que tus pensamientos, actitudes y creencias causan tus experiencias en la tierra.

Ahora tienes la llave para cambiar y empezar de nuevo. Las lecciones diarias te han ayudado a vivir de este modo, pero se necesita más. Debe haber transformación.

La tarea de hoy es hacer una lista de sucesos significativos en tu vida. Estos pueden ser cosas maravillosas, o cosas que deseas que no hubieran ocurrido.

1.

2.

3.

4.

Ahora considera la idea de que tus pensamientos, más bien que otra gente, la suerte, o las circunstancias, fueron la causa de esos sucesos.

Semana 7
Día 44

Debido a que los pensamientos son cosas, soy responsable por mi vida.

Debido a que los pensamientos son cosas, no somos inútiles o incontrolables. La gente, la suerte y las circunstancias no tienen que determinar lo que pensamos. Los pensamientos entran en nuestras mentes por nuestra elección, no por el mandato de otra persona. Las condiciones tampoco pueden determinar lo que pensamos, porque ellas no determinan nuestras reacciones o la experiencia de nuestra vida.

Ahora comprendemos las implicaciones del versículo bíblico que declara: "Señoree (el hombre) en los peces del mar, en las aves de los cielos, en las bestias, en toda la tierra" (Gn. 1:26). El dominio de las circunstancias es posible porque se nos ha dado la habilidad de determinar nuestros pensamientos, actitudes y creencias.

Esta comprensión nos trae cara a cara con algo que hemos querido evitar por una gran parte de nuestras vidas: la responsabilidad. Cuando éramos rehenes e indefensos para determinar el curso de nuestras vidas, creíamos que otra gente y las circunstancias eran responsables de nuestra manera de ser y de las situaciones de nuestras vidas. La verdad es: nosotros éramos los responsables.

A menudo esta comprensión es acompañada de un sentido de culpabilidad. Déjalo ir, porque tienes las llaves de la transformación. Si nuestras vidas están en desorden, es verdad que nosotros somos responsables del desorden, pero podemos ser también responsables de nuestras nuevas vidas. El mismo principio —"los pensamientos son cosas"— que nos puso de rodillas pronto nos levantará a nuevas alturas.

Si estás pasando por un tiempo difícil en tu vida, haz una pausa a lo largo del día y veinte veces declara silenciosamente: *Soy responsable de este problema, o mi reacción a él, y puedo ser responsable de su solución.*

Si éste es un tiempo de paz en tu vida, haz una pausa a lo largo del día y veinte veces declara silenciosamente: *Debido a que soy responsable por mi vida y estoy dispuesto (dispuesta) a aceptar esta responsabilidad, esta paz nunca tiene que dejarme.*

Elijo pensar constructivamente.

Eres responsable por tu vida, y cuando eliges pensamientos constructivos, construyes una vida creativa de amor, paz y alegría. Nota que el llamamiento no es para elegir pensamientos positivos, sino para elegir pensamientos constructivos. La verdad es: todo pensamiento es positivo. Por ejemplo: las personas que piensan negativamente son realmente positivas —ellas son positivas en cuanto a que perderán sus empleos, en cuanto a que la vida es una lucha, que otros quieren hacerles daño, que se enfermarán en ciertas épocas del año, que algo les pasa.

Hoy, deja que tu pensamiento sea constructivo. Pablo declara: "Todo lo que es verdadero, todo lo honesto, todo lo justo, todo lo puro, todo lo amable, todo lo que es de buen nombre; si hay virtud alguna, si algo digno de alabanza, en esto pensad" (Fil. 4:8). Al pensar constructivamente, la vida es edificada más bien que destruida.

Para cada una de las siguientes situaciones, ten la bondad de dar un ejemplo de los pensamientos constructivos que desearías sostener en la mente:

1. Acabas de pasar por la desaprobación de alguien.

2. Acabas de saber que debes tener una operación.

3. Acabas de enterarte de que por cuarta vez has estado en segundo lugar entre los candidatos para el empleo que solicitaste.

4. Te han dicho que una relación terminó.

5. Has perdido las llaves de tu auto.

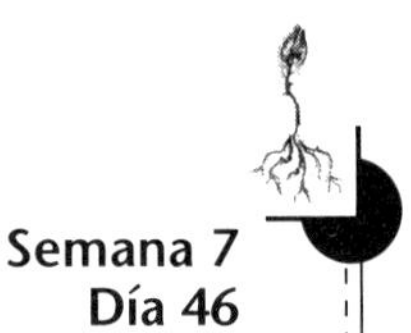

Mis palabras revelan la naturaleza de mis pensamientos.

Los pensamientos, actitudes y creencias son parte de tu mundo interior. Algunos de ellos se mueven en lo profundo de tu ser y son, por lo tanto, difíciles de identificar. Sin embargo, tus palabras son ventanas hacia lo profundo de tu ser. Tus palabras revelan la naturaleza de tus pensamientos.

Hoy escucha tus palabras. No trates de tener cuidado con lo que dices o de pensar antes de hablar. Es mejor que simplemente hables y escuches. Este día no será diferente de ningún otro, excepto por el hecho de que escucharás lo que dices con el conocimiento de que tus palabras revelan tus pensamientos, actitudes y creencias.

Hay un episodio en la vida de Jesús que ayuda a comprender el poder de las palabras y la conciencia de la cual surgen las palabras. Jesús iba por un camino y se dirigió a una higuera que estaba a la orilla del sendero para obtener unos higos para comer. El árbol no tenía higos, y Jesús dijo: "Nunca jamás nazca de ti fruto" (Mt. 21:19). El árbol se secó inmediatamente. Tal vez Jesús hizo eso para ilustrar el impacto negativo de nuestras palabras. Hay muchos ejemplos del uso constructivo de palabras en la vida de Jesús, mas ese ejemplo nos pone alerta al impacto del pensar y del hablar que no es constructivo.

Escribe cualesquiera frases claves que te dan discernimiento sobre tu ser interno. Presta mucha atención a palabras que no son constructivas. No trates de cambiar las palabras ahora. Este día es para observar.

Semana 7
Día 47

Hoy hablo sólo palabras positivas acerca de mí y de otros.

Hoy comienza un proceso que será parte de tu vida en años venideros. Es el intento consciente de hablar sólo palabras positivas acerca de ti y de otros. Al principio estas palabras tal vez sean contrarias a los pensamientos que hay en el fondo de tu ser, pero las palabras son un comienzo.

Los pensamientos, actitudes y creencias no cambiarán tan fácilmente como las palabras, mas con persistencia y adherencia al principio, los cambios ocurrirán. Las palabras son la elección que hacemos hoy.

A medida que el día avanza, no te desalientes al descubrir que expresas las viejas normas de pensamiento en frases familiares que parecen como viejas amistades. Esto es normal. Cuando sucede esto, reconoce que las palabras que hablas no son constructivas y declara lo que es "amable, puro y justo".

A medida que hablas declaraciones positivas acerca de ti y de otros, escribe las frases constructivas en el espacio abajo. No te intereses en las palabras que no son constructivas. Anota sólo aquello que es constructivo.

Los pensamientos que *sostengo* en la mente producen según su género.

Hay leyes y principios que gobiernan todos los aspectos de la vida. Por ejemplo, hay leyes de tránsito que nos ayudan a conducir un vehículo de un lugar a otro. Los científicos descubren leyes que han estado operando eternamente en nuestro universo. Aunque se ha sabido por siglos que hay principios que gobiernan nuestra vida interna, sólo recientemente mucha gente ha empezado a descubrirlos. Una ley importante es la Ley de Acción Mental: los pensamientos que sostenemos en la mente producen según su género. Esa ley es el corazón de la ciencia mental. La premisa es que los pensamientos son como semillas porque ellos dan fruto. El principio que cada persona debe descubrir y con el que debe trabajar es la idea de que hay una relación directa entre los pensamientos que sostenemos en la mente y lo que nos sucede. Este concepto armoniza con la idea de que todos somos responsables de nuestras vidas.

A menudo enfocamos este modo afirmativo en cuestiones específicas de la vida. Por ejemplo, podríamos declarar: *El poder del amor sana mis sentimientos heridos hacia* ______________________________. O podríamos afirmar: *Soy sanado y restaurado a la perfecta salud.*

Permite experimentar este enfoque de la vida. Escoge una declaración que es constructiva y está alineada a uno de tus sinceros deseos, y repítela por lo menos cien veces durante este día. Escribe la afirmación elegida abajo:

Si este enfoque de la vida es nuevo para ti, querrás practicarlo hasta que tus afirmaciones empiecen a dar fruto. Es apropiado que todos experimenten la siembra de semillas de este modo. La idea de la lección de mañana nos ayudará a comprender cómo cambia realmente el subconsciente.

Semana 7
Día 49

Tengo los pensamientos de Dios.

Las ideas de ayer resultaron de la Ley de Acción Mental que declara: los pensamientos que sostenemos en la mente producen según su género. El discernimiento de hoy revela la manera en que esta ley en realidad trabaja. La lección previa dice que los pensamientos *se sostienen* en la mente por medio de la repetición. Este enfoque es consistente con la idea de que debemos enseñar la verdad a la fase subconsciente de la mente. A veces llamamos esto acondicionar o "programar" la mente. Pero la Verdad ya está dentro de nosotros.

La Biblia expresa eso de este modo: "Daré mi ley en su mente, y la escribiré en su corazón" (Jer. 31:33). Si esta premisa es verdadera, luego no es necesario llenar la mente con lo que ya está presente. En su lugar, ¡la verdad ha de ser liberada desde tu interior!

Recuerda el discernimiento increíble de Pablo: tenemos la mente de Cristo. El propósito de "los pensamientos sostenidos en la mente" es permitir que la mente de Cristo haga su obra sagrada.

Cuando "sostenemos" los pensamientos en la mente en vez de programar la mente, dejamos que ciertos pensamientos descansen en ella. No los mantenemos cautivos a través de la repetición, sino que permanecen en nosotros como un amigo permanecería con nosotros durante un tiempo de compartir. Tal vez usemos la misma afirmación o declaración de verdad. Hablamos la verdad, pero luego permanecemos con esa declaración hasta que la mente se desvía. Entonces pensamos o hablamos la declaración de nuevo. Este proceso de hablar o pensar la verdad y esperar, se repite una y otra vez.

El resultado de este proceso es que los pensamientos y discernimientos surgen desde nuestro interior. Charles Fillmore llamó el lugar donde ellos surgen *el superconsciente*. Tenemos la experiencia del astrónomo alemán Juan Kepler que oró espontáneamente: "Oh Dios, estoy pensando Tus pensamientos contigo". Este proceso de hablar la verdad y esperar, expresa una relación cooperativa entre nosotros y Dios. Hace surgir una sabiduría que es innata en la mente de Cristo. Podríamos pensar en este proceso como cebar, o llenar de agua una bomba. Un poco de agua es derramada dentro, de manera que el manantial abajo (o dentro, en este caso) pueda subir a la superficie.

Practica este método hoy. Es retador, porque la mente humana tiende a divagar. Recuerda tu aceptación del humano sagrado y tu amor por él. En otros días exploraremos esta forma de vida con más detalle, y se te darán ideas útiles para tratar con la mente divagante. Entretanto, ten la bondad de comprender que tienes la mente de Cristo y que el estado normal de un ser humano creativo es hacer que el manantial de sabiduría surja a la superficie y toque la vida diaria de maneras prácticas y maravillosas.

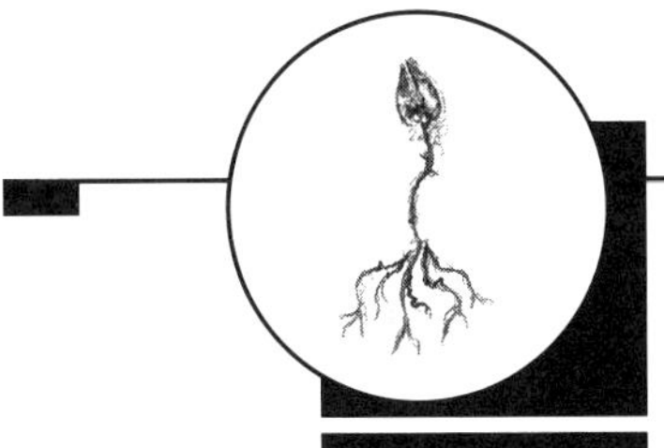

Semana 8
Sentimientos

Nuestros sentimientos son semillas que producen según su género. Las circunstancias y experiencias de la vida se originan en la mente. Sin embargo, no todo en la vida se compone de circunstancias y experiencias. De hecho, mucho de lo que llamamos vida consiste de sentimientos. Una emoción es en realidad el primer fruto de la semilla que sembramos en el campo de la mente. Por lo general, los sentimientos positivos nos dicen que las semillas son sanas y productivas. Los sentimientos negativos nos revelan la necesidad de sembrar semillas nuevas.

Recuerda esta idea: los primeros frutos de las semillas (pensamientos) que siembras son sentimientos. Estos te dicen la naturaleza de las semillas que has plantado, o los pensamientos que sostienes.

Según pasa tu día, muestra sensibilidad a tus pensamientos. Imagina un paseo a través de un huerto donde haces una pausa de vez en cuando para examinar el fruto de los árboles. Estás sencillamente notando las emociones que sientes en ciertos momentos durante todo el día.

¿Por cuánto tiempo desde la mañana hasta el mediodía fue tu pensamiento constructivo? __________

¿Por cuánto tiempo desde el mediodía hasta las 6 p.m. fue tu pensamiento constructivo? __________

¿Por cuánto tiempo desde las 6 p.m. hasta la hora de irte a dormir fue tu pensamiento constructivo? _________

Semana 8
Día 50

Me permito sentir las emociones presentes en mí hoy.

El viaje espiritual, como todos los viajes, comienza con un solo paso. Es curioso ver que aquello que conduce a la vida superior y más satisfaciente empieza con descontento. Primero somos motivados, pero por lo común nuestro motivo no es vivir una vida espiritual. El propósito inicial es disipar el dolor. Si el dolor se calma damos un suspiro de alivio y olvidamos la búsqueda espiritual, pero en breve tiempo, el descontento vuelve, y buscamos de nuevo.

Si ya no queremos que la angustia —física o de otra forma— sea nuestra experiencia, debemos comprender un principio. *El primer paso para desechar el dolor es sentirlo.* Evitar sentirlo sólo le da un escondite del cual nos tiende una emboscada.

Por lo tanto, da atención este día a lo que sientes. Haz una pausa durante el día para experimentar y notar lo que sientes.

Los sentimientos pueden expresarse en una palabra. Hay tres categorías básicas de emociones: tristeza, furia y alegría. Los consejeros notan que la gente a menudo dice una oración o hasta un párrafo cuando se le pregunta lo que siente. Muchas veces, no incluye ni un sólo sentimiento en lo que dice.

Siempre expresa cómo te sientes en una palabra. Aquí tienes algunos sentimientos que se expresan con una sola palabra: culpable, feliz, frustrado, colérico, alegre, triste, temeroso, asustado, exuberante, derrotado, gozoso, odioso, amoroso, pertenezco, solo, sin ningún valor, digno, aceptado, tranquilo.

Los sentimientos que has experimentado hoy:

Mis sentimientos son aceptables, no importa cuáles sean.

Nos hemos dicho una mentira: algunos sentimientos son aceptables y otros no lo son. *Ser necesario* y *deber* son normas que hemos declarado erróneamente para nosotros mismos. "*Debemos* sentir amor. *Es necesario* tener paz. *Debemos sentir cólera.*" Las normas *es necesario* y *deber* no están en el vocabulario de la persona que siente lo que está presente en ella.

No importa lo que emerja de ti hoy, siéntelo. Al sentir plenamente, vives completamente. Descubres que el poder de un sentimiento negativo no estriba en sentirlo, sino en su amenaza para gobernar tu vida. A medida que experimentas tus sentimientos, no llames a unos aceptables y a otros detestables. Tu búsqueda ya no es experimentar ciertos sentimientos y evitar otros. Desea vivir la vida plenamente. Siente lo que surge de ti.

Los sentimientos que he tenido hoy:

¿Hay una diferencia entre la intensidad de los sentimientos que tuviste hoy y la intensidad de las emociones de ayer? Utiliza el espacio en la página siguiente para comentar sobre esta cuestión. Descubrirás que cuando aceptas los sentimientos, su intensidad disminuye con el tiempo.

Semana 8
Día 51
continuación

Hoy no califico buenos o malos mis sentimientos.

Has aprendido la necesidad de sentir lo que surge de ti, y hoy das otro paso en el sendero espiritual. Cuando experimentes un sentimiento, no lo califiques bueno o malo.

En lugar de eso declara: *Rehúso llamar mis sentimientos buenos o malos. El sentimiento simplemente es.* Por ejemplo: *Rehúso llamar la cólera buena o mala. La cólera sencillamente es.*

Hoy, da cuidadosa atención a la tendencia de calificar bueno o malo lo que sientes. Comprende que necesitas admitir lo que sientes, más bien que calificarlo.

Semana 8
Día 53

Hay sólo una puerta.

Durante toda tu vida tal vez pensaste que había dos puertas a tus sentimientos. Una puerta, la que deseabas abrir, conducía a sentimientos de alegría, paz y amor. La otra, la que tratabas de cerrar con llave desde afuera, conducía a emociones que lastiman. Mas no importaba lo que hicieras, los sentimientos detrás de la puerta "cerrada con llave" se escapaban. A veces te avasallaban, aunque tratabas de mantenerlos bien asegurados detrás de la segunda puerta.

Ahora debido a la simple observación, sabes que no hay dos puertas. Sólo hay una. Cerca de la entrada yacen las emociones negativas, inválidas e incapacitadas que esperan escaparse. Al dejar que estos sentimientos se expresen, se ven que no tienen poder, y eres libre. Luego los sentimientos de alegría, paz y amor pueden seguir su curso a través de tu ser.

Indica los sentimientos que has tratado de mantener ocultos:

Los sentimientos son mi primer alerta.

En el pasado pudiste haber creído que los sentimientos te traicionaban, y en otras ocasiones creíste que eran un soberano, porque su impacto era tan fuerte que te dominaban. Ahora sabes que los sentimientos son tu primer alerta. Ellos son como mensajeros de un rey y te dejan saber el estado interno del reino. En días futuros ahondarás más profundamente en tu ser, mas por hoy, escucha tus sentimientos. Estos declaran tu estado mental interno. Como anteriormente, abstente de calificar los sentimientos, pero oye su mensaje. Cuando te sientes turbado tal vez creas en alguna mentira, mas una verdad está aún por revelarse. Cuando te sientes tranquilo expresas tu verdadera naturaleza.

Hoy no es necesario saber la verdad, solamente oye el mensaje, porque los sentimientos te dan el primer alerta. Durante todo el día siente tus emociones con la comprensión de que te alertan al estado del reino interno de tu alma.

¿Cuántas veces durante todo el día dejaste que tus sentimientos te alertaran acerca de tu estado mental? __________

Al permanecer sensitivo a tus sentimientos, podrás saber si tu pensamiento es constructivo o, de algún modo, limitativo.

Nota: Lee la lección de mañana lo primero en la mañana.

Semana 8
Día 55

Los sentimientos son el preludio de la sensibilidad y el poder intuitivo.

¿Te preguntas por qué damos tanta atención a los sentimientos? La lección de hoy revela la importancia del trabajo de esta semana. Los sentimientos proveen un medio por el cual el Espíritu puede expresarse. Cuando no te permites sentir, le estás negando acceso al mundo a un conducto de la expresión divina. Obviamente, habrá descontento divino hasta que esa vía del Espíritu se abra.

Según progresas con estas lecciones, esta entrada entre el reino de Dios y el reino en la tierra se amplía, y la sensibilidad y el poder intuitivo se vuelven una parte natural de la vida diaria. Mientras más sientes, más experimentas momentos de discernimiento y corazonadas que rinden frutos.

Hay dos asuntos para hacer hoy. Primero, haz una pausa y lee la lección de hoy por la mañana, al mediodía y por la noche. Esta lectura te recordará simplemente que sentir es el comienzo de la sensibilidad y del poder intuitivo. Segundo, nota si tienes la tendencia de ocultar o rechazar las emociones. Si esto sucede, no te condenes, sólo comprende que estás restringiendo el fluir del Espíritu.

Mis sentimientos me ayudan a vivir en el aquí y el ahora.

Es nuestra inhabilidad de vivir en el momento presente lo que nos deja con un sentido de impotencia. La preocupación por el pasado o el futuro no nos pone en contacto con el poder que reside en el momento presente. Cuando damos atención a lo que sentimos, podemos vivir en el aquí y ahora. No es necesario calificar el momento corriente como placentero. En vez de eso, comprendemos la necesidad de experimentar los sentimientos y, de este modo, el poder del momento.

Tres veces durante este día recuerda estar consciente de tus sentimientos, porque esta conciencia es el preludio al conocimiento del poder que reside de manera innata en el aquí y ahora.

Una vez que completes la *Semana 8*, termina la siguiente oración:

El sentimiento predominante que tuve durante la semana fue ________________

____.

Recuerda: no importa el sentimiento que sea, es aceptable.

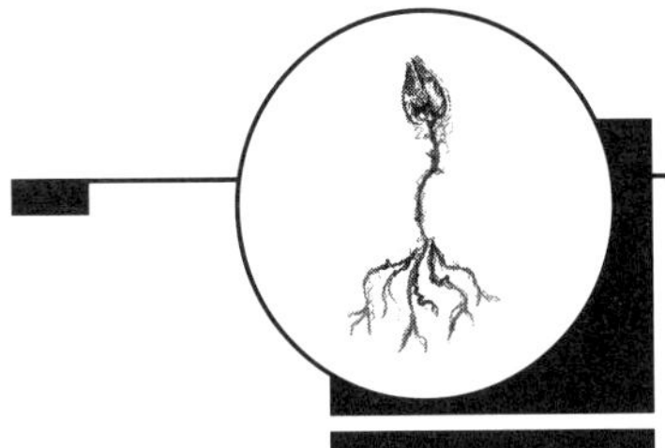

Semana 9

Estad firmes

Tratar de vivir una vida espiritual no asegura que nunca tengamos problemas. Habrá retos porque somos seres crecientes y dinámicos; sin embargo, debido a que tratamos de vivir una vida centrada en el Espíritu, llegamos a estar conscientes de los principios que nos capacitarán a pasar por cualquier problema e ir más allá de él.

El primer paso para ir más allá de un reto es estar firmes (no movernos). Cuando hay alguna dificultad, la tendencia normal humana es actuar. Todo el mundo comprende que no hacer nada produce nada. "Haz todo el esfuerzo que puedas", decimos. La actitud de poder hacer algo es lo que necesitamos. Esto parece ser un enfoque sabio, pero hay millones de personas que tratan, sólo para descubrir que sus acciones empeoran el problema. Ellas no han aprendido el valor de permanecer quietos.

Moisés, atrapado entre el mar Rojo y el ejército egipcio que se acercaba, dijo a la gente: "Estad firmes, y ved la salvación que Jehová hará hoy con vosotros" (Ex. 14:13). Debemos dejar que el Espíritu haga su obra sagrada. Las acciones prematuras que surgen de las mismas actitudes y creencias que ayudaron a crear el problema son una barrera a la actividad dirigida por el Espíritu. Por lo tanto, el primer paso para vencer un problema es permanecer quietos. La razón es simple: *no podemos afrontar el problema en el nivel del problema*. Aprende de memoria esa declaración. Es una compañera valiosa para el viaje espiritual.

Semana 9
Día 57

Mi problema parece ser . . .

Los problemas no son lo que aparentan ser. Cuando la gente está en pugna, el problema parece ser la otra persona. Si sólo ella actuara de la manera que queremos que actúe, no habría problema. Cuando hay enfermedad, consideramos que la respuesta es un cuerpo sano y restaurado. El cáncer debe ser extirpado, o el brazo roto debe ser curado. Un nuevo empleo o un jefe mejor tal vez parezca ser la respuesta a nuestras necesidades financieras. Ganar la lotería se considera la solución de muchos problemas. Se ha dicho: "No tengo ningún problema que un millón de dólares no resuelva".

En una lección anterior, empezaste a considerar la idea de que hay una relación entre tus pensamientos y la experiencia de tu vida (todo lo que te sucede). Consideraste la idea de que se requieren cambios internos si tu experiencia ha de ser diferente. Esta es la verdad, pero tampoco has de ignorar los problemas. De hecho, puede ser importante hacer un resumen de lo que crees que sea el problema desde la perspectiva humana. Al hacer eso, puedes enterarte de ciertos aspectos en ti.

En el espacio abajo, completa la oración siguiente desde el punto de vista humano:

Mi problema parece *ser*

No puedo enfrentar el problema en su nivel.

Uno de los primeros discernimientos que nos trae nueva vida es: *no puedo enfrentar el problema en su nivel.* Repetimos muchos ciclos contraproducentes y limitativos de la conducta y experiencia debido a que enfrentamos el problema en su nivel. A veces tratamos con más ahínco, pero el resultado es el mismo siempre. Hasta tal vez utilicemos una técnica nueva, pero a menos que seamos diferentes el ciclo continuará.

Describe abajo cualesquiera ciclos dañosos a la salud que han sido parte de tu vida. Indica el mes y año en que el ciclo se repetía. Por ejemplo, acaso una relación fracasó en junio de 1987 y de nuevo en febrero de 1988, o quizás has cambiado de empleo más o menos cada tres años.

En cada caso indica el "método" que empleaste el cual creíste detendría el ciclo malsano:

Semana 9
Día 59

Este problema es una oportunidad.

Cada problema es una oportunidad para madurar y cambiar. De hecho, cada problema es realmente un reto para subir más alto y ser una persona diferente. Los chinos son sabios. A medida que su idioma se desarrollaba, dos símbolos chinos fueron combinados para formar la palabra *crisis*. Uno de los símbolos significaba peligro y el otro significaba oportunidad. Estos dos símbolos nos permiten elegir. Podemos sentirnos en peligro y estar temerosos, o podemos buscar y encontrar la oportunidad.

La oportunidad es el enfoque de toda persona interesada en vivir una vida espiritual. Una y otra vez en la historia, los problemas nos han retado no tanto con la necesidad de una solución, sino con la tarea de descubrir algo sobre nosotros mismos. David enfrentó a Goliat e hizo mucho más que derrotar al gigante. Encontró recursos en él que lo capacitarían a guiar a su gente. Por medio de su experiencia en el foso de los leones, Daniel encontró que una conciencia de Dios es toda la protección que cualquier persona realmente necesita.

Elige hoy si darás atención a un peligro que has percibido, o considerarás el descubrimiento de algo acerca de ti que no has descubierto antes. Cuando recuerdes el problema, recuerda: *este problema es una oportunidad.*

Además, a medida que el pensamiento entra en tu mente, completa la siguiente declaración:

Mi oportunidad es

Mi primer paso es permanecer quieto.

Demos gracias porque el primer paso para resolver cualquier problema es permanecer quietos. La tendencia humana es actuar. Las acciones producen resultados, se nos ha dicho, pero aunque las acciones producen resultados, ellas no producen siempre soluciones. Algunas veces las situaciones o condiciones empeoran. Algunas veces nos agotamos. Otras veces generamos ciclos de vida que no son buenos para la salud. No es de extrañarnos que el primer paso sea permanecer quietos y no hacer nada. Recuerda, los sucesos en la vida se originan en nosotros, y a menos que lleguemos a ser una persona diferente, los sentimientos y la experiencia serán los mismos no importa lo que hagamos. Esta es una lección difícil particularmente para aquellas personas que han logrado mucho en el mundo a través de sus esfuerzos. En el sentido terrenal, las acciones parecen productivas, pero recuerda que no buscamos solamente una existencia humana mejor, sino una vida espiritual.

Hoy deja de hacer algo que crees resolverá el problema. En vez de eso, prepárate para crecer y cambiar. ¿Estás dispuesto a ser una persona que tiene relaciones humanas armoniosas? ¿Que no está enferma? ¿Que disfruta un empleo estable y creativo? Hoy, no hagas nada para resolver tu problema. En vez de eso, contesta esas preguntas una y otra vez.

Semana 9
Día 61

Un ciclo se rompe.

Al permanecer quieto, un ciclo se rompe. ¿Has pensado alguna vez que una nueva vida podría empezar con inacción? En realidad, probablemente estamos conscientes que permanecer quietos no es la cosa más fácil de hacer. Pero permanecer quieto es el camino del Espíritu.

Cuando la vida te reta, trata de permanecer quieto tan pronto como puedas. En general, la vida está estructurada de tal modo que tal vez no puedas detener lo que estés haciendo por un par de horas. Pero cuando puedas detenerte, permanece quieto. Como puedes ver, permanecer quieto no es inactividad; es el primer paso hacia un enfoque espiritual para enfrentar retos.

Si una crisis se presenta, ¿cuánto tiempo pasaría antes de que pudieras detener lo que hacías y sentarte? ¿Es tu horario tan agitado que te impide empezar por mucho tiempo el proceso de crecimiento y cambio internos?

Cuando creas que se requiere un cambio interno antes de que se revele el regalo de un problema, entonces desarrollarás una manera de vida que permite, aun exige, tiempo para permanecer quieto.

La carga ahora se transforma en un puente.

Había una vez una hormiga que cargaba un trozo de paja. Cuando ella llegó a una grieta en la tierra, corrió por su borde, buscando un lugar donde cruzar. Sin embargo, la grieta en la tierra era más larga de lo que la hormiga deseaba caminar. De pronto, ella tomó la paja que cargaba, la puso a través de la grieta y caminó al otro lado. Luego recogió su carga y siguió su camino. La carga de la hormiga se había transformado en un puente.

Toda carga que llevamos puede ser un puente a un bien mayor. En realidad, la primera transformación es la nuestra. La carga nos hace pensar de un modo nuevo, descubrir recursos internos que anteriormente estaban ocultos y llegar a ser una persona nueva. Este "recién nacido" actuará diferentemente y verá los problemas de manera distinta. Además, las soluciones vendrán y trascenderán todo lo que el "viejo ser" podría imaginar.

Si un reto viene a la mente hoy, recuerda: *Una carga puede llegar a ser un puente no solamente para una vida nueva, sino para un nuevo ser.*

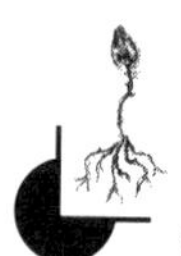

Semana 9
Día 63

Me preparo con entusiasmo para cruzar al otro lado y tener un nuevo enfoque que resuelva los problemas.

Hay un modo de resolver todo problema. Hay una contestación siempre; no obstante, es necesario alinearnos con los principios que rigen el universo y nuestras vidas. Las contestaciones no llegan porque queremos que lleguen, o porque trabajamos arduamente por obtenerlas. Las soluciones se logran debido a que somos leales a las leyes y principios espirituales.

Al aprender a enfrentar la vida, un ser humano pasa por una crisis, o un cambio. El primer paso casi siempre no es productivo porque tendemos a ser orientados por el problema. Insistimos en la dificultad y damos más energía al problema que a encontrar una solución. Este estado se caracteriza por el pensamiento negativo —"no se puede hacer"— y a menudo es acompañado de sentimientos de desesperación y desesperanza. Además, debido a que no logramos descubrir nuestros recursos internos, el problema nos deja con la sensación de ser menos de lo que somos.

Luego somos orientados a buscar una solución. Creemos que hay esperanza, y tratamos de resolver el problema. Solicitamos la ayuda de otros y hasta pedimos a Dios que nos saque del apuro. El regateo con el Todopoderoso caracteriza esta etapa de nuestro crecimiento. "Dios, si me sacas de esto, haré ________________ por Ti." Las soluciones viables vienen a la mente cuando somos orientados a buscar una solución. De hecho, tal vez lo que vamos a hacer ha sido tratado antes, y ha logrado resultados para otros. El dilema adicional es que a menudo lo que hemos tratado no logra resultados para nosotros, o el reto se aleja por un tiempo sólo para volver de nuevo. Los ciclos negativos entran en nuestra experiencia y pueden continuar molestándonos por años. Es necesario entrar en la próxima fase de este cambio, y ésta ha de ser dirigida por Dios.

Los retos y dificultades de la vida son mayores de lo que parecen ser. Esto no quiere decir que hemos de magnificarlos, sino que hemos de darnos cuenta de que son un puente hacia algo mayor. La verdadera "solución" a todo problema es una conciencia más honda de Dios y de lo que somos en relación con Dios.

Identifica tu posición actual en este cambio —de ser una posición dirigida por el problema a ser una orientada por la solución y por Dios. En el espacio abajo, indica donde estás en tu enfoque de los retos humanos:

Describe tus sentimientos y pensamientos al vivir de ese modo:

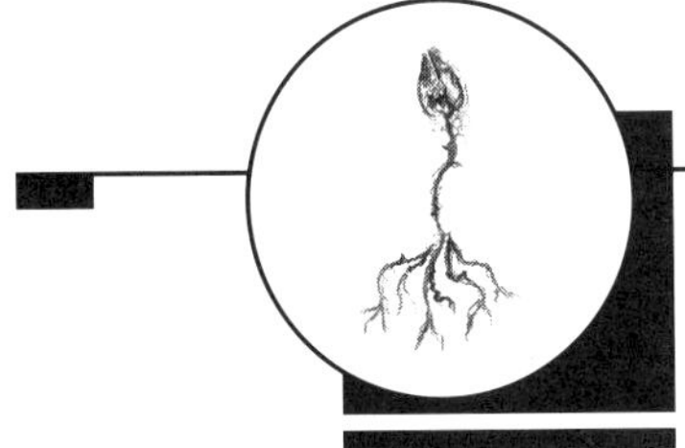

Semana 10
No clasifiques

Está escrito que el primer error cometido por la humanidad fue comer del "árbol del conocimiento del bien y del mal". Los botánicos nunca han descubierto un árbol que da tal fruto. La razón es simple; un árbol literal del conocimiento del bien y del mal no existe. Sin embargo, el mensaje es claro.

No hemos de tener conocimiento de que algo es o bueno o malo, o creer que algo es o bueno o malo. "No clasifiques" es el mandamiento. Shakespeare escribió: "No hay nada o bueno o malo, mas el pensamiento lo hace así".

Dejar de clasificar "las cosas" o buenas o malas no quiere decir que dejemos de evaluar la condición de nuestra vida. Un sentido de lo que vale y de buen juicio debe ser siempre parte de nuestro enfoque de la vida diaria. No obstante, dejar de llamar algo bueno o malo es un paso que damos para liberarnos de la dependencia total del conocimiento humano, y esto nos lleva un paso más cerca hacia la comprensión de ser superiores a cualquier circunstancia. Finalmente ponemos nuestra experiencia en la esfera de la intención divina —en el contexto total. Por medio de esta práctica de despreocupación, nos movemos más allá de las limitaciones del juicio humano e invitamos la sabiduría de Dios según evaluamos las circunstancias de nuestra vida.

Introducimos ahora esa idea importante, pero es tan retadora que trataremos sobre ella otra vez más adelante en este libro. No trates de luchar con lo que se ha compartido ahora. Trabaja con las ideas de las próximas dos semanas antes de determinar la validez de este concepto. El anhelo de vivir una vida espiritual nos trae cara a cara con ideas que el humano sagrado conoce muy poco, o no logra comprender.

No es tan importante en estos momentos comprender o creer lo que lees. En vez de eso, vive una semana de tu vida eterna esforzándote por no clasificar condiciones, gente, pensamientos o sentimientos como buenos o malos. El no clasificar trae un discernimiento especial a tu vida diaria.

Semana 10
Día 64

No clasifico.

Conciénciate de que no somos lo que nos sucede. No somos sucesos o circunstancias. Esto es no apegarnos al mundo. ¿No fue ésta la posición de Jesús: "Confiad, yo he vencido al mundo" (Jn. 16:33)? A menudo decimos: "Estoy en el mundo, mas no soy de él."

Una vida de amoroso desapego al mundo empieza cuando dejamos de clasificar. Comienza esta importante semana al volverte consciente de las muchas clasificaciones que haces de la gente, de ti y de condiciones. Nota que esas etiquetas a veces clasifican todo un país y su gente. A menudo hacemos declaraciones flagrantes sobre nosotros que obviamente no son ciertas. Por ejemplo, podríamos decir que siempre cometemos errores, o que somos estúpidos. Cometemos errores, pero no siempre. Podemos hacer o decir cosas que estemos prontos a calificar de estúpidas, pero no somos estúpidos.

Hoy empieza el proceso de concienciarte de las etiquetas que te pones, que pones a otras personas y a los asuntos. Enumera esas palabras y frases no solamente hoy, sino siempre que estés consciente de "comer del árbol del conocimiento del bien y del mal".

Lista de palabras y frases que usas como etiquetas:

Este es un Día para Doblar la Página. Por favor, dobla esta página. Esto te recordará regresar a este ejercicio durante la semana, de modo que puedas añadir a tu lista al volverte consciente de otras etiquetas que usas.

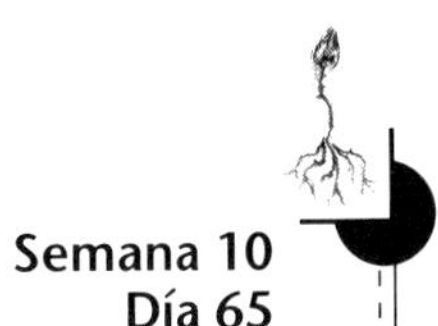

Sencillamente es.

Siempre que estemos conscientes de "tener conocimiento" de alguien o de algo como bueno o malo, declaremos rápidamente: *No es bueno o malo; sencillamente es.* Nuestra perspectiva individual establece toda la diferencia. La lluvia en el día de una jira puede parecer mala, pero para el agricultor puede parecer buena. Muchas personas consideran que el pan con mantequilla es bueno, pero la mantequilla sobre una alfombra se considera mala.

Hay un relato interesante que ilustra el principio "simplemente es". Había un hombre que regaló a su hijo un caballo para su cumpleaños. Esto se consideraba bueno. El hijo se cayó del caballo y se rompió una pierna. Esto se consideraba malo. Un día más tarde pasaron por la villa unos mensajeros del rey en busca de hombres jóvenes para ser reclutados porque el rey se preparaba para una guerra. Para la madre del joven la pierna rota fue algo bueno. Y así sucede continuamente. Es evidente que un caballo o una pierna rota no es bueno o malo; sólo es. Aunque este concepto es más retador cuando algo aparentemente grave sucede en nuestra vida, él permanece verdadero.

Hoy, ten conciencia de tres personas o condiciones que has clasificado *o* buenas *o* malas. Di de cada una: *Sencillamente es*. Enumera abajo las tres personas o condiciones que ahora comprendes que no son buenas ni malas:

1. ______________________________

2. ______________________________

3. ______________________________

Semana 10
Día 66

Hoy no clasifico a la gente como buena o mala.

Esta es nuestra primera tentativa de vivir un período de veinticuatro horas sin "comer del árbol del conocimiento del bien y el mal". Hoy el enfoque será sobre nuestros pensamientos acerca de la gente. Es un tiempo para observar nuestra vida interior. La gente no es buena o mala. La gente es.

Di en silencio a cada persona que encuentres: *No te veo o clasifico como buena o mala. Yo soy, y tú eres*. Recuerda, no hay fracaso si te encuentras clasificando a la gente como buena o mala. Este es el comienzo de una aprobación especial para la vida.

Algunas de las personas que rehúsas clasificar como buenas o malas son:

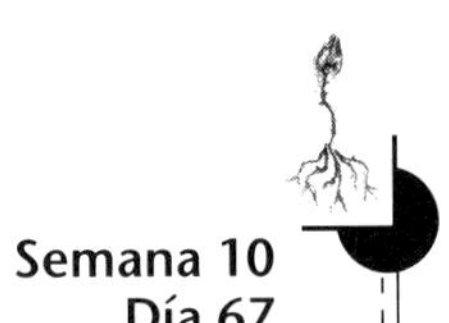

Hoy no clasifico las condiciones como buenas o malas.

El enfoque de hoy es sobre tus pensamientos acerca de situaciones. Hoy es un día para observar tu vida interior. Las condiciones no son buenas o malas. Las condiciones son.

Declara en silencio para cada situación que encuentres: *No veo o clasifico esta condición como buena o mala. Ella meramente es.*

Algunas de las condiciones que rehúsas clasificar como buenas o malas son:

Nota: Lee la lección de mañana lo primero en la mañana.

Semana 10
Día 68

Hoy no me clasifico como bueno o malo.

Enfocamos este día en los pensamientos sobre nosotros mismos. Es un tiempo para observar nuestra vida interior. No somos buenos o malos; somos.

Saca 20 minutos dos veces durante este día para descansar y dar tu atención a las dos palabras *yo soy*. Empieza cada uno de estos momentos de tranquila reflexión declarando primero lo que no eres. Por ejemplo: "No soy lo que creo ser. No soy lo que siento. No soy lo que sucede a mi cuerpo", y así sucesivamente. Declara en silencio tantas ideas como vengan a la mente.

Luego di en voz alta las palabras *yo soy* y descansa en un estado de paciencia, aceptación y expectación. Si tu mente divaga, repite el proceso, luego descansa nuevamente. Haz esto dos veces durante el día. Es mejor hacer esto por la mañana cuando te levantas y por la noche antes de acostarte.

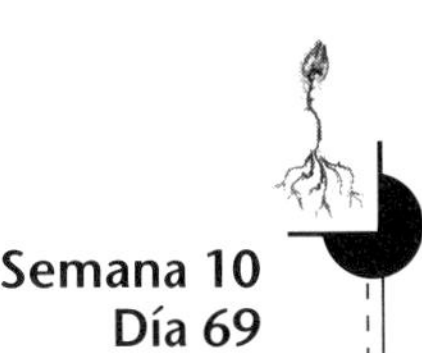

Hoy no clasifico mis pensamientos o sentimientos como buenos o malos.

Hoy nuestro enfoque estará en los pensamientos o sentimientos que pasan por nuestros seres. Existe la tendencia de clasificar cada pensamiento o sentimiento. Si clasificamos un sentimiento como *malo*, tratamos de alejarlo. Si llamamos un pensamiento malo, esto puede hacernos pensar que somos malos también. Al trabajar con la afirmación de hoy, nos acercamos al lado causante de las experiencias de la vida. Es importante empezar el proceso de comprender que los pensamientos y sentimientos no son ni buenos ni malos; ellos sencillamente son.

Haz una lista hoy de los pensamientos y sentimientos que te tientan a clasificarlos como buenos o malos. Trabaja con el proceso que sugerimos abajo. Te ayudará a dejar de comer del árbol del conocimiento del bien y del mal.

Lista de sentimientos y verdades constructivas (la primera línea es un ejemplo):

Cólera *La cólera no es buena o mala. Ella es.*

______ ______________________________

______ ______________________________

______ ______________________________

______ ______________________________

Lista de pensamientos y verdades constructivos (la primera línea es un ejemplo):

No puedo hacer esto. El pensamiento "no puedo hacer esto" no es bueno o malo. Simplemente es.

____

____

____

____

Semana 10
Día 70

Es; yo soy.

Combinamos hoy dos grandes verdades de la semana pasada: "es" y "yo soy". "Es" declara la verdad básica sobre toda condición o suceso. "Yo soy" es la simple verdad sobre nosotros mismos. Al seguir adelante en este libro, exploraremos las implicaciones de esta simple verdad. Pero, por ahora, vivamos el misterio de estas palabras.

Deja que la semilla que nos compele suavemente a enfrentar los retos de la vida sea sembrada hoy al saber: es y yo soy. Una vez que pasa el impacto inicial de una situación, descansaremos tranquilamente y regresaremos a esas dos verdades básicas: es; yo soy.

Permite que esas palabras se vuelvan compañeras y, con el tiempo, amigas queridas para el viaje. Este es un Día para Doblar la Página. Dobla esta página, porque querrás volver a ella una y otra vez. A medida que las circunstancias y personas te retan a vivir espiritualmente, regresa a estas dos verdades y comulga con ellas: es; yo soy. Ten la seguridad de hacer una lista de las personas y situaciones que te retan para conocer esas dos verdades. No reniegues acerca de esas situaciones y personas. Ellas son una bendición.

Enumera las personas y condiciones que te ayudan a recordar *es* y *yo soy:*

Fecha	Persona o situación

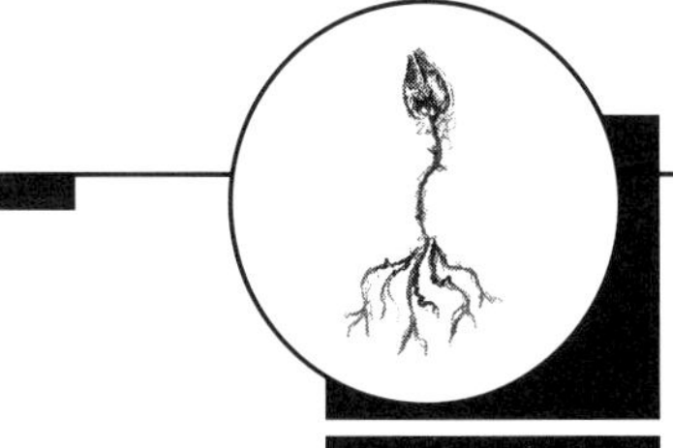

Semana 11
No resistáis

Si lo único que hiciéramos fuera clasificar las cosas como buenas o malas, Dios nunca hubiera decretado que no comiéramos del árbol del conocimiento del bien y del mal. Sin embargo, no nos detenemos al clasificar; pasamos a resistir. Todos los grandes maestros espirituales han dicho a sus seguidores que no resistan el mal. Por lo general, los seres humanos han ignorado ese consejo. Se han hecho grandes campañas para librar al mundo de una mala amenaza, mas sólo cambia la forma de la negatividad. A menudo el mal continúa y algunas veces parece aumentar. Se nos ha dicho que finalmente el bien triunfará sobre el mal, pero ésa no es la manera de Dios. La manera del Espíritu es *no resistir el mal.*

Cuando resistimos alguna circunstancia, enfrentamos el problema en su mismo nivel. No hay cambio en nosotros y, por lo tanto, la condición permanecerá. Se requiere un cambio en la conciencia antes de poder haber un cambio externo. El mundo es transformado debido a que el ser interno es transformado. Esta es una gran verdad que no podemos ignorar.

Nombra tres situaciones en tu vida que has tratado de cambiar, pero que hasta ahora permanecen iguales. Por ejemplo, tal vez aún busques un alma gemela perfecta o un empleo perfecto, o acaso todavía luchas con la misma enfermedad.

1.

2.

3.

¿Has tratado de cambiar tu mundo y tu vida?

Por favor, aprende de memoria esta definición sobre la resistencia: *Resistir es tratar de cambiar a alguna persona o condición sin un correspondiente cambio interno en mí.*

Mi propósito no es cambiar el mundo.

Nuestro propósito no es cambiar el mundo por medios externos y meramente humanos. Si hay una misión, ha de ser en parte levantar la conciencia del mundo. Hoy reconocemos que debemos levantar nuestros pensamientos, actitudes y creencias.

No debemos resistir las situaciones ni la gente, porque entonces enfocamos en el mundo y no en nosotros. Ciertamente hay mejores maneras de interaccionar unos con otros y de cuidar nuestro planeta, mas no debemos enfocar en el problema. Si nuestras energías tratan de cambiar el mundo externo, gastamos energía en un modo que no es constructivo, a pesar del hecho de que nuestros motivos podrían ser puros. ¿No es obvio que la humanidad ha estado luchando en contra de ciertos males por miles de años? Los males permanecen no porque tengan su fundación en el Espíritu, sino porque encuentran vida por medio de nuestra resistencia. Ellos son como un parásito que necesita un huésped para vivir.

¿Qué condiciones has sostenido con tu resistencia?

Si sientes hoy la tentación de cambiar las condiciones externas y a la gente, niega en silencio esta necesidad al declarar: *No es mi propósito cambiar el mundo.*

Semana 11
Día 72

Mi propósito es permitir que el cambio se realice en mí.

La lección de ayer dio énfasis a la idea de que nuestro propósito no es cambiar el mundo por medios externos antes de intentar cambiar nuestra conciencia. Sin duda, algunas de las personas que tratan de cambiar el mundo evitan simplemente lo inevitable —que ellas deben cambiar.

Una y otra vez recordamos nuestro propósito: permitir que el cambio se realice en nosotros. Aunque podemos cambiar en un abrir y cerrar de ojos, el proceso de transformación interna no sucede tan rápidamente como quisiéramos. Por lo regular, hay algo que debemos dejar ir antes de que la verdadera persona pueda expresarse.

Esto exige responsabilidad. Ya no podemos señalar con el dedo a condiciones o personas. Cuando éstas gobiernan nuestras vidas, nos volvemos ineficaces y no podemos hacer nada para cambiar nuestras vidas. La vida pierde significado.

En la declaración de hoy hay una palabra clave: *permitir.* Una vez que comprendemos la importancia del cambio interno, o de levantar nuestra conciencia, el ser humano típico sigue adelante para efectuar el cambio. A través de nuestros esfuerzos, creemos que el cambio tendrá lugar. Tal vez esto parezca ocurrir, mas el esfuerzo humano no efectúa la revelación de lo que *somos* y de la vida que puede ser. Debemos *dejar* que la revelación suceda.

Tres veces durante el día de hoy, descansa silenciosamente por lo menos veinte minutos y reflexiona en la afirmación de hoy: *Mi propósito es permitir que el cambio se realice en mí.*

Este es un Día para Doblar la Página. Si en las semanas venideras tienes la tendencia de tratar primeramente de cambiar el mundo sin el cambio interno correspondiente, vuelve a este ejercicio y hazlo de nuevo.

Primero yo, luego el mundo

El carácter de nuestro mundo cambia lentamente. "¡La libertad y oportunidad personales!" se vuelven el clamor de la gente en los países alrededor del mundo. En algunos de esos países, el clamor por libertad ha sido suprimido por mucho tiempo, pero ahora comienza a ser oído. La norma del cambio es, por lo general, que algunas personas valerosas se levantan y siembran la semilla del deseo de libertad y de expresión en las mentes de miles. Luego, el gobierno sofoca a esos líderes sin comprender que la idea de libertad se vuelve el tópico de conversación entre la gente. Finalmente, la mayoría cree que la oportunidad y la expresión son su derecho. El próximo paso es la revolución. En el pasado, la libertad surgió a través del derramamiento de sangre. Tal vez ahora evolucionemos más allá del conflicto armado.

¿Y cómo sucedió todo eso? Alguien se dio cuenta de: *Primero yo, luego el mundo*. La gente que comprende verdaderamente este principio, no resiste. Gandhi sabía que los corazones y mentes de la gente eran el lugar de nacimiento de la libertad. El esperaba que el imperio británico se fuera de la India sin violencia. Esto no sucedió literalmente, mas no hubo guerra. La gente encontró libertad en sí misma y su país fue liberado.

Un día trajeron a Jesús una mujer que había sido sorprendida en el acto de adulterio. Los hombres que trajeron a la mujer sabían que la ley judaica exigía que se le diera muerte, y estaban preparados para llevar a cabo la condena. Jesús se inclinó hacia el suelo con humildad, y dijo: "El que de vosotros esté sin pecado sea el primero en arrojar la piedra contra ella" (Jn. 8:7). Los hombres dejaron caer las piedras y se fueron lentamente, uno por uno. Luego Jesús habló a la mujer. Sus palabras finales fueron: "Vete, y no peques más" (Jn. 8:11).

Semana 11
Día 73
continuación

Jesús hizo más que pedir a la mujer que abandonara esa conducta que estaba perjudicándola. La vida de la mujer no podía cambiar hasta que ella cambiara en su interior. Entonces, al ser una persona diferente, no pecaría más. Siempre es necesario volvernos una creación nueva. Llegamos a ser diferentes y después, naturalmente, vemos un mundo distinto.

Esto no quiere decir que nos sentemos ociosamente hasta que cambiemos, sino que recordemos que las acciones auténticas proceden de una conciencia espiritual.

Ten la bondad de aprender de memoria la afirmación de hoy: *Primero yo, luego el mundo.*

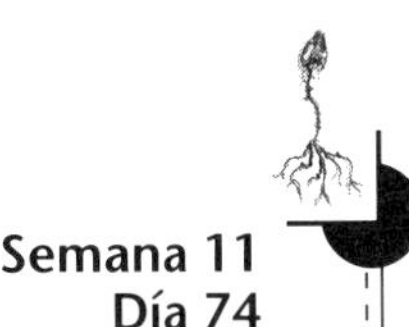

Porque estoy dispuesto a cambiar, no resisto el mal.

Por todas las edades la guía continúa: no resistas el mal. Si hay una sabiduría que la humanidad ha ignorado es ese discernimiento.

Supón que estás con Jesús, y Le oyes decir: "No hagáis resistencia al agravio" (Mt. 5:39, Versión Popular). No rechaces inmediatamente las palabras. En vez de esto, haz dos preguntas: ¿Qué significa eso? ¿Qué he de hacer yo?

No le pidas a nadie que conteste esas preguntas por ti. En vez de eso, cierra los ojos y forma una imagen en tu mente de un templo antiguo en el cual hay un cuarto lleno de luz. Visualiza que entras en él, te sientas en el piso y descansas en la luz. Luego haz las dos preguntas y está atento a la contestación. Tal vez tengas que hacer este ejercicio cada día durante la semana. Anota todo discernimiento que recibes.

Semana 11
Día 75

El bien no triunfa sobre el mal.

La lucha entre el bien y el mal cautiva a la humanidad. Esta se imagina como un buen soldado que resiste la embestida violenta del mal. Las obras dramáticas, el arte, la poesía y la literatura han abordado el tema de la guerra que arrebata nuestro planeta y nuestro interior.

Hay algunas personas que se atreven a creer y a declarar que el bien no triunfará sobre el mal. ¿Quiere decir eso que estamos definitivamente perdidos? Muy al contrario. Quiere decir que la lucha ha terminado. Ya no es necesario tratar de alumbrar la cueva cuando podemos ponernos en la luz.

¿Resiste la luz a la obscuridad, o simplemente existe conforme a su naturaleza? ¿Conoce la luz la presencia de la obscuridad? ¿Tiene la obscuridad presencia, o es ella la ausencia de algo? Estas son preguntas que han de ser contestadas en el antiguo templo y su cuarto de luz.

Esta noche, después que el sol se haya puesto, ve a un cuarto alumbrado y apaga la luz. Enciéndela de nuevo, siéntate a la luz y contesta la pregunta: ¿Adónde se va la obscuridad cuando la luz es encendida?

No resisto . . .

Toda confusión sobre el tema de esta semana de no resistir el mal probablemente ya disminuye, y esperas una vida sin resistencia. Recuerda, la vida no es un continuo intento de iluminar la cueva. La vida es ponernos en la luz.

Esperamos que estos días recientes de reflexión y meditación hayan revelado que la obscuridad es una "nadería." No es una presencia. No tiene presencia. No va a ninguna parte cuando encendemos la luz, ni vuelve cuando apagamos la luz. Este discernimiento es importante. La obscuridad, desde luego, tiene muchos nombres. La hemos llamado carencia, enfermedad, muerte y pecado. No hemos de resistir estas imperfecciones de la humanidad. Esto no quiere decir que han de ser nuestros compañeros eternamente. No lo son. Sin embargo, nuestra obra es no resistirlos o luchar contra ellos. Esto se ha tratado y siempre ha fracasado.

Por otra parte, no vamos a permanecer inactivos. Tenemos trabajo que hacer. Somos un proyecto constante. No vamos a luchar con la obscuridad. Nos dedicamos a descubrir la luz.

El trabajo de hoy es volver a leer la lección presente en tres ocasiones diferentes durante este día.

Semana 11
Día 77

No hay mal en Dios.

Es debido a esa verdad que una vida que no "resiste el mal" es posible. Los líderes religiosos y de la clerecía nos han prometido que el reino del cielo está libre de pecado, enfermedad, carencia y muerte. Se nos ha dicho también que podemos entrar en este reino después de la muerte si nuestra vida en este planeta está llena de bondad y de buenas obras. Esto es sólo verdad a medias.

El reino de Dios, el reino del cielo, está libre de pecado, enfermedad, carencia o muerte, pero no es un sitio adonde vamos después de una vida devota en la tierra. El reino del cielo (el cual consideraremos con mayores detalles en la próxima sección de este libro) es una conciencia de Dios. Dios está aquí ahora. Los grandes líderes espirituales de nuestro mundo todos han dicho lo mismo: lo que buscamos está aquí; está dentro de nosotros. "En él vivimos, y nos movemos, y somos" (Hch. 17:28).

La pregunta es: ¿Nos permitiremos volvernos conscientes de la Presencia? Si permitimos empezar a comprender esta revelación, nos veremos a nosotros mismos y a otros de manera diferente. Esto es lo que despierta la curiosidad de la gente cuando está en la presencia de una persona armonizada con el Espíritu. La persona inclinada a lo espiritual parece ver todo respecto a nosotros que nosotros mismos no vemos. Obviamente, esto requiere que ella mire más allá de las apariencias. Esta visión es posible porque la persona no intenta cambiar o resistir lo que ve.

Considera una manera más exacta de declarar la afirmación de hoy. Aquí ofrecemos unos pocos ejemplos: *No hay mal en la conciencia de Dios. Cuando estoy consciente de Dios, no veo el mal.*

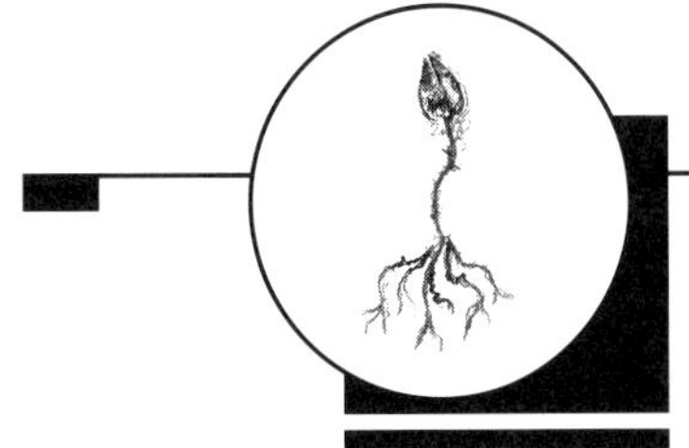

Semana 12
Promesas

Se da una promesa: "Pedid, y se os dará; buscad, y hallaréis; llamad, y se os abrirá" (Mt. 7:7). A menudo dudamos la validez de esa promesa, porque desde nuestra perspectiva hemos pedido, buscado y llamado, y no hubo respuesta. Sin embargo, por lo general, buscamos en el mundo algo que consideramos de valor, algo que creemos que otra gente considera de valor, o nos traerá felicidad. ¿Podemos considerar la idea de que el mundo no contiene lo que queremos?

Por su naturaleza, una vida espiritual no es de este mundo. Los frutos del Espíritu no residen en el mundo. Ellos no son guardados por manos humanas, protegidos por nuestras cajas de caudales, o circulados de un ser humano a otro. La promesa es verdadera y se cumple cuando mejoramos nuestra petición.

No se nos niega nada. "A vuestro Padre le ha placido daros el reino" (Lc. 12:32). Cuando pedimos aquello que el Espíritu puede darnos, nos sentiremos satisfechos en todos los aspectos de la vida.

Por favor, indica tres "objetos" que has pedido, pero que no has recibido:

1. ______________________________

2. ______________________________

3. ______________________________

¿Estás dispuesto ahora a considerar la idea de que lo que buscas no está en el mundo? Si tu respuesta es "sí," escribe abajo: *¡Lo que busco no es de la tierra!*

____

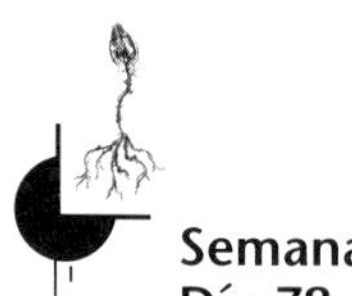

Semana 12
Día 78

Admito que mis deseos no han sido satisfechos.

Para algunos es fácil admitir que sus deseos no han sido cumplidos. Ellos han querido un buen empleo, y luchan por vivir con lo que tienen. Ellos han deseado un matrimonio maravilloso, y aún permanecen sin casarse. Desean curación, mas el dolor continúa. Tal vez te sientas de esa manera y, por lo tanto, sencillamente digas: "Admito que mis deseos no han sido satisfechos".

Hay otra clase de persona en quien el tema del deseo es más tenue. Este individuo tiene un empleo bueno, un matrimonio maravilloso y salud perfecta. No hay razón por la cual esta persona no se sienta satisfecha, pero ella no es feliz.

Uno de los numerosos retos humanos es una situación en que la persona tiene empleo, mas no está satisfecha con él. Cuando se le ha preguntado sobre el empleo, ella admitirá que el empleo tiene muchas cualidades deseables. Hay libertad de expresión, buen salario y oportunidades para viajar, por ejemplo. Cuando se le pregunta qué es lo que desea del empleo, ella contesta: "respeto", "reconocimiento", o "paz".

Ahora es el momento para la sinceridad. Realmente, se requiere más que sinceridad. La sinceridad es decir a otros la verdad. La integridad requiere ser sinceros con nosotros mismos. La pregunta de hoy es: ¿Se están cumpliendo realmente tus deseos?

Pon un círculo o en *Sí* o en *No*.

Hoy considero mis deseos cuidadosamente.

Hoy considera tus deseos cuidadosamente. Empieza con un breve examen de la palabra *deseo*. Esta viene de dos raíces. *De* tiene una raíz latina que significa "de". *Seo* también tiene una raíz latina (*sidium*) y significa "estrellas" o "arriba". Literalmente, la palabra "deseo" significa "de las estrellas" o "de arriba". Al considerar las raíces de la palabra *deseo,* se nos revela un punto importante. En lo ideal, nuestros deseos vienen de las estrellas, o de arriba, o sea de nuestra conciencia más elevada del Padre.

La mayoría de la gente considera un deseo y concluye que algo falta. Por lo tanto, el deseo parece ser evidencia de carencia. Esto no es un comienzo saludable para el logro de cualquier aspiración. Realmente, nuestros deseos son el movimiento del Espíritu. No son evidencia de carencia; son evidencia de que algo está presente y puede manifestarse. Emilie Cady expresó esta idea con elocuencia en su libro *Lecciones acerca de la Verdad*: "El deseo en el corazón es siempre Dios llamando a la puerta de tu conciencia con provisión infinita".

En su nivel más profundo, un deseo es de Dios. A medida que este deseo de Dios surge de nuestro interior y pasa por nuestra conciencia, puede corromperse y deformarse. Por ejemplo, una persona puede sentir amor que surge desde su interior y lo interpreta como lujuria. El anhelo de unirnos en matrimonio es el deseo del alma de sentir amor divino. Una persona puede desear seguridad e interpretar el deseo como un impulso de robar a otros. Nuestra envidia por la nueva casa o automóvil de un vecino es "Dios llamando a la puerta de nuestra conciencia con Su provisión infinita". En el nivel más profundo del deseo, el Espíritu se ofrece a nosotros, pero a menos que comprendamos la implicación de lo que sucede en nosotros, creemos que el deseo es por algo del mundo.

Semana 12
Día 79
continuación

Hoy considera con cuidado tus deseos. Primero, nota la manera cómo has interpretado inicialmente lo que has sentido. Luego, a la luz del significado de la raíz de la palabra *deseo,* averigua o descubre el origen de tu impulso de acuerdo con la actividad del Espíritu. ¿Qué es lo que realmente deseas? Indica tus verdaderos deseos según indicamos abajo:

Mi verdadero deseo es ______________________________

____.

Mi verdadero deseo es ______________________________

____.

Mi verdadero deseo es ______________________________

____.

Mi verdadero deseo es ______________________________

____.

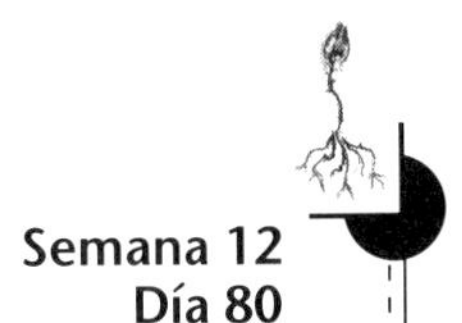

Tengo hambre y sed de Dios.

El hambre es el deseo que tiene el cuerpo de alimento; los místicos han comparado eso al deseo de Dios que tiene el alma. Así como el comer y el beber son necesarios para la existencia física, del mismo modo la satisfacción del deseo del alma es necesaria para el cumplimiento del propósito de la vida. El alma anhela a Dios en toda forma. Esta unión ha sido llamada *un enlace místico*, y el buscador espiritual puede estar tan impelido por el deseo de unión como los recién casados se desean el uno al otro.

Una de las beatitudes de Jesús expresa el deseo del alma. "Bienaventurados los que tienen hambre y sed de justicia, porque ellos serán saciados" (Mt. 5:6). También, mientras Jesús estaba en la Cruz, dijo: "Tengo sed" (Jn. 19:28). Los guardias creyeron que quería algo de beber, y por eso Le ofrecieron vinagre. No era eso lo que Jesús quería. Su sed, así como la nuestra, era de Dios.

Que éste sea el momento de levantar nuestro deseo. Sólo Dios puede satisfacer nuestro anhelo. Es difícil para el ser humano permitir que el deseo de "lo alto" sea la fuerza urgente de la vida, pero finalmente debe permitirlo. De este modo nuestro deseo, o nuestra voluntad, se alinea con el Espíritu. El deseo de Dios es que despertemos a la Presencia y seamos testigos de la verdad de lo que somos. Cuando deseamos conocer a Dios, nos ponemos en armonía con el Infinito. Ya no vivimos en desacuerdo con las leyes y principios espirituales que gobiernan nuestras vidas. Hay unidad, y la vida comienza de nuevo.

Tal vez te gustaría volver a escribir tus deseos más profundos desde el último ejercicio, con el nuevo discernimiento de que tu deseo es de Dios.

Mi verdadero deseo es conocer a Dios como ________________________.

Mi verdadero deseo es conocer a Dios como ________________________.

Mi verdadero deseo es conocer a Dios como ________________________.

Mi verdadero deseo es conocer a Dios como ________________________.

Semana 12
Día 81

Ahora sé qué pedir.

Ahora es posible volver a la promesa: "Pedid, y se os dará; buscad, y hallaréis; llamad, y se os abrirá" (Mt. 7:7). Por casi dos mil años, la gente ha tenido la esperanza de que esa promesa fuera verdadera. Ella ha pedido una y otra vez, pero en la mayoría de los casos la petición ha sido por algo terrenal, algo que se puede ver o tocar. Aunque hay ocasiones cuando lo terrenal se concede, muchos de esos deseos no se realizan. El hambre y la sed continúan. La razón es simple.

No supimos qué pedir. Ahora sabemos.

¿Qué podemos pedir que realice la promesa?

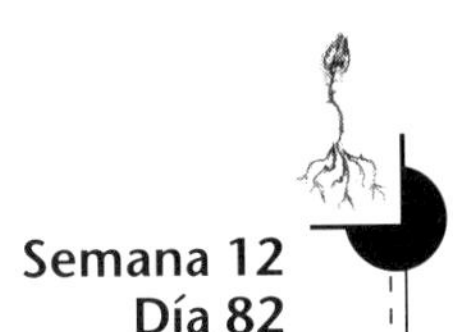

Lo que deseo es el Espíritu.

Deseamos el Espíritu. Queremos conocer a Dios como sabiduría, porque de esto proviene la claridad del pensamiento y las decisiones sabias. Deseamos conocer a Dios como vida, de manera que la muerte ya no sea un enemigo. La salud y vitalidad serán nuestras. Anhelamos conocer a Dios como fuente, porque de esto viene la seguridad, el bienestar y un espíritu dador. Queremos conocer a Dios como amor, porque entonces habrá amistad y la unión poderosa de almas. Nuestro deseo es conocer a Dios como paz; luego ninguna condición en lo externo nos inquietará.

En el espacio abajo, comienza a desahogar tu alma. Libera los deseos que has encerrado en ella por años. Para empezar, escribe: *Lo que deseo es el Espíritu,* y luego deja que las palabras fluyan y expresen el hambre y la sed de tu alma.

Semana 12
Día 83

Ahora puedo estar satisfecho.

Ahora puedes estar satisfecho; pides lo que realmente deseas. En realidad, lo que deseas se te ha ofrecido, pero lo has rechazado. No has vivido, no te has movido y no has existido en Dios. Has sido como un pez que desea agua. Ahora puedes estar satisfecho.

No es necesario decir mucho más hoy. Esta semana ha sido poderosa, una semana para recordar. Dios está dispuesto. La promesa es tan sencilla, mas es necesario pedir, o estar dispuesto a recibir lo que se ofrece. No podemos ir a un restaurante chino y esperar que nos sirvan lasaña. Puedes ahora estar satisfecho, porque conoces tu deseo más profundo.

No hay otra tarea hoy que la de sentir el gozo de saber que puedes tener satisfacción.

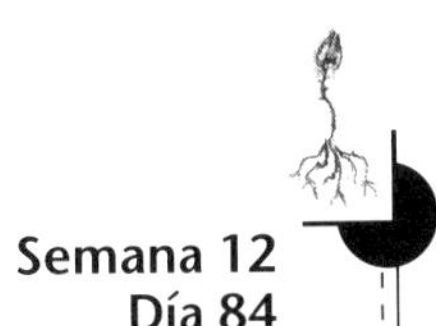

Pide, creyendo que lo has recibido, y será tuyo.

Como la semana concluye, es necesario reforzar la idea de que solamente Dios puede satisfacer nuestros deseos. Jesús compartió la promesa ya mencionada, y la gente la ha utilizado por muchos años. Como sucede con la mayor parte de los principios espirituales, hay niveles de comprensión. Para mucha gente la cita antedicha es el fundamento de la oración afirmativa y de las declaraciones positivas que hablamos y escribimos.

La palabra llave en la promesa es *lo*. ¿Qué es *lo* que deseamos? Hace años o, tal vez, hace sólo unos días, el *lo* hubiera podido ser algo de la tierra. Quizás estábamos convencidos de que era un empleo lo que necesitábamos, alguien que nos amara, y así por el estilo. Acaso declaramos: *El lugar de empleo perfecto es asequible a mí ahora, y estoy agradecido*, o *Soy un centro de amor divino, poderoso para atraer a mi compañero (compañera) perfecto*. Estas declaraciones afirmativas y otras parecidas han sido expresadas por años, y son aceptables, porque son parte de un cambio o una transición. Mas comprendamos ahora que podemos unir el mismo proceso a nuestro deseo de conocer a Dios. El *lo* no es solamente algo de la tierra, algo que podemos tener en las manos o tocar. Dios es lo que deseamos.

Nuestro deseo ahora se purifica y eleva. Pedimos, creyendo que el Espíritu es nuestro y nosotros somos del Espíritu.

Empleando esta fórmula para la oración y las declaraciones afirmativas, escribe varias oraciones que declaran tu creencia en que tú y Dios son uno:

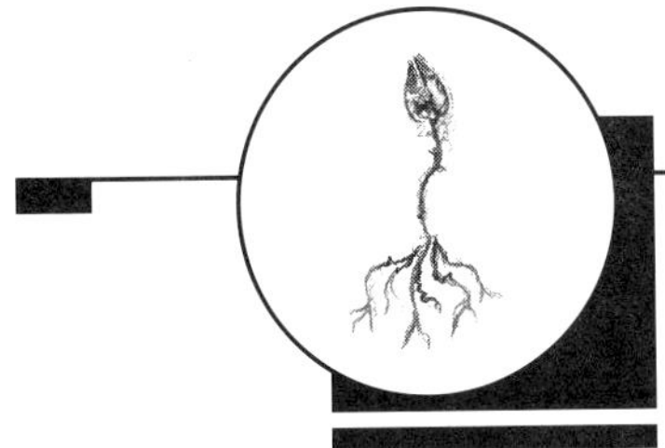

Semana 13
Resumen

Esencialmente, una vida espiritual comienza con descontento y ella continúa ya que la esperanza mana eternamente en el corazón humano. Elegimos empezar de nuevo, pero no comprendemos que ese paso requiere un cambio. Desde luego, queremos que nuestro mundo externo cambie, pero aún no comprendemos que las circunstancias de la vida tienen su origen en nuestros pensamientos. Nuestros sentimientos son los primeros frutos de nuestros pensamientos. Esta conciencia de la vida interior revela el humano sagrado que ha de ser honrado, aceptado y amado.

Nuestro nuevo discernimiento de los procesos de la vida nos hace querer avanzar con ímpetu y firmeza para transformar nuestras vidas, pero no debemos hacer esto. El paso próximo es aquietarnos, porque no podemos enfrentar un problema en su mismo nivel. Ni hemos de clasificarnos, clasificar a otros o clasificar las condiciones como buenas o malas. Esto sólo conduce a la resistencia o al intento de cambiar el mundo externo sin la obra necesaria de un cambio interno. La vida puede cambiar drásticamente en este momento. Los valores cambian, ponemos en tela de juicio nuestra razón de ser y empezamos a preguntar: "¿Qué deseo realmente?" Esto nos lleva a la próxima sección de este libro—*"El viaje interno".*

Regresa a cualquier día o combinación de días que no has comprendido, o que crees que necesita más estudio o repaso. Repite la lección (o las lecciones) como la tarea para la *Semana 13.*

Resiste la tentación de saltar el repaso y continuar con *"El viaje interno".* En muchos casos, la exploración de tu vida interior no ha empezado. Esta expedición puede esperar una semana más.

Semana 13
Días 85–91
continuación

En los espacios abajo escribe las lecciones que escoges repasar:

Día 85 *Semana*__________
*Día*__________

Día 86 *Semana*__________
*Día*__________

Día 87 *Semana*__________
*Día*__________

Día 88 *Semana*__________
*Día*__________

Día 89 *Semana*__________
*Día*__________

Día 90 *Semana*__________
*Día*__________

Día 91 *Semana*__________
*Día*__________

Sección 2

El viaje interno

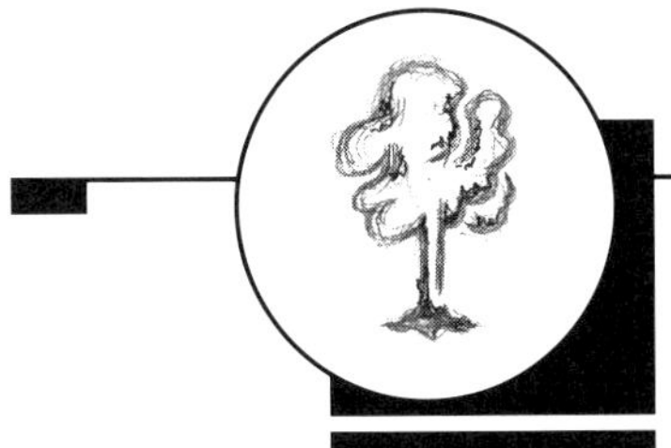

Semana 14

Las buenas noticias

¡Deja que el viaje interno comience! El mundo está lleno de actividad y maravillas increíbles, más el reino del cielo es el que guarda la mayor promesa. Algunas disciplinas y religiones dicen a la humanidad que la promesa del cielo llega después de una vida de bondad en la tierra y de entrar en la eternidad a través de la muerte. Aquellos que conocen verdaderamente el reino del cielo saben que está a la mano. ¡Estas son las buenas noticias!

Cuando Jesús empezó Su ministerio, las primeras palabras que dijo fueron: "El reino de los cielos se ha acercado" (Mt. 4:17). Esa declaración debe ser el corazón y la esencia de la enseñanza del Rabí de Nazaret. Recuerda, la gente anhelaba el reino del cielo. Hace mucho tiempo ella creía, como muchos lo hacen hoy, que el reino del cielo es la realización del deseo de la humanidad.

Individualiza la declaración de Jesús: "El reino de los cielos se ha acercado", y oye las palabras en tu oído interno. Considera que la hora del cumplimiento te ha llegado. ¡Algo maravilloso va a suceder!

Semana 14
Día 92

"El reino de los cielos se ha acercado."

Para que algo esté cerca, debe estar al alcance de uno. Una tormenta pasó sobre una isla fuera de la costa de Carolina del Norte (estado de los E.E. U.U.), y se formaron ensenadas donde el mar entró rápidamente en la tierra y cortó la angosta isla en varios pedazos. Una familia iba montada en un jeep a la orilla del mar y el conductor, envuelto en la conversación, no logró ver una ensenada al frente de él. El auto se sumergió en el agua. La familia agarró sus pertenencias y se lanzó en la corriente poco profunda, pero que se movía rápidamente. Una persona buscó sus zapatos desesperadamente. ¡Los llevaba puestos! Lo que buscaba estaba a la mano.

Si el cielo representa el cumplimiento de nuestros deseos y el cielo está a la mano, entonces todo lo que buscamos está aquí mismo. Sólo tenemos que darnos cuenta de su presencia. La satisfacción, el gozo, la paz, el amor y otras cualidades divinas están lejos de nosotros cuando creemos que no están presentes. Pero esas cualidades no son cosas raras de la vida. Ellas son nuestra naturaleza y esencia. No *llegan* a nosotros. Ellas están aquí, más cerca que las manos, los pies y la respiración.

Por mucho tiempo hemos soñado sentir esas cualidades de la vida. Dormimos; por lo tanto, soñamos. Hoy despertamos a la comprensión de que todo lo que deseamos está presente ahora.

¿Has perdido alguna vez un objeto temporalmente —las llaves del auto, por ejemplo— y luego lo has encontrado cerca de ti? Esta experiencia humana se repite y es similar a lo que sucede cuando descubrimos que lo que deseamos realmente está muy cerca de nosotros.

Según progresas durante esta semana, hazlo con mayor percepción de tu ambiente. Haz una pausa tres veces al día y mira los objetos y a la gente cerca de ti. Date cuenta de lo que está a la mano físicamente. Esto te ayudará finalmente a discernir otras "cosas" que están a tu alcance.

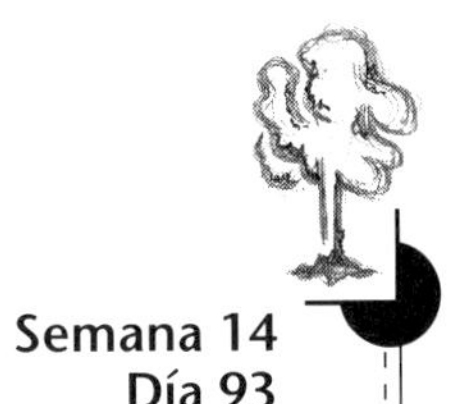

Debido a que el reino de los cielos se ha acercado, pongo fin a mi búsqueda.

Hemos pasado la mayor parte de nuestras vidas buscando un tesoro. Lo que deseamos parece estar siempre más allá del horizonte. Comenzando hoy, recuerda: el reino de los cielos está a la mano. Este conocimiento nos da una sensación de anticipación. Tal vez no sepas específicamente lo que esperas, mas si lo que esperas es de Dios, esto lleva a una vida radiante.

Debido a que el reino de los cielos está a la mano, cesamos nuestra búsqueda. Esta idea hace que el día de hoy sea de descanso. Vive el momento y todo lo que éste ofrece. Empiezas de nuevo.

Una imagen de la vida espiritual es útil. Estás en un jardín y hay una paloma blanca en él. Deseas tocarla y te mueves hacia ella. Al acercarte, la paloma alza vuelo. Cuando te mueves rápidamente, ella despliega las alas, vuela, se posa en una rama y te observa. El ave está más allá de tu alcance, mas cuando cierras los ojos y descansas serenamente, ella viene a ti y se posa en tu hombro.

Haz una pausa tres veces durante este día, y recuerda esta imagen simple. Que ella te recuerde poner fin a tu búsqueda, porque el reino de los cielos está a la mano.

Semana 14
Día 94

No encuentro verdadera satisfacción en el mundo.

Por favor, observa tus alrededores. ¿Hay artículos que nunca has visto antes conscientemente, aunque siempre han estado presentes? Enumera dos de esos artículos:

____

____

Si hay objetos de los cuales no estás consciente, hay indudablemente también cualidades y aspectos de tu ser que ignoras. Además, la gente es parte de nuestras vidas. Sin embargo, cuando creemos que la satisfacción depende de la gente, sus acciones, o de la condiciones del mundo, nos engañamos. Lo que deseamos no se percibe a través de los cinco sentidos.

Hemos buscado en un lugar donde no podemos encontrar lo que buscamos. Todos los muchos y arduos viajes, todas las búsquedas de un tesoro, no han dado satisfacción. Las buenas nuevas son que la alegría no se encuentra en el mundo.

Una vez durante cada hora que estés despierto, mira a tu alrededor, vuélvete consciente de lo que está a la mano, y luego recuerda: *No encuentro verdadera satisfacción en el mundo.* Recalcaremos este punto importante muchas veces en este libro.

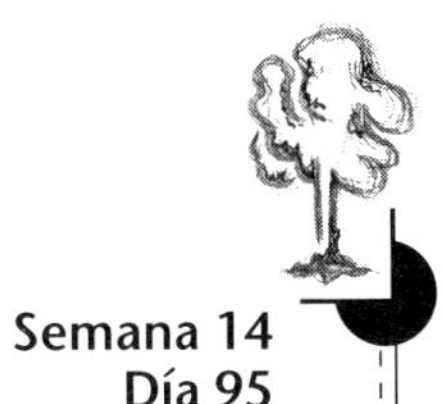

Busco satisfacción en otro lugar, un lugar donde no he buscado antes.

Tenemos aquí una paradoja. No encuentras satisfacción en el mundo ni tus cinco sentidos la disciernen, pero está a tu alcance. Debes buscarla en otro "lugar". Si esto es cierto, renuevas la peregrinación.

Pero no hay lugar para visitar o ver físicamente. En vez de esto, hay otro modo de ver. Piensa en la mucha gente que conoces, y te das cuenta de que tiene diversos puntos de vista. Una persona considera las acciones de otro dañinas mientras que otra persona percibe en esas acciones un clamor por amor.

Hay dos despertamientos para ti hoy. En primer lugar, no hay ninguna cosa y ninguna relación en el mundo que pueda traer felicidad. En segundo lugar, puedes ahora comprender la posibilidad de ver la vida de un nuevo modo. Todo lo que deseas está a la mano. No es lo presente tu primer deseo; es la visión para ver lo que está cerca.

Hoy es un día de comprensión. No damos ejercicio. No es útil en este momento mirar en otro "lugar" para obtener satisfacción. Simplemente vive el día, y ten presente que no has mirado todavía en el lugar donde puedes encontrar satisfacción. Cuando en verdad mires en este lugar, encontrarás felicidad.

Semana 14
Día 96

Recuerdo que otra gente ha encontrado el reino que está a la mano.

La comprensión de que el reino de los cielos está a la mano es emocionante, pero cuando no descubrimos el reino, esto puede intensificar nuestro sentimiento de insuficiencia. En momentos como esos, es beneficioso recordar que otra gente se ha sentido de igual manera. No estamos solos en nuestra angustia, así como no estamos solos en la búsqueda del reino.

Haz una pausa por un momento y piensa en esas personas que conoces que crees han encontrado satisfacción y alegría. Por favor, enumera sus nombres:

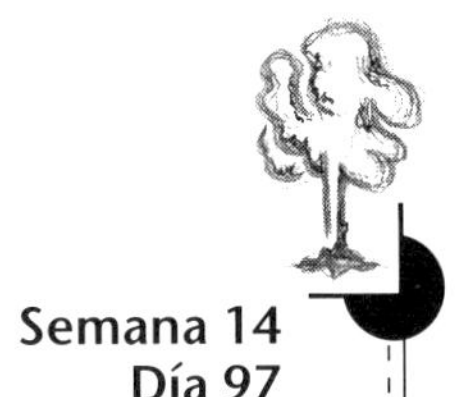

Hoy observo a la gente que me rodea.

Al comenzar nuestro día, recordamos que nosotros, también, podemos llevar una vida de paz, amor y gozo. Nuestras acciones y reacciones pueden ser pacíficas y amorosas. Hay otra gente que vive de esa manera. Hoy apartamos nuestra atención de nosotros y observamos a la gente que nos rodea. Vamos a prestar atención particularmente a esa gente que creemos está en paz. Observamos su enfoque en la vida, y sabemos que podemos vivir de igual modo. Hoy dejaremos que esa gente nos enseñe e inspire.

No tratamos de ser como ella. Este día es para observar. Somos los observadores y oyentes. Cuando vemos a los individuos reaccionar con cólera, simplemente observamos. Donde notamos que se expresa paz, sencillamente observamos. Es importante descubrir que hay ejemplos de satisfacción y paz cerca de nosotros.

Recuerda un incidente en el cual la paz y satisfacción se observaron durante el día. Escribe un breve relato de la situación y cómo la persona respondió.

Semana 14
Día 98

Hoy le pregunto a una persona tranquila cómo encontró satisfacción.

Es importante dejar que la verdad liberadora llegue a nosotros fácilmente. Por muchos años, hemos tratado muy duro. Hemos vivido como si nuestro bien estuviera lejos de nosotros y tuviéramos que hacer una expedición para llegar hasta él. Según termina esta semana, comprendemos mejor que la satisfacción y alegría que buscamos están a la mano. Las hemos visto en las vidas de alguna gente a nuestro alrededor. Ahora sabemos que nosotros, también, podemos vivir con aplomo y tranquilidad.

En un esfuerzo por comprender la vida espiritual, pregunta a alguien que crees que ha encontrado el reino cómo él o ella descubrió la satisfacción y el gozo. Escucha atentamente y da gracias por esos discernimientos que llevan a una vida de satisfacción.

Observaciones compartidas por una persona contenta y satisfecha:

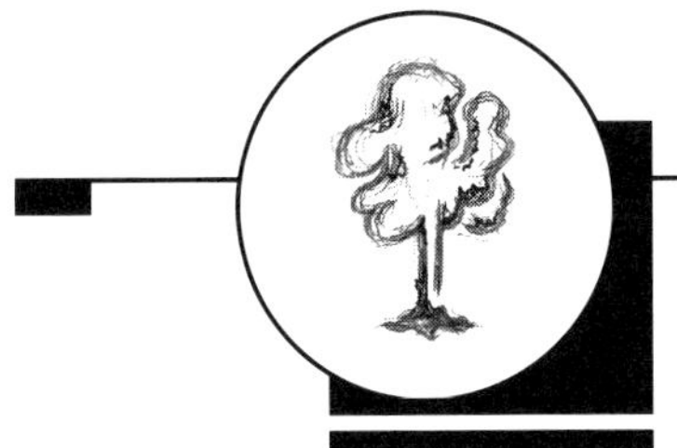

Semana 15

El reino de los cielos está en mí

Cuando buscamos algo, nos ayuda mirar en el lugar correcto.

Buscamos muchas cualidades: amor, seguridad, paz, sabiduría, buena salud y mucho más. Tal vez nos sintamos compelidos a ir en busca de esas cualidades en el mundo, pero hacerlo es infructuoso. Lo que buscamos puede estar muy cerca, mas no está en el mundo.

Según una antigua leyenda hindú, los dioses querían ocultar la divinidad de la humanidad. Los dioses se reunieron y discutieron dónde podría ser escondida esta "joya inapreciable". Un dios sugirió el pico más alto, pero se determinó que alguien podría encontrarla allá. Otro dios sugirió las profundidades del mar, mas se concluyó, también, que ese lugar sería explorado con el tiempo. Finalmente, se decidió que nuestra divinidad sería puesta donde no pensaríamos buscarla: dentro de nosotros. Y así se hizo, nos dice la leyenda.

Una vida espiritual comienza en serio cuando comienza el viaje interno. Para los seres humanos que siempre han creído que el mundo contiene los tesoros que satisfacen, la idea de un viaje interno puede parecer rara; sin embargo, la simple lógica nos dice que debemos buscar donde la "cosa" puede ser encontrada.

Mira a tu alrededor y declara: *No veo nada que puede satisfacerme, porque el reino de los cielos está en mí.*

Semana 15
Día 99

Necesito explorar lo más íntimo de mi ser.

No conocemos, pero podemos sentir, la magnitud y majestuosidad de la vida; sentimos un impulso de explorar el reino de los cielos. Toda la gente siente ese impulso, el cual motiva al ser humano a aventurarse al espacio exterior, a escalar montañas, a navegar océanos y a viajar a países que llamamos sagrados.

Sin embargo, ahora sabemos que hemos dirigido sobre la tierra este impulso divino y hemos dejado sin explorar nuestro propio ser. Sentimos una vastedad en nosotros, pero desconocemos el sendero que conduce a nuestras profundidades. No obstante, nos comprometemos al viaje interno.

Haz una pausa tres veces hoy —en la mañana, en la tarde y antes de irte a dormir en la noche— y pide que se te muestre dónde comienza la senda del viaje interno. La dedicación a explorar tu ser interno es el primer paso del viaje.

Desconozco mi verdadera esencia.

Durante la mayor parte de nuestras vidas, no nos hemos conocido. Hemos sido como un gran territorio inexplorado. Hemos tratado de conocer el mundo, pero nos hemos ignorado. Después de un día de hacer pausas y pedir que se nos muestre el camino que va a lo profundo de nuestro ser, estamos conscientes de desconocer nuestra verdadera esencia.

Ese conocimiento no es una barrera a la exploración y al descubrimiento final del reino. Es un puente. "Conócete a ti mismo" es el llamado del filósofo, pero es también el alma llamándose a sí misma.

En diez ocasiones diferentes durante el día, escribe: *Desconozco mi verdadera esencia*. Por favor, ten presente que toda persona que ha contestado el llamado "conócete a ti mismo" primero concluyó: *Desconozco mi verdadera esencia.*

Semana 15
Día 101

Todo lo que he anhelado está dentro de mí.

Al emprender nuestras actividades diarias, hay muchas cualidades que creemos necesitar. Deseamos amor, alegría, paz, sabiduría, seguridad y otras cualidades del Espíritu. Ahora reconocemos que esos tesoros están en el reino dentro de nosotros. Ya no buscaremos estos frutos fuera de nosotros. Ninguna persona o cosa puede darnos lo que ya es parte nuestra.

Durante este día cuando sientas la necesidad de amor, alegría, paz, sabiduría o seguridad, haz una pausa y declara: *Todo lo que anhelo está dentro de mí.* No es necesario sentir la presencia de esas cualidades o aun encontrar el "lugar" en el alma donde residen. Hoy es importante sólo reconocer que están en ti.

Necesito descubrir dónde comienza la senda que conduce al reino dentro de mí.

La gran necesidad de hoy no es sentir amor, paz, gozo, sabiduría y seguridad. Sólo es importante que se nos muestre dónde comienza la senda que conduce al reino de los cielos dentro de nosotros.

Imagina una obscura senda que sube a una alta montaña. Tres veces durante el día, descansa y deja que la imagen de esta senda poco conocida se forme en tu mente. Observa esta senda por unos minutos.

Al comprometerte a hacer este ejercicio sencillo tres veces, pides que se te muestre dónde comienza la senda que conduce al reino. No tengas nociones preconcebidas en cuanto a la naturaleza de esta senda, porque no es una senda que tú puedes encontrar; ella te debe ser revelada.

Semana 15
Día 103

En quietud, invito la llegada del reino.

Hoy es un día maravilloso, porque hemos comprendido que el comienzo del camino que conduce al reino de los cielos no es como ningún otro comienzo. Es quietud. En este comienzo, no nos acercamos a Dios, mas cuando nos aquietamos, Dios parece acercarse a nosotros.

Es como tratar de acercarnos a la hermosa y blanca paloma. Cada vez que vamos hacia ella, el ave salta y se aleja de nosotros, pero cuando estamos tranquilos, la paloma desciende a nosotros. Obviamente, el reino de los cielos es semejante a la quietud, y si hemos de conocer esta vasta región, debemos aquietarnos.

Anota el número de veces durante el día en que guardas silencio y puedes hacer una pausa por lo menos de un minuto: __________

Piensa en la paloma y declara silenciosamente: *En quietud, invito la llegada del reino.*

Nota: En una semana venidera, daremos atención especial al arte de aquietarnos.

Al estar presente, invito la llegada del reino.

Si el reino de los cielos está presente aquí y ahora, luego nosotros también debemos estar presentes. Muy a menudo no estamos aquí. Pensamos en el futuro, y la maravilla del momento se pierde. Nuestro enfoque reside en el pasado, y no sentimos el poder sanador del presente. La satisfacción no es el regalo del mañana. El gozo no puede ser resucitado del pasado. Los pensamientos en el ayer y en el mañana declaran que el reino nunca vendrá.

Al estar presentes, invitamos la llegada del reino. No importa que el momento presente esté lleno de alegría o angustia. Si estamos aquí, el reino está cerca.

Al sentir mis sentimientos presentes, invito el reino.

Al ver lo que está a la mano, invito el reino.

Al oír los sonidos del momento, invito el reino.

Al sentir la tierra debajo de mí, invito el reino.

Cada hora haz una pausa y nota lo siguiente: ¿qué sientes? (no es necesario que los sentimientos sean positivos).

Enumera cinco objetos cercanos:

Enumera cinco sonidos diferentes que oyes:

¡Siente el piso debajo de ti!

Semana 15
Día 105

Al dejar ir, invito la llegada del reino.

Se ha dicho que un escultor ve dentro de la piedra una obra maestra, y por medio del proceso de dejar ir, la obra de arte se revela. Ni una partícula de piedra se añade a la figura que es creada. El reino está dentro de nosotros y, por lo tanto, no es necesario añadir nada. La belleza se revela al dejar ir: al restar, no al sumar.

Cuando tratamos de añadir a nosotros, nos apartamos de la satisfacción. Cuando dejamos ir, el reino se revela.

Haz una lista de lo que debes liberar de tu vida:

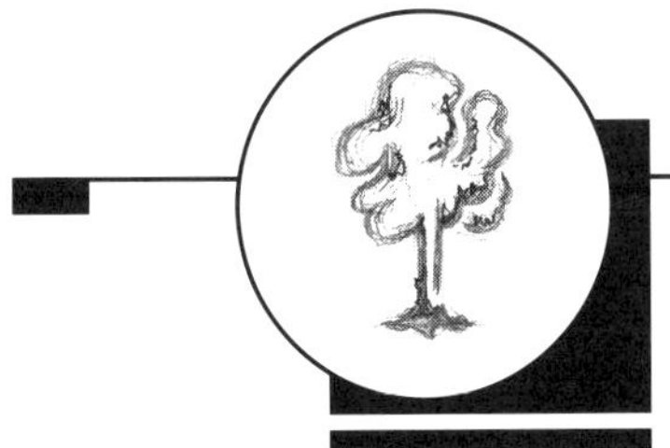

Semana 16
Sacude el polvo de tus pies

Hay una razón por la cual no somos felices y no experimentamos el reino de los cielos. Ella es simple; guardamos resentimientos hacia nosotros mismos, o por lo menos hacia otro ser humano. El perdón es el comienzo de la revelación del amor de Dios.

Debemos sacudir el polvo de nuestros pies, exactamente como Jesús instruyó a Sus discípulos al enviarlos al mundo. El dijo que ellos debían bendecir a la gente que encontraban al viajar por el mundo. Si la gente recibía las bendiciones, entonces todo estaba bien. Si ella rehusaba aceptar las bendiciones, luego los discípulos no debían guardar resentimientos y cólera hacia la gente. En vez de eso, los discípulos debían sacudir el polvo de sus pies.

Mira tus pies. ¿Están cubiertos de polvo? Examina tu alma. ¿Está llena de cólera o resentimiento? El polvo en los pies, la ira en el alma, sólo sirven para nublar tu visión y ocultar lo que está presente dentro de ti.

Antes de continuar al primer día de la *Semana 16*, haz una lista, en el espacio abajo, de la gente a quien guardas resentimientos. Después de completar la lista, entra en las actividades de esta próxima semana de perdón, semana de suma importancia en el viaje interno.

Semana 16
Día 106

Perdona mis deudas, como he perdonado a mis deudores.

En "El Padre Nuestro," leemos: "Perdónanos nuestras deudas, como también nosotros perdonamos a nuestros deudores" (Mt. 6:12). En la superficie, parece que si no logramos perdonar a la gente en nuestras vidas, Dios no nos perdonará. Esto no es cierto. Dios es amor; el Espíritu no puede retener el amor de nosotros. En verdad, somos hechos en la imagen del amor. El amor divino nos envuelve y es nuestra naturaleza. Cuando comprendemos este principio, nos preguntamos por qué no sentimos el amor eterno de Dios.

La contestación es sencilla. Retenemos el amor a otros. Cuando no logramos perdonar a otros y guardamos resentimientos hacia ellos, Dios todavía nos ama, y todavía somos hechos en la imagen del amor. Sin embargo, nuestra falta de perdón nos impide sentir el amor eterno y conocer nuestra verdadera naturaleza.

Considera hoy el hecho de que no hay justificación verdadera para no perdonar. Aprende de memoria la declaración siguiente: *El no perdonar me impide sentir el amor divino.*

El perdón es para mí, no para la otra persona.

Ahora empezamos a comprender. El perdón no es para la otra persona; es para nosotros. El perdón nos ayuda a recordar quiénes somos, y nos ayuda a recordar que nuestro destino es amar. ¿Cuántas veces nos hemos sentido justificados en guardar resentimientos y cólera? Después de todo, esa persona nos hizo daño.

Desde la perspectiva humana, el sentimiento de justificación nos levanta, pero sólo para poder caer de una altura mayor. Nuestra cólera tiene un efecto devastador en nosotros y, de hecho, tal vez no afecte a la otra persona en modo alguno.

Es hora de ser libres. Nadie encuentra satisfacción sin soltar la carga de la cólera y resentimiento. Si no fuera por la falta de perdón, muchos sentiríamos las maravillas del amor divino.

Corrie Ten Boom sobrevivió un campo de concentración nazi. Después de la guerra, viajó y fue mensajera de amor y perdón a una nación afligida por el dolor. Una noche, mientras daba una conferencia, Corrie vio en el público al guardia de la prisión que había tratado brutalmente a ella y a su hermana. Ese hombre había sido responsable indirectamente de la muerte de su hermana. Después del programa, el hombre se abrió paso por la multitud, extendió su mano a Corrie, y dijo: "¿No es el amor perdonador de Jesucristo maravilloso?" La mano de Corrie no se movía. Ella acababa de hablar sobre el perdón, y ahora no podía responder a la mano abierta del hombre. Pidió ayuda a Dios, y de repente movió su mano. Ella había roto la barrera y sentido perdón.

Semana 16
Día 107
continuación

En las líneas que proveemos abajo, completa la oración al escribir los nombres de las personas que debes perdonar. Haz esto tantas veces como sea necesario.

Estoy dispuesto (dispuesta) a perdonar a ______________________________.

Estoy dispuesto a perdonar a ______________________________.

Estoy dispuesto a perdonar a ______________________________.

Estoy dispuesto a perdonar a ______________________________.

Estoy dispuesto a perdonar a ______________________________.

Estoy dispuesto a perdonar a ______________________________.

Estoy dispuesto a perdonar a ______________________________.

Estoy dispuesto a perdonar a ______________________________.

Estoy dispuesto a perdonar a ______________________________.

Estoy dispuesto a perdonar a ______________________________.

Estoy dispuesto a perdonar a ______________________________.

Estoy dispuesto a perdonar a ______________________________.

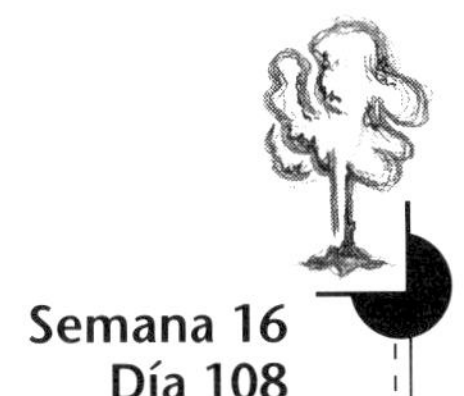

Saco la viga de mi propio ojo.

"¿Y por qué miras la paja que está en el ojo de tu hermano, y no echas de ver la viga que está en tu propio ojo? ¿O cómo dirás a tu hermano: Déjame sacar la paja de tu ojo, y he aquí la viga en el ojo tuyo? ¡Hipócrita! saca primero la viga de tu propio ojo, y entonces verás bien para sacar la paja del ojo de tu hermano" (Mt. 7:3–5).

Jesús expresó un principio que algunas veces deseamos no fuera verdad, porque nos dijo algo sobre nosotros que no siempre queremos saber. En términos psicológicos, habló de proyección. Dijo que lo que encontramos perturbador en otra persona está dentro de nosotros. Del mismo modo, El enfatizó que nosotros tenemos que hacer el trabajo, no la persona a quien tenemos aversión.

Es perturbador darnos cuenta de que otras personas son espejos de nosotros mismos. Sin embargo, este principio puede permitirnos vislumbrar lo que está dentro de nosotros. Tal conocimiento es parte del viaje interno.

Haz una lista de las cualidades de otra gente que te molestan:

Ahora completa el proceso al escribir la declaración siguiente en tu propia letra: *Lo que me disgusta de otras personas es parte de mí.*

Semana 16
Día 109

Miro el Cristo en ti.

Nunca nos enfadamos con las creaciones de Dios. No podemos hallar defecto en una imagen que el Espíritu ha creado. Si hay animosidad, dirigimos el sentimiento hacia algo que hemos creado. Hemos formado un concepto o creencia acerca de otra persona que es inconsistente con la verdad de su ser.

Nos han dicho que no juzguemos por las apariencias. Prestemos atención a este llamado, porque es naturalmente una parte del viaje interno. ¿Recuerdas a la mujer sorprendida en el acto de adulterio que fue traída a Jesús? Cuando Jesús miró a la sollozante forma acurrucada a Sus pies, ¿qué vio? ¿Vio a una prostituta? ¿Vio a un indigno ser humano? No, Jesús vio la imagen de Dios —el Cristo en la mujer.

Una de las jóvenes monjas de la orden de la Madre Teresa fue a la Madre y le informó que ella había estado cuidando al Cristo durante todo el día. Si hubieses estado al lado de esa joven monja, hubieras visto que ella había bañado y alimentado a un pordiosero moribundo. Sin embargo, la monja no juzgó por las apariencias. Cuando preguntaron a la Madre Teresa sobre esto, ella dijo con una guiñada que el pordiosero era el Cristo en uno de Sus disfraces.

Cada uno de nosotros es el Cristo disfrazado, porque somos hechos a la imagen de Dios. Amar es ver el Cristo, como hizo la joven monja. Cuando esta visión es nuestra, el proceso de perdonar es completo, porque hemos visto la verdad del ser.

Forma la imagen más gloriosa que puedas del Cristo. Por favor, comprende que ninguna imagen humana se aproxima a la imagen de Dios, mas la imagen que formes te ayudará "a ver el Cristo disfrazado". Luego deja que se forme en tu mente una imagen de alguien que debes perdonar. Ve a esta persona y permítete sentir cualesquiera que sean los sentimientos que surjan. Entonces lentamente deja que esa forma terrenal se desvanezca y sea reemplazada con la imagen gloriosa. Di a ésta: *Veo el Cristo en ti.*

Bendigo a los que me persiguen.

Cuando vemos el Cristo en otros, o vemos la verdad de sus seres, no podemos devolver mal por mal. El amor es nuestra reacción a las chiquilladas o al comportamiento colérico de otra persona. Esto es consistente con la sabiduría de aquellos que han amado mejor a la familia humana. Tanto Jesús como Pablo nos ordenaron a bendecir a lo que nos persiguen. Hemos aprendido que esto no es para la otra persona; es para nosotros.

Además, el rechazo a reaccionar del mismo modo da a nuestro "perseguidor" la oportunidad de hacer o decir algo constructivo. Jesús sugirió que cuando alguien nos hiere en una mejilla, le volvamos también la otra. Desde luego, la persona nos puede herir de nuevo, pero porque no hemos hecho un gesto colérico, la persona puede elegir hacer algo nuevo. Esta misma opción se no presenta cuando alguien escoge bendecirnos en vez de perseguirnos. Hoy volvamos la otra mejilla. Vivamos atrevidamente y bendigamos a aquellas personas que nos retan.

Había una vez dos estudiantes para el ministerio que no simpatizaban. Uno de ellos fue a una señora a quien tenía en mucha estima y le preguntó lo que él debía hacer. Ella le dijo que encontrara algo que le agradara en el hombre y volviera a ella. El estudiante examinó a su adversario y regresó a la señora, informándole que el otro hombre no tenía nada que a él le agradara. Ella replicó que algo tenía que tener y le instó a mirar con más detenimiento. Finalmente, él encontró algo que le agradaba y volvió de nuevo a su amiga, diciéndole: "Me gusta la corbata del hombre".

La señora dijo: "Ve ahora y díselo". El estudiante llevó a cabo su petición y, para su sorpresa, el hombre se quitó la corbata y se la dio. Y así, surgió una amistad.

Piensa en una persona que te reta, determina una cosa que te agrada en esa persona, y luego díselo. En el espacio abajo, escribe el nombre de la persona y lo que te agrada.

Semana 16
Día 111

Porque amo mucho

Una señora postrada en cama moría en un hospital. Habló con su ministro de su muerte inminente y sus remordimientos. Hablaron, además, del propósito de la vida. Concluyeron conjuntamente que éste era expresar amor.

El ministro llevaba en su bolsillo pequeños corazones de papel rojo que acostumbraba dar a los niños. A veces los adultos los necesitaban también. Dio a la mujer en el hospital por lo menos cien corazones y le pidió que se dedicara a los asuntos de Dios durante los días que le quedaban de vida. Cada persona que entrara en su habitación había de recibir un corazón. Ella hizo esto y murió en paz, fiel a su propósito y naturaleza.

Desde esa experiencia el ministro ha aumentado la distribución de los diminutos corazones rojos. Algunas veces los deja en la mesa de un restaurante junto con la propina. Podemos compartir el amor en maneras maravillosas.

Una vez Jesús fue invitado a la casa de un fariseo. Después de entrar en la casa, una mujer de la ciudad, probablemente una prostituta, se sentó cerca de Jesús y comenzó a mojar Sus pies con sus lágrimas y a secarlos con su cabello. También, ella ungía Sus pies con un valioso aceite. El fariseo pensaba que si Jesús era realmente profeta El sabía qué clase de mujer era ésa y no permitiría que lo tocara.

Jesús conocía la mente del hombre y le dijo una pequeña parábola que ilustraba la falta de comprensión del hombre. Luego Jesús dijo: "Sus muchos pecados le son perdonados, porque amó mucho" (Lc. 7:47). Estas últimas tres palabras expresan la manera de perdonar. Somos perdonados; sentimos el amor divino cuando lo expresamos. No hay completo perdón hasta que amamos mucho.

Setenta veces siete

Pablo aconsejó: "No se ponga el sol sobre vuestro enojo" (Ef. 4:26). Es humano tener coraje a veces, y no hemos de negar o reprimir esos sentimientos. Es mejor tratar con rapidez toda ira que sintamos antes de que ella desorganice nuestras vidas. Sin embargo, puede tomar un momento antes de que nos sintamos libres de sentimientos de resentimiento o rechazo. Podemos engañarnos al pensar que hemos perdonado cuando no lo hemos hecho.

Lo maravilloso es que con el tiempo y a medida que vivimos, descubriremos si hemos completado el proceso de perdonar. Si no podemos amar, todavía no hemos perdonado a otros. Si estamos reacios a recibir amor, todavía no nos hemos perdonado.

Hay mucha gente que sabe que el reino de Dios está en ella. Ella tiene el conocimiento intelectual, pero no siente el reino. Una razón importante para esto es la falta de perdón. Perdonemos absolutamente, setenta veces siete. Recuerda, el perdón no es para la otra persona. Es para nosotros, de manera que podamos descubrir quiénes somos y lo que somos.

Como un niño que aprende a escribir el alfabeto, escribamos las palabras: *No hay perdón sin amor.* Este ejercicio pueril no ha de hacerse de una sentada, porque a menudo el perdón no se completa de repente. En un gesto simbólico, emplea el espacio en las siguientes páginas para escribir la declaración siete veces cada día por los próximos siete días. Escribe un poco por la mañana, algo durante el día y completa las siete declaraciones al terminar el día. Esta secuencia te permitirá experimentar el proceso de perdonar. ¡Este requiere práctica diaria hasta que se realice!

Día 1

Día 2

Día 3

Día 4

Día 5

Día 6

Día 7

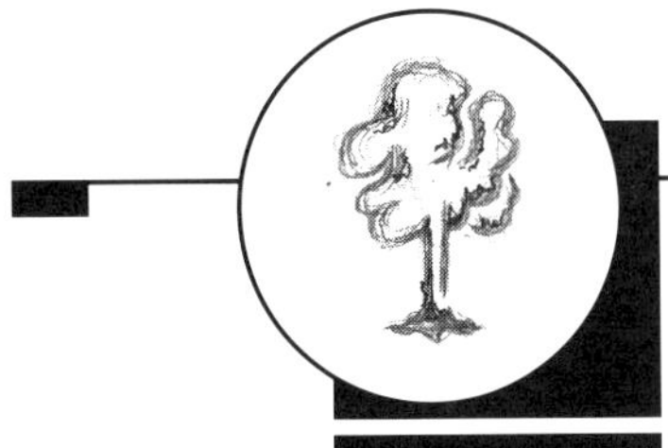

Semana 17

El pecado imperdonable

Está escrito que hay un pecado que nunca puede ser perdonado. "Mas el que blasfemare contra el Espíritu Santo no tiene perdón jamás, sino que queda sujeto a eterna condenación" (Mr. 3:29, Versión Popular). Esa falta surge de la libertad de albedrío que Dios nos ha dado. Hay un poder mental que responde "no". Idealmente, decimos no a mentiras y falsedades, pero como cualquier otro principio, éste puede ser mal empleado. ¿Cuántas veces hemos dicho no a Dios y a la Verdad?

¿Puedes pensar en las varias veces en tu vida cuando dijiste no a tu bien, a Dios, o a la Verdad? Por favor, escribe una breve descripción de los sucesos:

Decir no a Dios es un pecado imperdonable debido a que mientras rehusemos nuestro bien, el Espíritu debe honrar nuestra elección. El Espíritu no nos obliga. Decimos no, pero Dios espera pacientemente que cambiemos de idea y digamos sí. Decir no a Dios no asegura el dolor eterno y nuestro fallecimiento; simplemente quiere decir que somos limitados y no expresaremos nuestra plena potencialidad hasta que, por medio de nuestra selección, digamos ¡sí!

Semana 17
Día 113

Admito haber dicho no a Dios.

El reino de los cielos está en nosotros, y la bondad de Dios y las maravillas increíbles están destinadas a fluir desde nuestro interior. Sin embargo, no hay una fuente de bien hasta que empezamos a dejar ir lo que parece tan valioso para nosotros. Recuerda, la vida espiritual no es adición. Somos hecho a la imagen de Dios y conforme a Su semejanza. ¿Qué debe ser añadido a nosotros? En vez de eso, somos como la obra maestra encerrada en una piedra. Se cortan diminutos pedazos de la piedra; la obra maestra surge debido a la substracción.

Hemos sido como niños. Nuestros padres quieren darnos lecciones de natación, de modo que podamos disfrutar del agua, pero decimos no. De hecho, como sucede con los pequeños, "no" se vuelve nuestra palabra predilecta. Este es un pecado imperdonable porque siempre y cuando rehusamos cooperar con el instructor de natación, no aprendemos a nadar. Mas el día llegará cuando la atracción del agua y el goce de estar en ella serán muy poderosos, y diremos sí.

Admite que has dicho no a Dios. Tal vez recuerdes una ocasión particular cuando rechazaste el bien. Desde luego, no comprendías esto al principio, pero luego la verdad se reveló. Si tales casos no son parte de tu mente consciente, entonces puedes recurrir a un principio. Si la vida no es todo lo que ella puede ser, entonces has dicho no a Dios. Cuando hay un sí, hay una desbordante copa de paz, amor y alegría.

Hoy simplemente admite que has dicho no a Dios y pregunta: "¿Por qué?" Escribe todo pensamiento que venga a la mente:

Digo no a Dios porque creo que soy indigno.

A menudo hacemos la siguiente pregunta: Si Dios está en el aire, ¿qué es el viento? La respuesta es: El viento es la actividad o movimiento del aire. El Espíritu Santo es la actividad o movimiento de Dios en nuestras vidas y nuestro planeta.

¿Quién negaría la actividad de Dios? Nadie haría tal cosa conscientemente, pero negamos el Espíritu en maneras sutiles. La curación se ofrece en todo momento, mas no la aceptamos siempre. El amor nos envuelve, pero no lo sentimos siempre. La guía resplandece sobre nosotros, mas vagamos desorientados. Se provee seguridad, pero la rehusamos. Dios no retiene nada de nosotros. En el prefacio de su libro *Prosperidad*, Charles Fillmore declara: "Es perfectamente lógico asumir que un Creador sabio y competente provee para las necesidades de Sus criaturas en las varias etapas de su desarrollo".

Todo lo que necesitamos es asequible. La provisión es igual a la demanda, pero la negamos porque no creemos que la merecemos. Creemos que somos indignos porque las personas que ejercían autoridad sobre nosotros en el pasado decían que nunca llegaríamos a nada. Creemos que somos indignos porque pensamos que no hemos trabajado con suficiente firmeza; creemos que no merecemos lo que se ofrece.

Considera tu vida y completa la siguiente oración tantas veces como sea útil para ti:

Creo que soy indigno porque

Semana 17
Día 115

Digo no a Dios porque creo ser culpable.

En nuestra sociedad si somos culpables de cometer un crimen, somos castigados. Algunas veces cometemos errores, pero éstos no son castigados por la ley. Sin embargo, todavía nos sentimos culpables y a menudo nos castigamos consciente o inconscientemente. Por ejemplo, podemos estar cerca del éxito en algún proyecto, pero encontramos la manera de fracasar.

Había una mujer que asistía a una escuela para enfermeras. Ella era buena estudiante y sabía la información necesaria para obtener notas sobresalientes en las pruebas. No había manera de fracasar a menos que rehusara tomar los exámenes. Debido a sentirse culpable por un error que cometió en el pasado, no tomó uno de los exámenes finales. Esta fue la única manera en que pudo fracasar.

La culpabilidad nos deja con un sentido de desestimación, y no queremos experimentar el reino de los cielos y todos sus gozos.

La historia de Caín y Abel nos revela el punto de vista del Espíritu sobre Su creación. Caín mató a su hermano Abel y fue desterrado a vagar en tierras lejanas. El estaba preocupado por su vida, temeroso de que alguien lo matara como él había hecho con su hermano. Dios respondió al poner una señal en Caín, de manera que no fuera herido por otros. Indudablemente, hay muchas interpretaciones de esta historia y de la señal, pero una perspectiva puede ser de beneficio a los que tienen un profundo sentido de culpabilidad. ¿Podría ser que la señal de Caín declara la verdad de que Dios amaba a Caín?

La verdad es que Dios nos ama a todos. El castigo no es necesario, mas la iluminación sí lo es. Hay veces cuando "castigamos" a nuestros hijos (por lo menos ésa es la manera como ellos lo ven), pero no es con el propósito de hacerlos sufrir. Es para que ellos aprendan autodisciplina y lo que es de valor.

Al vivir tu día, hazlo en la conciencia de que la señal de Caín está puesta en ti. Ella declara no lo que hiciste o lo que dejaste de hacer. Ella muestra a todo el mundo que eres muy estimado a los ojos de Dios.

Dios me dice sí.

Pedimos curación y permanecemos enfermos. Queremos empleo seguro y próspero, pero no lo podemos encontrar. Deseamos amor más que nada, mas encontramos rechazo. Estamos convencidos de que nuestros sueños no se realizan porque Dios ha dicho no. Y cuando Dios dice no, ¿qué podemos hacer?

Recordemos que la humanidad es la que dice no a su bien. Dios siempre dice sí. Sin embargo, la afirmación que el Espíritu declara no es de las cosas de este mundo. Nuestro Dios nos dice sí: a lo que somos y a nuestras capacidades innatas. El Creador es como el padre amoroso que se esfuerza por enseñar a sus hijos, de manera que puedan descubrir sus potencialidades y ser todo lo que puedan ser.

Dios nos dice sí. De hecho, el universo ha sido planeado en una forma que nos invita a expresar todo lo que está en nosotros. Hemos sido creados para el éxito. No obstante, el sí de Dios no es suficiente. Debe haber otro sí. Debemos decir sí a los retos de la vida, a lo que somos, a las posibilidades, a la vida misma y a Dios.

Hoy lleva contigo la palabra sí. Por mucho tiempo has dicho no a las posibilidades de tu vida. Tienes la aceptación de Dios; deja que Dios tenga tu aceptación. Escúchate y escucha a otros hoy, y observa cuántas veces oyes la palabra sí.

Semana 17
Día 117

Deseo decir sí a Dios y la Verdad.

El mero hecho de llevar en la mente la palabra sí, no quiere decir que hemos dicho sí a Dios y la Verdad, mas la preparación para este gran momento está en camino. Primero hay deseo, y luego hay acción. Deseamos decir sí a Dios y la Verdad más que con palabras. El Espíritu no requiere palabras. Si la palabra sí ha de ser declarada, debe ser declarada en silencio.

Considera hoy cómo puedes decir sí a Dios silenciosamente a través de la acción. Las acciones no son necesarias hoy, sólo es necesario una comprensión de lo que debes hacer. En el espacio abajo, escribe lo que has decidido hacer para decir sí a Dios y la Verdad. Si encuentras difícil este ejercicio, querrás volver a la *Semana 11, Día 74* y repetir las actividades de ese día, porque está planeada para ayudarte con un tema como el de hoy.

Digo sí a Dios.

Hemos edificado para llegar a este día. Las palabras cesarán y las acciones comenzarán, porque la tarea es hacer lo que hemos indicado en el ejercicio de ayer. No hay mayor afirmación que la acción. Las palabras señalan la senda, pero aún debemos caminar por ella.

Cuando decimos sí a Dios, obramos en concierto con el universo. El Espíritu siempre nos dice sí, pero antes de que la maravilla del reino se exprese, debemos decir sí. El Espíritu no nos impone Su voluntad. Sin embargo, en todo respecto Dios nos dice sí. Si ese sí fuera un sonido audible, sería un constante coro que se ejecuta dentro de nosotros. Si la música de las esferas tuviese letra, una y otra vez la palabra sí resonaría por todo el universo.

Al decir sí hoy por medio de tus acciones, date cuenta de un proceso que comienza. Hay muchas cosas maravillosas que has querido hacer en tu vida. Hay hábitos destructivos que deseas dejar. De hecho, ha habido veces que has hecho las cosas positivas que has querido hacer, pero después de un corto tiempo, la vieja manera de actuar volvió.

Un acto de voluntad es el principio de la mayor parte de los cambios, pero no te sostendrá. Debes crear un estado mental, y luego las acciones constructivas no son una lucha, sino naturales. Empieza hoy, aunque tu comienzo sea un acto de voluntad. Más tarde, un estado de conciencia se volverá parte de ti, y tu sí a Dios será completo.

Semana 17
Día 119

El pecado imperdonable es perdonado.

El pecado imperdonable es perdonado. Ya no decimos no a Dios. Cuando se nos pregunta si estamos dispuestos a experimentar la plenitud de la vida, contestamos: "Sí". En el pasado la respuesta fue no, y Dios respetó nuestra elección. El "no" era imperdonable porque siempre y cuando continuábamos diciendo no a Dios, no permitíamos que el flujo de gozo, paz y amor tuviera una salida desde nuestro interior.

Por miles de años, la humanidad ha creído que podíamos cometer un pecado imperdonable, y con él venía cierto juicio o condena. Cuando el Espíritu dice sí a su creación, no hay condena.

Dos veces durante este día, haz una pausa de doce minutos para "escuchar" el sí divino. Si no lo "oyes", deja que tu corazón y mente digan a Dios: "Digo sí a Ti; ¿me estás Tú diciendo sí?" y luego escucha . . .

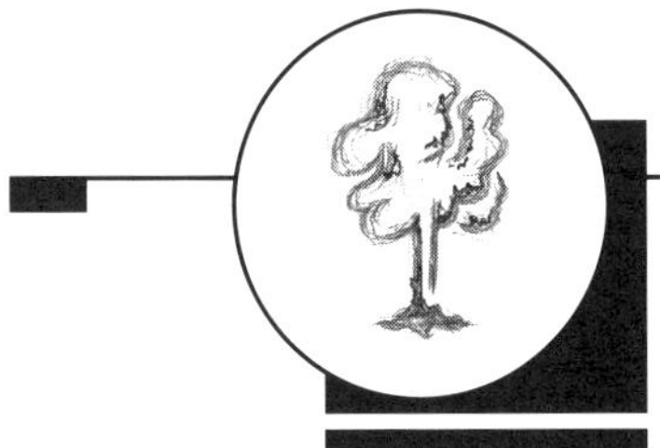

Semana 18
"Yo y el Padre uno somos"

Estamos tan cerca de Dios ahora como lo estaremos en el futuro. Luego, ¿por qué no sentimos esta proximidad? Porque aunque la unidad con Dios es la verdad del ser, ella es también un asunto de conciencia. Considera esta transición: un niño indio norteamericano ha de pasar una noche solo en el bosque con su arco y una flecha. Las bestias de la noche podrían acercarse cautelosamente a esta presa fácil. Desde la perspectiva del niño, él está solo y corre peligro. Pero muy cerca su padre vigila y está preparado para ayudarlo si fuera necesario.

El mensaje consistente del Espíritu es que no estamos solos. No estamos abandonados y nunca seremos olvidados. No obstante, como el niño en el bosque, podemos no estar conscientes de nuestro Padre. Muchos en la humanidad mantienen un sentido de separación entre el Creador y Su creación. Esto no es necesario. El Espíritu no es sólo Creador, sino Sostenedor de la creación. Jesús trajo a la gente una asombrosa verdad. "Yo y el Padre uno somos" (Jn. 10:30). Tan ajena era esta posibilidad a las mentes de la gente que cuando ella oyó a Jesús hablar de Su unidad con Dios, tomó piedras para matarle.

Tres veces cada día durante la *Semana 18*, haz una pausa y afirma: *"Yo y el Padre uno somos"*. Anota todo suceso, pensamiento o imagen mental que reflejan para ti la verdad de unidad. Por ejemplo, ver un hermoso atardecer o caminar con tu ser amado asidos de la mano podría hacerte comprender que eres uno (una) con Dios.

Semana 18
Día 120

Dios mío, Dios mío, ¿por qué me has abandonado?

El Salmo 22 empieza con estas palabras: "Dios mío, Dios mío, ¿por qué me has abandonado?" Este fue el versículo de la Biblia que Jesús citó cuando habló desde la cruz. Al hacer esto, expresó una creencia humana común —que el Espíritu puede abandonar a Su creación. Esto no es cierto.

Haz una pausa ahora y lee el Salmo 22. En él encontrarás la experiencia de la crucifixión. Hay referencia a echar suertes sobre la ropa de Jesús, a las palabras de mofa y a la horadación de Sus manos y pies. Observa particularmente los versículos 27, 30 y 31.

Creo que Jesús citó el Salmo 22 desde la cruz no porque se sintiera abandonado, sino porque nosotros nos sentimos abandonados. El estaba llamando nuestra atención al salmo, porque en éste había un mensaje de esperanza y una indicación clara de que Jesús no fue abandonado. Este salmo indica la experiencia en la cruz, pero también el hecho de que "Mis descendientes adorarán al Señor y hablarán de él toda la vida; a los que nazcan después, les contarán de su justicia y de sus obras" (Sal. 22:30–31, Versión Popular). Nosotros somos "los que nazcan después". Tengamos presente que nosotros, como Jesús, no somos abandonados. Nuestras circunstancias pueden ser tan terribles como fueron las Suyas cuando permanecía en la cruz, pero el Espíritu nos acompaña, así como acompañó a Jesús.

Considera la idea de una cultura antigua que consistía de gente inclinada a lo espiritual. Dicha cultura una vez enseñó a los niños que el gran Espíritu siempre estaba con ellos. A medida que los pequeños empezaron a aprender esa idea, fueron instruidos a volver sus cabezas rápidamente y mirar por encima del hombro izquierdo para intentar ver al gran Dios vigilar sobre ellos. Jamás ningún niño vio el Espíritu del cual los sabios hablaban, mas hubo una conciencia en crecimiento del gran Dios.

Sé tú como los niños de esa gente de la antigüedad, y a menudo mira hoy por encima del hombro izquierdo. Es dudoso que veas algo, pero habrá una conciencia en crecimiento de la presencia y poder de Dios.

Nunca te dejaré.

Escucha, escucha, escucha la canción de mi alma.

Escucha, escucha, escucha la canción de mi alma.

Nunca te dejaré; nunca te abandonaré.

Nunca te dejaré; nunca te abandonaré.

Esas palabras son cantadas una y otra vez por los que participan en los retiros espirituales, como un eco de lo que ellos creen profundamente que Dios les "dice". Luego cantan las palabras para expresar amor unos a otros. Esta es una experiencia inolvidable.

Dios es omnipresente —presente igualmente en todas partes. El Espíritu no puede abandonarte o dejarte. ¿Adónde va un Dios omnipresente? No hay lugar donde ocultarse. Las montañas y el bosque declaran la grandeza de Dios, los mares Su misterio y el espacio lo ilimitado de una Presencia invisible.

Los niños en los tiempos modernos aprenden el dicho: "No hay sitio donde Dios no está". Si esto es verdad, ¿por qué te sientes solo y abandonado? Recuerda una vez cuando te sentiste solo. Permite volver a experimentar esos sentimientos si surgen de nuevo. Luego pregunta: "¿Por qué me sentí de esa manera cuando Dios estaba conmigo?" Escribe todo pensamiento e impresión en el espacio abajo:

Semana 18
Día 122

"En la casa de Jehová moraré para siempre."

"Ciertamente la bondad y la misericordia me seguirán todos los días de mi vida, y en la casa de Jehová moraré para siempre" (Sal. 23:6, Versión Popular). Estas son palabras familiares, porque ellas concluyen el Salmo 23. Ellas, también, indican nuestro destino, porque viviremos en la casa de Dios eternamente. Alguna gente cree que esta casa es el cielo y que éste es asequible a nosotros después de una vida bondadosa en el planeta Tierra. Otra gente que conoce el simbolismo de la Biblia insiste en que la "casa" de Dios es Su presencia o, para ser más exacto, una conciencia de Su presencia.

Como Pablo indicó, todos nosotros vivimos, nos movemos y tenemos nuestro ser en Dios, pero tal vez no estemos conscientes de esta presencia. Nuestro destino es conocer conscientemente esta verdad y vivir de acuerdo con ella.

A través de las edades se han construido hermosas iglesias, templos, mezquitas y sinagogas. Entramos en estos lugares y la arquitectura y el arte de estas construcciones hechas por el hombre nos llenan de admiración. Sin embargo, aunque las paredes, pisos y techos sean hermosos, su función es declarar y manifestar la presencia de Dios. La iglesia no es la estructura visible, sino el "espacio" invisible entre las paredes. En este espacio es donde vivimos, nos movemos y tenemos nuestro ser. Aquello que parece vacío y hueco es la casa del Señor.

Hoy date cuenta del "espacio" en que vives. Toda estructura define el espacio. Un arquitecto sabio como Frank Lloyd Wright diseñó construcciones que nos recuerdan que el espacio en donde vivimos y trabajamos contiene la presencia de Dios. Entra en cada habitación de tu casa, párate en medio de la habitación y sé receptivo al espacio. Recuerda que ese espacio es la casa del Señor; es Su presencia.

Dios está más cerca que manos y pies.

Hasta este punto en la *Semana 18* hemos considerado la idea de que Dios está cerca, a nuestro alrededor, envolviéndonos. Esto es solamente una porción de la verdad. Otros han tenido la percepción de que Dios está más cerca que manos y pies. La omnipresencia del Espíritu trasciende la idea de cercanía.

Cuando consideramos la idea de que el Espíritu está más cerca que manos y pies, hay la tendencia general de creer que Dios está dentro de nosotros. Si esto es cierto, este pensamiento e idea vivificantes explican por qué nunca podemos ser abandonados u olvidados. Dondequiera que estamos, Dios está.

Cuando el cielo se obscurezca esta noche, enciende una vela y colócala en el centro de la habitación. Siéntate detrás de la vela y mira la llama como un punto de luz. Luego imagina que esta luz es la imagen de Dios y que está centrada en medio de ti. Al principio puede ser sólo un punto de luz, pero el Espíritu declara: "Deja que tu luz brille". Vuelve a la idea de la luz en ti y expresa tu deseo de dejarla brillar. Anota en el espacio abajo toda experiencia o pensamiento que venga a ti:

Semana 18
Día 124

Hoy despierto a mi unidad con Dios.

Hoy es un Día de Recuerdo. Considera un tiempo en tu vida cuando te sentiste cerca de Dios. Esos momentos se caracterizan usualmente por gran paz en medio de dificultades, una sensación de ser amado cuando nadie está contigo, o un gozo maravilloso cuando nada ha sucedido en tu vida externa. Tal vez te ha llegado una fuerte intuición. Quizás ésta sea edificante, pero acaso sea algo que no te guste particularmente, no obstante ser cierta.

Anota el incidente:

Cuando te detienes para considerar la proximidad de Dios, usualmente existe la conciencia de un momento cuando supiste que Dios estaba contigo. A veces tratas de explicar tal incidente, o simplemente lo olvidas. La conciencia de ese momento se desvía y la vida "vuelve a lo normal". Es posible que no hayas experimentado la unidad con tu Creador y no hayas tenido aún tal experiencia. La tendrás, porque ése es tu destino. En las semanas venideras, se te dará ayuda práctica que te preparará para lo que está adelante.

Estoy más cerca de lo que crees.

Cuando el Espíritu se revela a nosotros, una de las primeras verdades que descubrimos u "oímos" usualmente es la siguiente declaración de Dios: "Nunca te dejaré; estoy siempre contigo". Más tarde en la relación, Dios revela una mayor verdad: "Estoy más cerca de lo que crees".

Es como dos personas que se aman, revelándose cada vez más una a la otra. No podemos, de repente, sostener la verdad de Dios o de nuestro ser. Día tras día, percepción tras percepción, la relación crece.

Dios es más que estar dentro de nosotros. La cercanía es mayor que el agua en una taza, aún mayor que la respiración en el cuerpo. Somos hechos a imagen de Dios. Alguna gente ha dicho que Dios está en nosotros del mismo modo que el océano está en la ola. Esta es una hermosa analogía, mas todo concepto humano no llega a describir nuestra unidad con Dios. Toda una sección de este libro está dedicada a descubrir el significado de ser hecho a imagen de Dios.

No importa cuál sea tu comprensión de tu unidad con Dios, ten receptividad hoy a una unión más íntima. Emplea quince minutos en silencio hoy, sintiendo las palabras del Espíritu: "Estoy más cerca de lo que crees".

Semana 18
Día 126

"Yo y el Padre uno somos."

Jesús dijo: "Yo y el Padre uno somos" (Jn. 10:30). Cuando habló esas palabras, eran tan ajenas a la gente que ella tomó piedras para matarle. Pero para muchas personas, esa declaración es el comienzo de un viaje espiritual. La unidad con Dios es algo que muchos nunca consideran. Para ellos, Dios está siempre muy lejos. Aquí tienes un sencillo poema que declara nuestra unidad con Dios:

Unidad

Cuando oigo el bramido del viento
y esa "voz callada y suave"
y sé que son expresados
por el mismo poder,
el Padre y yo uno somos.
Cuando la energía de una tempestad
ruge dentro de mí
como entusiasmo y gusto por la vida
tengo el poder
de llegar a ser lo que soy.
Cuando observo a mi hijo volverse hombre
y una semilla volverse árbol
y sé que se encuentran
en la encrucijada que llamamos vida,
el Padre y yo somos uno.

Cuando observo el orden
del cielo,
y la fuerza irresistible del amor
se mueve a través de mi vida,
la armonía del universo es mía.
Cuando siento una suave brisa
en mi rostro,
y el apretón amoroso de la mano de mi amada,
y sé que ambos nacen del mismo corazón,
el Padre y yo uno somos.
Cuando Cristo, mi "esperanza de gloria",
puede verse dentro de mí
y en mi vida,
soy lo que soy.
Cuando cada salida y cada puesta del sol
indica un nuevo comienzo
para mi vida eterna,
el Padre y yo uno somos.

Lógicamente, comprendemos que nosotros y el Padre somos uno, pero eso no basta. Nuestras almas anhelan la experiencia de unidad. Solamente la experiencia nos alimenta y nos sacia hasta desbordarse. Podemos compararnos con un hombre que no ha comido por días. No le hables de una comida suntuosa. No describas el sabor. ¡Déjale comer!

Semana 18
Día 126
continuación

Algunas de las actividades de las próximas semanas han sido planeadas para ayudarte a poner de tu parte al prepararte para la experiencia de la Presencia. Por ahora, considera tu unidad con Dios y escribe un poema en la siguiente página que exprese la manera cómo te sientes.

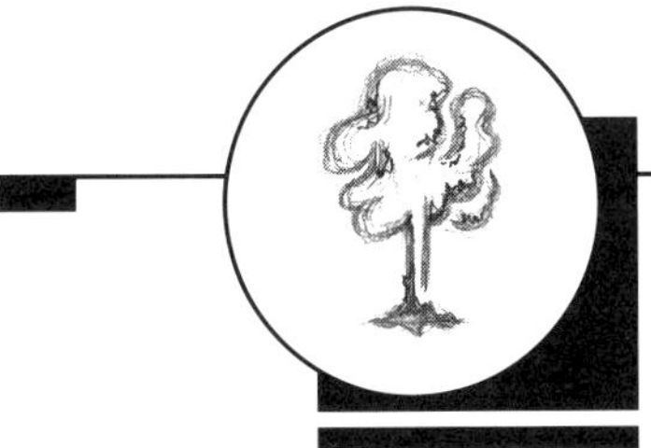

Semana 19
"Callad, y sabed"

Es bueno que el mundo nos declare nuestra unidad con el Espíritu, pero es mejor que Dios nos lo revele. Hace mucho tiempo, el Salmista oyó estas palabras: "¡Callad, y sabed que yo soy Dios!" (Salmo 46:10, Versión Popular). Todo encuentro con el Espíritu es una experiencia que transforma la vida. Así debió ser para el Salmista, y así es para nosotros.

Nuestra responsabilidad es aquietarnos. Estas son palabras simples, pero para una persona activa en un mundo de rapidez, aquietarnos es un reto. Al entrar en la "actividad" de la quietud, hagámoslo con la idea de que cuando nos aquietamos, podemos sentir lo que ocurre perpetuamente dentro de nosotros.

Empieza a aquietarte al encontrar un lugar tranquilo y permitirte sentir la subida y caída del pecho. Esto sucede perpetuamente, pero usualmente no estás consciente de esto. Al aquietarte, empiezas a estar consciente de los procesos internos que suceden todo el tiempo.

Ahora permite sentir el latido del corazón. Al principio podrías poner la mano sobre el corazón o el dedo en un punto del pulso. Finalmente, quita la mano y siente el corazón latir en el cuerpo.

Ahora te preparas para sentir en el alma la actividad más profunda y serena del Espíritu. Descansa tranquilamente por unos momentos, y deja que el alma se vuelva sensitiva a cuanto ocurre dentro de ti. No anotes ningún pensamiento, sentimiento o imagen. Tu propósito ahora no es obtener resultados, sino ser fiel al proceso de estar quieto (quieta).

Semana 19
Día 127

Al aquietarme, sé lo que no he sabido antes.

"Kung Fu" era un programa de televisión sobre un sacerdote chino llamado Caine que viajó al oeste norteamericano. Allí ayudó la vida de las gentes y les trajo un sentido de la Presencia. Durante el programa, hubo escenas retrospectivas del adiestramiento de Caine en un monasterio. En un episodio cuando Caine era novicio, su maestro ciego le preguntó que si notaba el saltamontes a sus pies. Caine preguntó al maestro cómo podía él oír tales cosas. El sabio maestro replicó con una pregunta: "¿Cómo no las puedes oír tú?"

Juan Eckhart dijo: "Nada en toda la creación se parece tanto a Dios como la quietud". Una promesa se nos da: "¡Callad, y sabed que yo soy Dios!" (Sal. 46:10, Versión Popular). La quietud es como una mano extendida que nos ofrece todas las maravillas del universo. Para algunos es extraño que la quietud produce los dones de Dios, pero es así.

Procura aquietarte por lo menos dos veces durante este día. Usa cualesquiera destrezas hayas aprendido anteriormente, y luego clasifícate y clasifica la quietud que has alcanzado a escala de 1 a 10. 10 representa un estado de reposada quietud y 1 un estado de inquietud. Por favor, no mires hacia días futuros y sus actividades. Indica abajo tu grado de quietud. ¡Que no haya condenación no obstante la quietud que hayas sentido!

1 2 3 4 5 6 7 8 9 10

Mi primer descubrimiento al tratar de aquietarme es que la mente humana divaga.

Esto es normal. Toda persona que camina en la senda de la quietud se encuentra con la mente divagadora. Es como viajar a través del país; sería ingenuo pensar que podemos ir de donde estamos a nuestro destino sin haber algo que nos distraiga o detenga en el camino.

¿Recuerdas cuando Jesús estaba en Getsemaní y se apartó para orar? El llevó a varios de sus discípulos con El —Pedro, Santiago y Juan— pero éstos se quedaron dormidos. El sueño es otro viajero en la senda de la quietud. No creamos que lo evitaremos. Lo encontraremos: nos quedaremos dormidos cuando tratamos de orar.

La mente divagadora y el sueño son compañeros en las primeras etapas de nuestras vidas espirituales. Es por esta razón que muchas religiones del mundo nos han provisto con numerosas prácticas que nos permiten permanecer despiertos y centrados en Dios más bien que seguir los caminos caprichosos de la mente errante. Algunas culturas enfocan en sonidos y palabras para sosegar la mente. Otras hacen que sus devotos mantengan los ojos abiertos y miren velas, retratos de santos, u objetos, o los hacen pensar sobre significantes sucesos espirituales. Alguna gente observa simplemente su respiración.

Hay indudablemente cientos de técnicas para la oración y meditación. Usaremos algunas, pero no les des más énfasis de lo necesario. Su propósito es ayudarnos a concentrar la mente y a levantarla, de manera que podamos sentir mejor la presencia de Dios. Discutiremos este proceso levantador más ampliamente en las semanas venideras.

Dos veces durante este día, preferiblemente en la mañana y en la noche, practica el ejercicio siguiente. Imagínate que eres el Salmista en el Salmo 46. Estás en oración. Imagina que llevas puesto el vestido tradicional de los tiempos bíblicos. Podrías imaginar alguna dificultad por la cual esta persona pasa. Tal vez los detalles del problema son explicados a Dios. Y luego las palabras, "¡Callad, y sabed que yo soy Dios!" surgen desde su interior. ¡Que ésa sea tu experiencia!

Semana 19
Día 129

"No tendrás dioses ajenos delante de mí."

El grado de éxito del ejercicio de ayer no es importante. Tal vez hubo progreso o quizás la mente estuvo tan inquieta como el día anterior. Todo es o *aparente* éxito o *aparente* derrota. La mente es como una mariposa revoloteando de una cosa a otra; como un río, porque da vueltas en los valles. Aceptamos las mariposas y los ríos, y debemos aceptar, también, la mente que da vueltas y revolotea. Esto es lo esencial en la actividad de hoy.

El mandamiento es "No tendrás dioses ajenos delante de mí" (Ex. 20:3). Cuando tratamos de enfocar en Dios o las cosas espirituales y la mente divaga hacia nuestras preocupaciones u otros asuntos terrenales, esto no requiere condenación; requiere aceptación.

Trata de aquietarte de un modo que parece factible para ti. Otra vez, se sugiere que tomes de diez a quince minutos en la mañana y en la noche. El factor que se añade hoy es aceptación. Que no haya condenación. En la quietud, que es la presencia de Dios, no hay condenación.

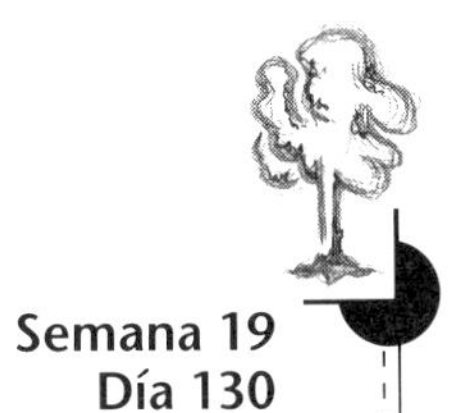

Observo incondicionalmente.

Hoy te ofrecemos más orientación que ayudará a aquietarte. La respiración será el foco de atención, porque ella es como el Espíritu —invisible y, aun así, sostiene nuestros cuerpos físicos.

Esta actividad requiere dos períodos de quince minutos. En el primero, concentra la atención en la respiración. Inhala por la nariz y exhala por la boca. Da el don de la atención por un momento a la subida y caída del pecho, y luego centra la atención delante de tu cara donde la respiración invisible entra en el cuerpo y sale de él. Este ejercicio sencillo ha de hacerse por completo en los primeros quince minutos. Descubrirás al hacer esto que te relajas. Esto es importante, porque en Dios no hay tensión.

El segundo período de quince minutos tiene un factor adicional: observación incondicional. Cuando descubres que la mente divaga, obsérvala por un momento. ¿En qué "dirección" va? ¿Va a la familia, al trabajo, a la preocupación, al pasado, al futuro? Observa el movimiento de la mente como lo harías con una mariposa que se mueve de flor en flor. Considera que la mente divagadora es simplemente eso: divagadora. No es buena o mala; es divagadora. Luego regresa a tu respiración de nuevo. Con esta actividad, la aceptación se vuelve una parte mayor de ti.

A medida que creces espiritualmente, encontrarás que la aceptación es de capital importancia. La práctica de la oración y meditación siempre activa el poder purificador del Espíritu. Surgen imágenes del pasado y emociones hirientes que provienen de la niñez. No has de resistirlas. Por medio de la aceptación, ellas se sanan.

Semana 19
Día 131

Yo y la luz somos uno.

Hoy nos expondremos a una técnica que ha sido usada a través de las edades para centrar y levantar la mente.

Reserva veinte minutos esta noche después que el sol se haya puesto. En una habitación obscura, enciende una vela, siéntate más o menos a un pie de la llama y obsérvala. Observa todos los detalles de la llama. De vez en cuando, toma nota de las sombras que echa la luz. Haz esta pregunta: ¿Cómo se relacionan con mi vida esta vela, su mecha y la luz?

Toma nota de cualquier percepción en el espacio abajo:

Canto una nueva canción.

Las ayudas visuales, imágenes y objetos pueden ser el foco de atención de la mente y ayudan a aquietar el alma. Hace mucho tiempo la humanidad descubrió que el sonido, también, puede ayudarnos a estar quietos. En algunas culturas se entonan palabras individuales. Los sonidos que parecen no tener significado se articulan a menudo por largos períodos de tiempo. Alguna gente habla declaraciones de la verdad, y aún otra gente canta las mismas palabras. El sonido tiene una cualidad especial en que es cosa del momento. Nadie ha oído jamás un sonido en el pasado o en el futuro.

A Charles Fillmore, cofundador del movimiento Unity, le gustaba el antiguo dicho: "El que canta ora dos veces". El Sr. Fillmore estaba consciente del poder del canto. La naturaleza sentimental se puede tener ocupada, y el significado de las palabras parece establecerse más profundamente en nosotros.

El ejercicio de hoy ha de hacerse en la intimidad de tu hogar. Forma una declaración o afirmación que consiste de siete sílabas. Esta declaración debe ser significante para ti. Por ejemplo: *Siento tu gran amor, Dios*, o: *Mi canto es de amor.* Ahora canta la frase de siete sílabas en cualquier tonada que parezca correcta para ti. Cántala una y otra vez hasta llenar la mente. Luego deja de cantar y descansa. Cuando la mente divague, canta de nuevo, y aquiétate una vez más. Continúa este proceso por veinte minutos.

Si repites esta experiencia diariamente, descubrirás con el tiempo que pasas menos y menos tiempo cantando y más y más tiempo meramente quieto.

Semana 19
Día 133

Una simple verdad

Hoy combinamos varias ideas para centrarnos en Dios. Emplearemos la afirmación que Jesús usó: "Yo y el Padre uno somos" (Jn. 10:30). No articularemos ningún sonido audible, porque vamos a *pensar* en esta declaración conjuntamente con nuestra respiración.

A medida que inhalas por la nariz, piensa en las palabras; "Yo y el Padre", y cuando exhalas termina la afirmación de verdad: "uno somos". Haz esto varias veces y luego descansa. Observa la mente y su grado de quietud. ¿Vaga lejos, o permanece cerca de la verdad del ser, nuestra unidad con Dios?

Vuelve de nuevo a la simple verdad de unidad, y deja que tu aliento "articule" realmente las palabras. Si haces esto bastante, el momento llegará cuando todo pensamiento en tu respiración regresará tu mente a las palabras: "Yo y el Padre uno somos".

Hay otro elemento que puedes añadir a este ejercicio. Según la respiración y el pensamiento se unen, centra la atención en la coronilla de la cabeza. Piensa en que cada pensamiento entra en la coronilla de la cabeza y sale de ella. Nota que tres cosas se unifican en esta práctica. Hay respiración, una verdad simple y concentración en una parte específica del cuerpo.

Haz este ejercicio con calma. Sé paciente, y ¡descubrirás que estás quieto (quieta)!

Nota: Lee la lección del *Día 134* antes de levantarte mañana.

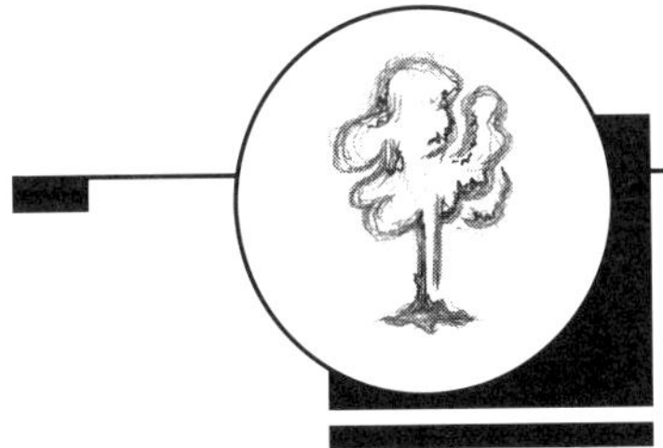

Semana 20

Conversación con Dios

Destinamos esta semana al compañerismo. Tal vez estemos solos durante esta semana, pero pronto descubriremos una nueva definición de la palabra *solo*. Solo quiere decir estar con Dios.

A veces clamamos por compañía y al hacerlo no logramos reconocer la verdad de que Dios está con nosotros. Si Dios fuera una persona y tratáramos a Dios como tal, Dios sería la persona más rechazada en el universo.

Durante esta semana, hablemos al Espíritu como si estuviese a nuestro lado. Esta práctica de la Presencia se ha hecho antes, y aquellos que han persistido han encontrado una constante conciencia de Dios que casi los subyuga en pensamiento o sentimiento.

Durante el siglo XVI vivió un monje carmelita llamado hermano Lorenzo. El pasó la mayor parte de su vida en la cocina de la enfermería del monasterio. Sin embargo, este monje sencillo pasaba sabiamente su tiempo en conversación con Dios, y finalmente sintió una cercanía con el Padre que era evidente a los que le rodeaban. De hecho, sus superiores a menudo iban a visitarle para aprender de su relación con Dios y cómo podían tener la misma experiencia.

Pasa al primer día de esta semana para empezar a practicar la Presencia. Recuerda, estar solo significa estar con Dios.

Semana 20
Día 134

Este es el día que el Señor ha hecho, me regocijo y me alegro en él.

Hay muchas cosas que hacemos durante el curso de un día. La práctica de la presencia de Dios tal vez parezca como una simple conversación con Dios, pero es más de lo que parece ser. La contemplación se une a las actividades de la vida diaria. Esta semana es única en este libro. La lección y actividad de cada día han de ser consideradas como acumulativas. La actividad del día anterior ha de repetirse todos los días que siguen. Todas las siete actividades serán practicadas en el último día de la *Semana 20.*

El propósito de la práctica de la presencia de Dios es tener continuamente presente un pensamiento del Espíritu y de las cosas espirituales. No debemos ver a Dios separado de la vida diaria, sino unido a ella.

Cuando te despiertes por primera vez en la mañana hoy, no te levantes de la cama, sino en lugar de eso permanece tranquilo y di a Dios: "Este es Tu día, me regocijaré y me alegraré en él. ¿Qué haremos juntos hoy?"

Antes de empezar a mover tus brazos y piernas y continuar tu día como normalmente lo harías, considera que la fortaleza y energía que te capacitan a levantarte de la cama es la fortaleza y energía de Dios. Luego lentamente, muy despacio, levántate de la cama consciente de que Dios es tu fortaleza. Quizás puedas sentir el poder, fortaleza y energía que Dios es.

El poder purificador del Espíritu limpia mi alma.

Comienza el día de hoy como lo hiciste ayer. Recuerda que el día es de Dios y regocíjate y alégrate en él. Sé sensitivo y receptivo para sentir Su poder en el movimiento más simple.

Una de las cosas típicas que haces cada mañana es bañarte o limpiarte. En la práctica de la presencia de Dios, trazamos un paralelo entre lavar y una actividad del Espíritu. Según te duchas o bañas, deja que tu mente vuelva al antiguo ritual del bautizo. Visualízate de pie junto al río Jordán y observa a la gente que se bautiza. Deja que la acción de bañarte te recuerde la necesidad de limpieza espiritual. Imagina que eres bautizado por inmersión en el río Jordán, limpiado en lo externo y purificado en lo interno.

Semana 20
Día 136

"Yo tengo una comida que comer, que vosotros no sabéis."

Regresa a las actividades de los días anteriores y hazlas de nuevo. Ahora otra parte de la vida diaria se une a la contemplación de las cosas espirituales —la acción de comer.

Al beber agua, recuerda las palabras de Jesús a la mujer samaritana: "Cualquiera que bebiere de esta agua, volverá a tener sed; mas el que bebiere del agua que yo le daré, no tendrá sed jamás" (Jn. 4:13–14). Al comer, recuerda las palabras: "Yo tengo una comida que comer, que vosotros no sabéis" (Jn. 4:32). Durante otra comida podrías unirte a los hebreos errantes en el desierto y ayudarles a recoger el maná o pan cotidiano que los sostuvo durante los años antes de su entrada en la Tierra Prometida.

Hay tantas ilustraciones espirituales que recordar mientras alimentamos nuestros cuerpos. Hay el dar de comer a los cinco mil, los cuervos que alimentaron al profeta y la Ultima Cena. Al comer, sé nutrido por más que los alimentos. La Verdad es tu pan de cada día.

Con Dios nada es imposible.

Según el día comienza, continúa con la práctica de la Presencia de los días previos. Durante el curso del día, habrá alguna tarea que debe hacerse. Tal vez sea fácil, y la has hecho muchas veces. Si éste es el caso, probablemente confías en tu habilidad de ejecutar esa tarea. O acaso algo nuevo te rete, y te preguntas cómo puedes ejecutarlo. No importa la tarea que esté a la mano, la puedes llevar a cabo mejor cuando tomas la actitud: *De mí mismo no puedo hacer nada. Con Dios nada es imposible.* Una razón por la cual algunas veces fracasamos al hacer un trabajo, o lo ejecutamos inadecuadamente, es que nos esforzamos demasiado. Asumimos que debemos hacerlo y, aun así, no creemos que tenemos los recursos. Hay aun momentos cuando el trabajo que tenemos delante parece imposible. Durante esos momentos la declaración de Juan Flavie: "La necesidad del hombre es la oportunidad de Dios", parece verdadera.

Si tienes una tarea imposible ante ti hoy, aquiétate y recuerda que nada es imposible con Dios. Una vez que empiezas a actuar, la energía, la sabiduría y los recursos necesarios para la terminación del proyecto se volverán evidentes.

Por otra parte, lo más probable es que no haya tarea imposible delante de ti hoy. Más bien tienes la oportunidad de practicar la Presencia de un modo que te permite sentir la facilidad con que un asunto puede llevarse a cabo cuando el Espíritu es tu socio y lo dejas expresar a través de ti. Simplemente recuerda que de ti mismo no puedes hacer nada. Con Dios nada es imposible. Luego comienza. Actúa con valentía, audacia y la expectación de que todo está bien.

Escribe los resultados de tu experimento:

Semana 20
Día 138

Miro el Cristo en ti.

Continúa como lo has hecho en días anteriores.

A menos que vivamos aisladamente, nos ponemos en contacto con otras personas diariamente. Estas pueden ser miembros de la familia, vecinos, compañeros de trabajo, extraños, aquellos con quienes simpatizamos mucho, o con quienes deseamos poder evitar encontrarnos. Cuando practicamos la Presencia, no juzgamos por las apariencias, por lo que una persona dice o hace. Nuestro propósito es mirar el Cristo en esa persona.

Por favor, regresa a la *Semana 16, Día 109*, vuelve a leer la historia de la Madre Teresa, y luego regresa y haz el ejercicio de hoy.

Tienes hoy una tarea formidable delante de ti: ver a cada persona con quien te encuentras como el Cristo con un disfraz. Alguna gente tendrá mejor disfraz que otra. No es necesario mencionar esto a nadie. Sencillamente deja que las palabras *miro el Cristo en ti* fluyan a través de tu mente. El reto es hacer esto por lo menos una vez con cada persona con quien te encuentras.

Durante todo el día de hoy disfruto de momentos monásticos.

A las prácticas del día anterior añadimos ahora momentos monásticos. Estas son pausas y remembranzas placenteras durante el día.

Con gran regularidad, haz una pausa durante el día y por veinte a treinta segundos recuerda que tú y el Padre son uno. Estos momentos monásticos, añadidos a otros asuntos que haces, añadirán un sentido de la Presencia a las horas en que estás despierto.

¿Cuántos momentos monásticos disfrutaste durante el día?

Semana 20
Día 140

En mis sueños, el Espíritu me ilumina.

Las actividades de la *Semana 20* ofrecen sólo algunas sugerencias en la práctica de la presencia de Dios. Recuerda, la contemplación y un recordatorio de lo espiritual deben ser unidos a la actividad diaria.

Considera otros asuntos que podrías hacer para aumentar, profundizar y enriquecer tu unidad con Dios. Durante el día, haz eso, porque es lo tuyo. Según empezaste el día con Dios, ahora debes terminarlo con Dios. Acuéstate a dormir, y deja que estas palabras sean las últimas que fluyan por tu mente: *En mis sueños, el Espíritu me ilumina.*

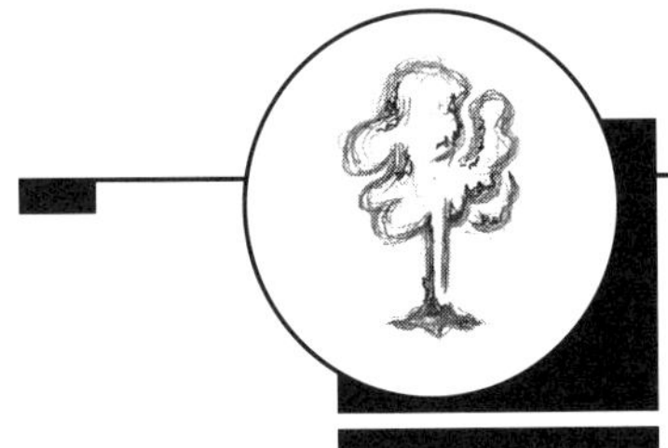

Semana 21
La voluntad de Dios

La voluntad de Dios es un misterio para nosotros. ¿Es la voluntad de Dios que cierto hombre se case con cierta mujer, o que una familia se mude a cierta ciudad? ¿Es la voluntad de Dios que muramos, o que seamos sanados? ¿Desea Dios terremotos, hambre, inundaciones, o caídas de aviones? Nota que estas preguntas se relacionan con nuestra experiencia terrenal. La verdad es que el reino de Dios no es de la tierra, ni tampoco lo es Su voluntad.

Semana 21
Día 141

La voluntad de Dios no es de la tierra.

Nuestras preocupaciones son terrenales, y naturalmente nos hemos preguntado si lo que queremos es, también, lo que Dios quiere para nosotros. Conseguir la ayuda del Todopoderoso nos ayudaría inmensamente. Alinear nuestra voluntad a la voluntad divina nos aseguraría el cumplimiento de nuestros deseos. Por favor, nota que en la mayoría de los casos nuestros deseos son terrenales, porque tenemos necesidades específicas que creemos deben ser satisfechas. Tal vez no hayamos tomado en consideración la posibilidad de que el reino de Dios no es de la tierra y que tampoco lo es Su voluntad. Haz una lista de las cosas que has considerado que sean la voluntad de Dios, o has deseado fueran Su voluntad. Aquí te ofrecemos algunas posibilidades: un cuerpo sano, un nuevo empleo, un viaje de vacaciones en el extranjero.

¿Es terrenal la naturaleza de esas cosas? Si contestas sí, lo más probable es que lo que esperas sea la voluntad de Dios no es Su voluntad en lo absoluto.

La voluntad de Dios es la misma para todo el mundo.

La voluntad de Dios no es determinada para un solo ser humano. El Espíritu no tiene favoritos. Si dos hombres desean casarse con la misma mujer, ¿podría ser la voluntad de Dios que un hombre se casara con la mujer y el otro no se casara con ella? La voluntad de Dios es la misma para todo ser humano. Su voluntad no es acerca de matrimonios y lugares donde vivir y trabajar, porque no todos pueden tener la misma experiencia terrenal.

Haz una lista de cosas específicas tuyas que has esperado estuvieran unidas a la voluntad de Dios:

¿Estás dispuesto a considerar que toda persona en la tierra podría experimentar esas cosas simultáneamente? Si contestas no, es probable que lo que esperas que sea la voluntad de Dios no sea Su voluntad en absoluto.

Semana 21
Día 143

La voluntad de Dios satisface todas mis necesidades humanas.

Es inconcebible creer que la voluntad de Dios nos dejara en un estado de carencia y privación. La promesa, "Hágase tu voluntad, como en el cielo, así también en la tierra" (Mt. 6:10), debe ser cumplida. La voluntad de Dios, aunque no es terrenal, debe manifestarse sobre la tierra y cumplir toda necesidad humana, así como los deseos que empezamos a sentir. Lo que parece tan complicado es realmente muy sencillo.

La voluntad de Dios es poderosamente simple, y en la quietud de nuestras almas el Espíritu habla Su voluntad: "Conóceme". Esta es igual para todos. No es del mundo. Es de lo alto. Si respondemos a la voluntad divina y dejamos que nuestro propósito sea conocer a Dios, es razonable asumir que todos los saludables deseos terrenales serán satisfechos. Tal vez serían satisfechos sin hacer de ellos el objeto de nuestras vidas.

En el espacio abajo, escribe dos palabras que describen la voluntad de Dios para ti y para todo ser humano. Se han provisto cuatro líneas, pero no se requiere todo ese espacio. Escribe en el centro de la primera línea las palabras *Conoce a Dios*. ¿Puedes ver lo sencilla y abarcadora que es la voluntad de Dios?

____

____

____

____

La voluntad de Dios no es muerte, sino que yo conozca a Dios como vida.

El misterio ya no existe. Podemos ahora unirnos a la única voluntad. Ya no es necesario dudar en cuanto a si la voluntad de Dios es que vivamos o muramos. Su voluntad no es terrenal. La vida que Dios *es* trasciende la experiencia terrenal. Su voluntad es simple: Conóceme como vida.

Cuando llegamos a conocer el Espíritu de ese modo, no hay muerte. La vida es y siempre será. Podemos desprendernos del cuerpo, pero la pura y perfecta vida de Dios permanece. Esta vida no es nuestra, porque no tenemos ser sin la vida de Dios.

Utiliza algunas de las técnicas de oración que has empleado en las semanas recientes y considera la declaración de hoy: La voluntad de Dios no es muerte, sino que yo conozca a Dios como vida. ¿Puedes ver cómo la idea de hoy resuelve la cuestión de si la voluntad de Dios es vida o muerte?

Semana 21
Día 145

La voluntad de Dios no es que yo esté en cierto lugar, sino que yo sepa que dondequiera que estoy, Dios está.

Las percepciones de la verdad deben aplicarse a la vida diaria. El trabajo de esta semana indica un principio fundamental al cual podemos volver cuando enfrentamos cualquier reto humano. No divaguemos sobre la voluntad divina. La voluntad de Dios es "Conóceme".

Por ejemplo, asume que estás considerando mudarte a otra ciudad o aun a otro país. En el pasado, preguntarías si la voluntad de Dios es mudarte a otro sitio. Sin embargo, cuando la voluntad de Dios es "Conóceme", debes enfocar este asunto de otro modo. El Espíritu está presente igualmente en todas partes y, por lo tanto, no importa a Dios dónde estás. Estás siempre en Su presencia. La pregunta es: ¿Tendrás presente esta verdad? ¿La sentirás?

Esta comprensión de la voluntad requiere cambiar nuestro enfoque de la vida. La vida se simplifica, y nos damos cuenta como nunca antes de la necesidad de un viaje interno, que es el tema del segundo segmento de 13 semanas de *Una guía diaria para la vida espiritual*. Si los problemas de la vida han de ser resueltos, debemos dejar a un lado la necesidad de encontrar una solución y estar dispuesto a conocer a Dios.

Utiliza algunas de las técnicas de oración que has empleado en las últimas semanas y considera la declaración de hoy: La voluntad de Dios no es que yo esté en cierto lugar, sino que yo sepa que dondequiera que estoy, Dios está. ¿Puedes ver cómo la idea de hoy resuelve la cuestión de si vives en la costa oeste, o en la costa este, en el norte o sur de tu país?

Nota: Este enfoque de la vida no desaprueba tener un sentido de guía sobre vivir en un sitio u otro. La guía será el resultado de saber que Dios está dondequiera que estamos. Si esto parece confuso, déjalo ir por ahora y ten presente que en las semanas futuras ampliaremos esta idea. Entretanto, deja que tu voluntad y la de Dios sean una sola voluntad.

La voluntad de Dios no es riquezas terrenales, o pobreza, sino que yo conozca a Dios como mi fuente.

La prosperidad y seguridad son cuestiones claves para los seres humanos. Queremos poder proveer para nosotros y nuestras familias. En realidad, buscamos seguridad. Creemos que logramos eso al tener bastante dinero para asegurar nuestros días futuros. Nos preguntamos si la voluntad de Dios es que tengamos cierto automóvil, o estemos empleados en cierta compañía con el salario y los beneficios que nos capaciten sentirnos seguros. Ahora sabemos que tales condiciones no son la voluntad de Dios. Sin embargo, esto no quiere decir que hemos de vivir con inseguridad, o que hemos de carecer de lo bueno.

La voluntad del Espíritu es que conozcamos a Dios como nuestra fuente. La Biblia declara de varias maneras que confiemos en Dios. No creamos ni por un momento que el Todopoderoso va a hacer uso de Su influencia por nosotros, y vamos a obtener ese aumento de salario que deseamos. Dios no trabaja de ese modo. El universo está planeado de otra manera. De hecho, el plan es increíblemente simple. Nuestra conciencia o nuestros pensamientos tienden a manifestarse primero como sentimientos de seguridad y luego como ideas prósperas, oportunidades de empleo y aumento de salario con beneficios. Nuestra función es tan sencilla: conocer a Dios. Cuando somos uno con esta voluntad, todo está bien.

Ya no es necesario preguntar al Señor de tu ser y preguntarte si un empleo es para ti, o cómo tus necesidades serán satisfechas. Conoce a Dios, actúa de acuerdo con la guía que recibes de esta conciencia del Espíritu y sé sensitivo a las ideas y oportunidades que se te presenten.

En el espacio que sigue, indica los pasos que vas a dar para estar receptivo a una conciencia de Dios como tu fuente. Tal vez desees referirte a las ideas de las semanas pasadas según determinas lo que es mejor para ti.

La voluntad de Dios no es una relación humana, sino que yo conozca a Dios como amor.

Una vez más la sabiduría de Dios es evidente, porque cuando conocemos a Dios como amor, las relaciones amorosas abundan. Un padre y su hijo menor tienen un continuo diálogo sobre el amor. El padre sostiene que el osito polar de peluche que se llama Juan sólo contiene relleno. El hijo cree, o así dice, que el animalito de peluche contiene amor. Ellos bromean sobre esto, pero la posición del padre es que su hijo está lleno de amor, y cuando él abraza y ama a Juan, el osito polar de peluche, su hijo siente el amor que fluye desde su interior.

La búsqueda de una relación es realmente una búsqueda de amor. Tratamos de encontrar amor en los brazos de otro (otra), pero tal vez estemos buscando amor en lugares incorrectos. La voluntad de Dios no es que nos casemos con cierta persona. La voluntad de Dios trasciende las relaciones humanas. Su voluntad es el centro del cual toda relación saludable emana. La voluntad de Dios es que Le conozcamos como amor. Una vez que descubrimos el amor en nosotros, no buscaremos a otros para llenar el vacío que sentimos dentro, y empezaremos a expresar el amor que somos. ¿Habrá relaciones amorosas? ¡Absolutamente! Ellas están destinadas a ser parte de nuestras vidas, pero solamente cuando estamos a tono con la voluntad divina.

Indica los pasos que vas a dar para estar receptivo a la conciencia del amor de Dios en ti. Acaso desees referirte a las ideas de la semana pasada a medida que determinas lo que es mejor para ti.

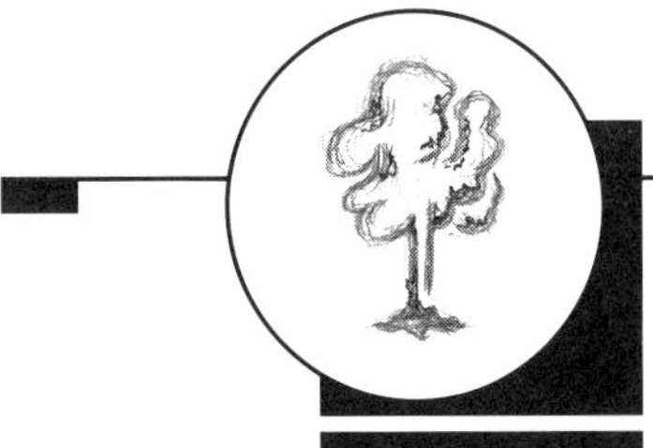

Semana 22

Hágase Tu voluntad, no la mía

La semana pasada nos familiarizamos con la voluntad de Dios, Conóceme, y otra vez nos pusimos al corriente de la necesidad de purificar nuestro deseo. Antes de la semana pasada, luchamos por determinar la voluntad divina y esperamos que fuera una con la nuestra. Cuando no estuvimos seguros de la voluntad de Dios, tratamos de ajustarla a la nuestra.

Hoy comienzas un proceso que resulta en una sola voluntad activa en tu vida: la voluntad de Dios. Tu propósito se simplificará, y todas las actividades fluirán finalmente de ese propósito. No habrá más preguntas sobre si algún suceso es la voluntad de Dios. Aceptarás sin resistencia los sucesos que suceden en el mundo y el "asunto" de conocer a Dios se volverá finalmente la fuerza impulsora de la vida.

Lee el relato en el Evangelio Según San Lucas (Lc. 22:39–44) en el cual Jesús declara: "No se haga mi voluntad, sino la tuya". Prepárate a hablar esas palabras cuando seas tentado a permitir que tu propósito o razón para actuar, hablar, o ser, sea menos que "Conóceme".

Semana 22
Día 148

Reconozco que tengo mi propia voluntad.

Comprendemos que la voluntad de Dios es Conóceme. Pero no toma mucho tiempo para darte cuenta de que tienes, también, tu propia voluntad.

Esto no quiere decir que tu voluntad es destructiva siempre. Vivimos en un mundo tridimensional, y hay asuntos que debemos hacer que son una parte natural de la vida en la tierra. Hay sitios donde ir, artículos que comprar, cosas por hacer y gente que ver. Estas acciones no son el cumplimiento de la voluntad de Dios, pero aún pueden ser muy necesarias para la existencia humana. A veces quizá simplemente queramos ir al cine, o leer una novela de espionaje. Estas son expresiones de nuestra voluntad.

Los expertos en sobrevivencia consideran que la voluntad de vivir es el factor más fuerte y necesario cuando uno se encuentra solo en una selva, o sufriendo grandes penurias. La fuerza de esa voluntad ha ayudado a muchas personas a sobrevivir el trauma de la tragedia.

La lección de hoy requiere sólo una condición de ti: el reconocimiento de tener tu propia voluntad. En el espacio abajo, enumera varias expresiones de tu voluntad. Por ahora, no busques ejemplos que sean intencionados o premeditados, sino los que se relacionen con la vida en la tierra. Los ejemplos podrían ser: ganar en un partido de tenis, o terminar de escribir una novela. Recuerda que a Dios no Le interesa el resultado de ningún partido de tenis, o la terminación de una novela. El deseo de jugar bien el tenis, o de terminar una novela, son ejemplos de nuestra voluntad.

Mi voluntad puede oponerse a la voluntad de Dios.

Cuando Jesús nació y se corrió la noticia de que un nuevo rey estaba en el país, el rey Herodes no se sometió y no rindió homenaje al recién llegado. El rey Herodes, que simboliza la voluntad humana, buscó preservar su manera de vida al oponerse al recién nacido.

Nuestra voluntad humana se opondrá a la voluntad del Espíritu, Conóceme. Más bien que estar dispuesto a seguir Su voluntad, la voluntariedad será la ley de nuestras vidas a veces. Hoy volvámonos conscientes de algunas características de la voluntad humana.

Primero, ella quiere salirse con la suya y sabe exactamente cómo hacerlo. Se ven con anticipación los resultados específicos y se hace un gran esfuerzo para que se manifiesten. Cuando la voluntad divina es activa, nuestros esfuerzos son conocer a Dios y sentir la Presencia. Luego estamos dispuestos a dejar que esta revelación nos cambie, nos moldee y nos transforme de la mejor manera. El único deseo específico que tenemos es una conciencia de Dios.

Segundo, la voluntad humana está deseosa de salirse con la suya a costa de otra persona. La voluntad divina sabe que cuando conocemos a Dios, todos son bendecidos.

Hoy vuélvete consciente de tu voluntad y sus tendencias. Describe con detalles tres ejemplos de tu voluntad en contra de la voluntad de Dios. Que uno de esos ejemplos sea el más reciente que puedas recordar. Los otros dos pueden ser del pasado.

1.

2.

3.

No puedo servir a dos voluntades.

La buena voluntad y la voluntariedad no son compañeras. Ellas no pueden gobernar el mismo reino. Existirá o una o la otra. La voluntad de Dios, Conóceme, es eterna y nunca puede perecer. Nuestra voluntad puede persistir, pero sus días están contados.

Hoy es un día para elegir. "Escogeos hoy a quién sirváis ... pero yo y mi casa serviremos a Jehová" (Jos. 24:15). Hoy es más que un día para elegir cumplir la voluntad de Dios. Es un día para elegir declarar en pensamiento, palabra y hecho: "No se haga mi voluntad, sino la tuya" (Lc. 22:42). La elección de hoy es reconocer el conflicto que sentimos cuando tratamos de hacer nuestra voluntad en vez de la del Espíritu.

No podemos continuar siempre haciendo nuestra voluntad. Un alcohólico debe escoger finalmente dejar que la voluntad de Dios se haga. Lentamente, pero con seguridad, elegimos dejar que los retos de la vida sean contestados al volvernos conscientes del Espíritu.

Deja que el día de hoy esté lleno de momentos monásticos. Haz una pausa por muchos intervalos de diez minutos y di a ti mismo (misma): "No puedo servir a dos voluntades". Luego declara: *"Por mi parte, yo elijo* ______________________________. Inserta o *mi voluntad humana* o *la voluntad de Dios.*

Semana 22
Día 151

Hay solamente una voluntad.

Hay solamente una voluntad que perdura: la voluntad de Dios. Nuestra voluntad es como los edificios que construimos. Muchos son majestuosos y perduran por eones, pero finalmente, aun ellos se convierten en ruinas. Las siete maravillas del mundo son casi historia. Las pirámides de Egipto son las únicas que permanecen, y no son lo que una vez fueron. Nuestra voluntad y sus actos son temporales. Sólo la voluntad de Dios permanece. Ella es tan pura, tan provocadora de pensamientos y tan llena de posibilidades como siempre lo fue.

Sólo la voluntad de Dios perdura. Cuando nuestra propia voluntad se cumple, nos regocijamos, pero el universo está silencioso, y con el tiempo nuestra alegría ni tan siquiera es un eco lejano. Cuando la voluntad de Dios se hace, el universo se regocija como lo hacemos nosotros, y el sonido de nuestro gozo nunca termina.

Sé sensitivo a la actividad de tu propia voluntad. Cuando se impone, refuerza la actividad de ayer al declarar: *Hay solamente una voluntad perdurable, la voluntad de Dios. Luego ¡haz esa voluntad!*

Sin Dios, ¡que mi voluntad nunca se cumpla!

Cuando nuestra voluntad se opone a la voluntad de Dios, ¡que aquélla nunca se cumpla! Nuestra voluntad no resulta en armonía. Da a luz al caos. Desde luego, al principio estamos convencidos de que todo está bien, pero el transcurso del tiempo revela otra "verdad".

Da tres ejemplos de ocasiones cuando tu voluntad se cumplió y un contratiempo siguió:

1.

2.

3.

Semana 22
Día 153

Que la voluntad de Dios siempre se cumpla.

Si la voluntad de Dios ha de cumplirse, debemos estar receptivos a sentir la Presencia. Hacemos la voluntad de Dios solamente cuando Le conocemos. El Espíritu es apacible con nosotros y afirma que la elección es nuestra, pero algo se nos exige. Ya no podemos esperar armonía al tratar de crearla. Nuestro propósito y obra son conocer a Dios. Por esto es que, en una lección anterior, se declaró que nuestro primer paso es aquietarnos.

Cuando una dificultad te reta, detén tus esfuerzos por resolver el problema y recuerda este día y su afirmación: *Que la voluntad de Dios siempre se cumpla.* Echa a un lado lo que crees que es la contestación perfecta. Hay sólo una respuesta al reto: debemos conocer a Dios.

Cuando el tiempo de la crucifixión de Jesús se aproximaba, El fue con tres de Sus discípulos al Monte de los Olivos y oró. El quería que la voluntad de Dios se cumpliera, más bien que la Suya. Esto se interpreta a menudo como la petición de Jesús para saber si El iba a ser crucificado o no. Esta es una interpretación razonable de la declaración: "No se haga mi voluntad, sino la tuya" (Lc. 22:42). Pero hay otra posibilidad. Tal vez la declaración de Jesús implica que El sabía que estaba destinado a morir en la Cruz, pero que la única manera de enfrentar tal experiencia era por medio de la unidad con Dios. Sólo al conocer a Dios, al sentir Su presencia, podría una resurrección ser el resultado de una crucifixión.

Querido amigo (amiga), Dios debe ser conocido. Que Su voluntad se cumpla en tu vida.

La voluntad de Dios es la ley de mi vida.

Hay ciertos principios que son el fundamento de la vida de una persona. Alguna gente cree que la vida es una lucha, y su creencia es confirmada. Otra gente cree que la humanidad es básicamente pecadora, y esperan lo peor. Asombrosamente, esa gente ve que muy poco bien ocurre en la tierra, o podría ocurrir en sus vidas. Estas creencias básicas y primordiales se vuelven la ley de vida para esa gente.

Hay una ley de vida para nosotros, y ella es la voluntad de Dios. La voluntad denota acción y realización, pero el principio de una obra sagrada es la quietud. Primero, hay la voluntad de Dios; luego hay la obra de Dios que se lleva a cabo. Anhelamos conocer a Dios, y finalmente el Todopoderoso se vuelve un amigo. Luego se nos da una misión divina que cumple nuestro propósito y nos llena de creatividad.

La voluntad de Dios es la ley de tu vida. En el principio está la voluntad de Dios. Si puedes recordar estas ideas y dejar que ellas sean el comienzo de tus actos, tu vida cambiará. Más bien que oponerte a la tendencia natural del universo, serás una parte importante de él. La voluntad de Dios, como la conoces ahora, no es de la tierra. A ella no le interesan los sucesos ordinarios. Ella es la causa de sucesos extraordinarios.

Deja que hoy sea una expresión y resultado perfectos de esta ley de vida. Deja que el día comience con tu alianza a la voluntad de Dios. A menudo durante el día, di y luego realiza la idea: *En el principio está la voluntad de Dios.* El conocimiento de Dios será el corazón de este día. Nunca lo olvidarás. Por la noche, haz una lista de algunas actividades que empezaste a medida que buscabas conocer a Dios.

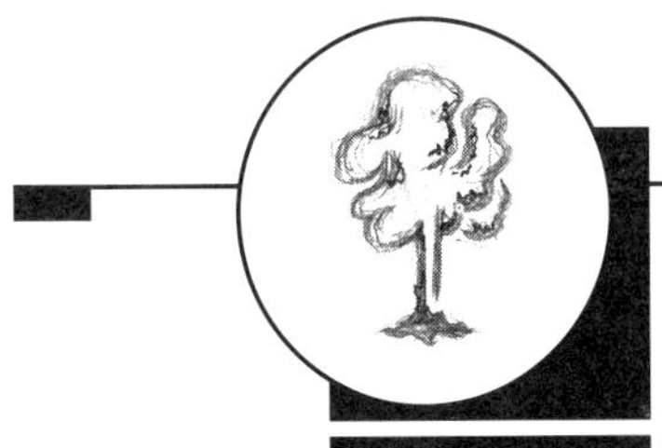

Semana 23

Saber qué pedir

Se nos da una promesa: "Pedid, y se os dará; buscad, y hallaréis; llamad, y se os abrirá" (Mt. 7:7). Otra promesa se nos da: "A vuestro Padre le ha placido daros el reino" (Lc. 12:32). Si estas promesas son verdaderas, ¿por qué estamos insatisfechos? Nos están ofreciendo algo, y no sabemos cómo recibirlo.

El problema es que no sabemos lo que se nos ofrece. Es como si creemos que necesitamos un nuevo automóvil y, por lo tanto, lo pedimos, pero se nos ofrece un bote. No creemos necesitar un bote, pero ha llovido por treinta y nueve días y treinta y nueve noches.

La verdad es: las promesas son verdaderas. Dios nos ofrece algo, pero debido a que no sabemos lo que es, no podemos recibirlo. Cuando sepamos lo que se ofrece, sabremos qué pedir, y seremos satisfechos.

Antes de preparar la lección de hoy, reconoce la idea siguiente: *No sé qué pedir, mas estoy dispuesto a aprender.*

Semana 23
Día 155

Sé qué pedir.

Finalmente, conocemos el deseo de nuestro corazón. Por demasiado tiempo hemos llegado a la fuente del Bien Absoluto con un dedal en vez de la plenitud de nuestra alma. Hemos pedido tan poco, creyendo que hemos pedido todo. Hemos pedido curación, un nuevo empleo, paz mental, una relación amorosa y una mente creativa. Todas estas peticiones son razonables. ¿Por qué no se cumplen?

Enumera algunas "cosas" razonables que has pedido en tu vida, pero que no has recibido.

El universo está estructurado más simplemente de lo que hemos imaginado. Hemos de ir directamente al Creador por lo que queremos. Esto no quiere decir ir a Dios por curaciones y nuevos empleos. Vamos a la "sede", como declaraba Charles Fillmore, y pedimos conocer a Dios. La conciencia de Dios luego aparecerá en nuestras vidas como un cuerpo restaurado, la oportunidad de un nuevo empleo, o una idea creativa.

Regocíjate hoy, porque sabes qué pedir: una conciencia de Dios. Esta conciencia es la satisfacción de todo deseo y puede manifestarse en tu vida de modos que satisfacen y exceden las expectaciones humanas. Hoy es un gran nuevo comienzo. La voluntad de Dios y tu deseo se unifican. La vida será más sencilla de hoy en adelante.

Quiero conocer a Dios.

Hay un lado práctico en esta nueva manera de vivir. De hecho, por un tiempo los retos de la vida diaria avivarán en nosotros el deseo de conocer a Dios. Después de un tiempo, el conocer a Dios será nuestra manera de vida, no nuestra respuesta a los problemas humanos específicos.

Para completar la actividad de hoy, querrás volver al lugar de sabiduría en la *Semana 11, Día 74.*

Ten la bondad de completar las siguientes oraciones:

1. Cuando tengo que tomar una decisión, quiero conocer a Dios como ______________.
2. Cuando necesito curación, quiero conocer a Dios como ______________.
3. Cuando necesito dinero, quiero conocer a Dios como ______________.
4. Cuando me siento solo, quiero conocer a Dios como ______________.

Contestaciones:
1. Sabiduría
2. Vida
3. Fuente
4. Amor

Semana 23
Día 157

Pido, creyendo.

El siguiente versículo de la Biblia es el fundamento del enfoque de la humanidad a la acción de pedir: "Todo lo que pidiereis orando, creed que lo recibiréis, y os vendrá" (Mr. 11:24). En la mente humana, lo que ha de ser recibido es de la tierra: automóviles, curaciones, empleos, relaciones amorosas, y así por el estilo. Debido a esta falta de comprensión, se expresan oraciones afirmativas. "Doy gracias porque mi cuerpo se restaura a la perfecta salud." "Soy atraído ahora al empleo perfecto, que me traerá satisfacción y abundancia financiera." "Mi vida ahora se llena del amor de una persona con quien puedo compartir mi vida." Hay leyes de ciencia mental que permiten el cumplimiento de esos deseos humanos, pero recuerda, ésta es una guía para la vida espiritual. Nos aguarda mayor gozo.

El *lo que* no es de la tierra. El *lo que* que se nos ofrece y puede ser recibido, es el Espíritu. Dios se nos ofrece —una conciencia de la Presencia. ¿Quién pediría un auto, una curación, un empleo, cuando el Creador se nos ofrece? Abajo, escribe declaraciones afirmativas que expresan la creencia de que hemos recibido una conciencia de Dios como sabiduría, vida, fuente y amor.

1.

2.

3.

4.

Ejemplos:

1. Soy uno (una) con la sabiduría de Dios. Dejo que la luz brille.
2. Soy y vivo la vida divina.
3. Estoy salvo y seguro, porque soy una fuente del Bien Absoluto.
4. No hay sino un amor en mi vida y en todo el universo: el Amor divino.

Mi deseo es puro.

¡Qué desconcertante es la vida cuando muchos deseos llenan la mente y el corazón! Somos acosados. Hoy nuestro deseo es singular y puro.

Regresas a tu hogar un día, y hay un regalo en el escalón delante de tu puerta. Es un regalo de una amiga querida, y estás encantado. Pero te sobreviene una tristeza, porque no lograste ver a tu amiga. El regalo representa una demostración tangible, tal como ser sanado de una enfermedad, o encontrar a la persona de tus sueños. Hay felicidad, más el deseo supremo del alma por Dios no se realiza aún, por lo tanto, hay también tristeza. Otro día regresas a tu hogar, entras en tu casa y percibes una dulce fragancia en el aire. Es el perfume de tu querida amiga. Una tristeza te invade de nuevo, porque no encontraste a tu amiga. Es bueno saber que ese ser especial estuvo aquí, pero sería mejor si hubieses tenido la oportunidad de conversar con ella.

Esas parábolas modernas ilustran nuestro deseo más sincero. El amigo o la amiga en las historias es Dios. Das gracias por el regalo que es una bendición tangible, pero siempre sentirás un vacío hasta poder comulgar con Dios, tu amigo o amiga. La fragancia representa un sentimiento de paz o amor, o alguna intuición o verdad que te estremece. Estás encantado, pero los "regalos" y las "fragancias" no substituyen a Dios.

Muchos de los juegos que nuestro ser inferior o ego juega, cesan cuando nuestro deseo es puro. Desarmamos ese ser inferior cuando deseamos sólo a Dios, porque casi todas sus tácticas y travesuras requieren una relación con algo diferente al Espíritu.

Hoy, ten la bondad de planear una actividad que ayude a purificar tu deseo. Escribe el ejercicio en el espacio que sigue:

Pido por medio de esperar.

Durante una lección anterior, dijimos que sería necesario visitar de nuevo la idea de esperar. Finalmente, cada persona descubrirá que esperar es una de las destrezas mayores que pueden ser aprendidas en el viaje interior.

Nuestro deseo es puro. Pedimos y deseamos la conciencia de Dios. La pregunta ahora es: ¿cómo nos preparamos para recibir? La preparación para recibir es nuestro trabajo, pero ten presente que a Dios no se logra. Podemos lograr muchos asuntos en la vida, pero la conciencia de Dios no se obtiene del mismo modo que ganamos un partido de tenis. La unión con el Espíritu no se facilita de la manera que una fusión tiene lugar entre dos compañías. Tenemos que hacer nuestro trabajo, mas la humildad es la clave.

¿Recuerdas la imagen de estar en un jardín y ver una bella paloma descansar cerca? La belleza de esa criatura nos impresiona y queremos acariciarla y amarla, por lo tanto, nos dirigimos a esa criatura alada sólo para descubrir que a medida que nos acercamos, ella se va volando. Después de tratar unas cuantas veces, nos damos cuenta humildemente que no podremos tocar la paloma por medio de nuestros esfuerzos. Por consiguiente, cerramos los ojos y esperamos con nuestro deseo extendido como una mano alargada. Después de un rato, la paloma desciende y descansa sobre nuestro hombro. Esta es la manera de Dios.

Esperar con un corazón que anhela sólo a Dios es el trabajo de hoy.

Cuando puedas, entra en tu santuario o lugar callado donde te comprometes consistentemente a un trabajo espiritual. Respira profundamente varias veces y deja que las siguientes palabras e ideas te lleven al jardín y a la paloma.

Mi deseo es puro.
Mi mano extendida es mi corazón anhelante.
Y así espero . . .

Sólo hay un deseo en mi mente y corazón.
Como un tesoro escondido, lo he descubierto
—mi deseo de conocer a Dios.
Y así espero . . .

Sólo mi Dios puede satisfacerme.
Mi vida se realiza sólo cuando somos uno.
Y así espero . . .

Nota: Cuando tu mente se desvíe durante tu período de espera, vuelve a una de dichas declaraciones, repítela, luego espera una y otra vez. Recuerda: Esperar con un corazón que anhela a Dios es el trabajo de hoy.

Pido a través de mis acciones.

Aprendemos a pedir por medio de la espera, pero la vida no es siempre quietud. Las oraciones nos motivan a actuar, porque "la fe sin obras está muerta" (Stgo. 2:26).

Es una verdad espiritual que lo que buscamos está en nosotros. Por lo tanto, sentimos a través de la expresión. Aprende de memoria esta declaración, porque ella llegará a ser una gran amiga en el viaje: *Sentimos a través de la expresión.*

Cuando comprendemos este principio, se nos llama a la acción. Si hemos de sentir amor, entonces debemos expresarlo. Sentimos paz cuando la expresamos. La seguridad llega por medio de dar. Este principio poderoso es una fundación para una vida de acciones ordenadas por Dios. El reto estriba en determinar cómo expresar amor, paz y los otros aspectos del Espíritu.

Este es tu reto hoy. El amor está en ti y no lo sientes a menos que lo expreses genuinamente. Al expresar amor, tus acciones piden conocer a Dios como amor. Serás una bendición a otros, pero también descubrirás que eres bendecido. Esta es la manera cómo el Espíritu ha ideado el universo. Eres bendecido al ser una bendición.

En el espacio abajo, indica tu expresión de amor. Nota que con la expresión hubo la experiencia de amor. A *esperar* puedes ahora añadir *acción* como una manera de pedir para sentir la presencia de Dios.

Semana 23
Día 161

De un solo deseo, todos los deseos son satisfechos.

La manera de Dios es muy sencilla, y nuestras maneras son tan complicadas. Lo siguiente es una descripción de la condición humana. Llegó el momento de ir a la tienda de comestibles, porque la alacena está vacía. Es necesario comprar muchos comestibles. Conducimos el auto a la tienda de comestibles donde se vende leche y luego a otra tienda donde se vende mantequilla. Cada alimento es vendido en un lugar diferente, el pan en cierto sitio del pueblo y los vegetales en otro sitio. Nos tomará días, literalmente, para hacer nuestra compra. ¿Cuál es la solución de este problema?

¿Cuál es tu sugerencia?

Una sugerencia es que los alimentos sean consolidados en un solo lugar donde se pueda ir a comprar lo necesario. En cuanto a alimentos, comprendemos la necesidad de una tienda en nuestro vecindario, pero en cuanto a las cualidades más perdurables de la vida, vagamos de un lugar a otro. Vamos a la gente en busca de amor, a libros y sabios en busca de sabiduría, a empleos para sentirnos seguros, y así por el estilo. ¡Qué manera ineficiente y tediosa de vida!

Todo lo que necesitamos es ir a Dios para conocer a Dios, no para los detalles específicos que creemos necesitar. De esa conciencia, todo lo otro es provisto.

Hoy regocíjate en la simple verdad de que Dios es el deseo de tu corazón. Recuerda estas dos declaraciones, porque son las verdaderas compañeras para el viaje: *De un solo deseo, todos los deseos son satisfechos. Ve a Dios para conocer a Dios.*

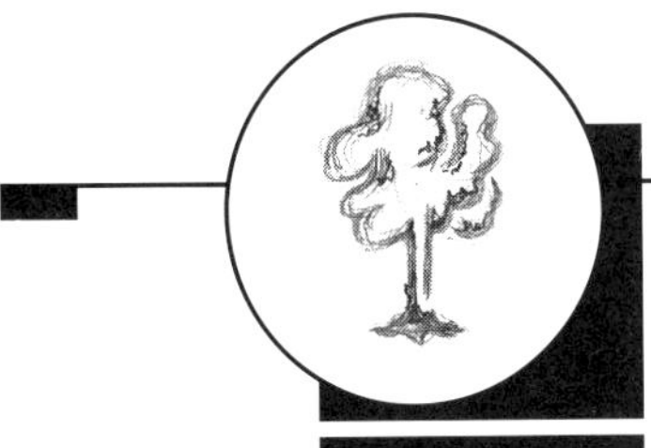

Semana 24

El misterio del poder

No nos engañemos por las formas terrenales del poder: el viento, el agua y el vapor, los calentadores rayos del sol y la energía del átomo. Ni debemos pensar que ese poder descansa en las manos de los gobernantes de países. Recuerda, la promesa de Jesús fue que los mansos heredarán la tierra.

¿Quiénes son los mansos? ¿Qué saben ellos que los capacitan a heredar la tierra? Ellos se dan cuenta de que el verdadero poder no es de la tierra; el verdadero poder viene de conocer a Dios. *El verdadero poder es una conciencia del Espíritu.*

El enfoque humano de la vida es lograr un objetivo por medio del trabajo. Se gasta mucho esfuerzo, y una parte de ese esfuerzo lleva al agotamiento. Los mansos o apacibles saben que ser es el preludio de hacer y lograr. Los humildes prefieren heredar la tierra. Heredar es "adquirir" una cosa, no por lo que hacemos, sino por lo que somos. Los mansos no aspiran a lo terrenal; ellos aspiran a Dios, y luego esa conciencia del Espíritu se manifiesta. Imagina el fruto de una conciencia que es Espíritu.

Semana 24
Día 162

No hay poder personal.

Cuando juzgamos por las apariencias, parece que hay numerosos poderes en la tierra. La gente es poderosa. El dinero motiva a la gente. Las fuerzas de la naturaleza nos dejan anonadados. Sin embargo, ninguno de esos es poder. Ellos pueden causar cambios en las condiciones externas, pero no pueden cambiar la esencia de las cosas o la verdad de lo que somos. Solamente lo que nos creó como somos es poder.

Esa es una lección importante para aprender. Somos espíritu, y nada terrenal tiene dominio sobre nosotros. No te sorprendas por ese conocimiento, porque durante los próximos tres meses dejaremos que esa idea se desarrolle en nosotros. Por ahora, comprende que el único poder es Dios. Por consiguiente, no hay poder personal.

Haz una lista de diez "cosas" que has considerado que sean poder:

1.____

2.____

3.____

4.____

5.____

6.____

7.____

8.____

9.____

10.____

La vida es conciencia de Dios.

Por muchos años hemos creído que la vida es conciencia. Esta declaración indica la relación entre nuestras normas de pensamientos, actitudes y creencias dominantes y lo que ocurre en la vida. No podemos pensar de un modo negativo o desfavorable y esperar tener experiencias positivas. Acaso sea verdadero decir que la experiencia es conciencia. Las semillas que sembramos, cosechamos.

Sin embargo, redefinamos la vida. La vida, *como es creada para ser*, es un estado especial de conciencia —una conciencia de Dios. Nuestro tiempo en la tierra está lleno de muchas experiencias, pero ¿cuán a menudo esos sucesos surgen de una conciencia de Dios? La vida —dinámica, llena de maravillas y de desbordante bien— es producida por una conciencia de Dios. Todo lo otro es experiencia.

A través de nuestros cinco sentidos podemos crear una conciencia de nuestro mundo, pero por medio de la quietud, oración y meditación, nos volvemos conscientes del reino de Dios dentro de nosotros. Podemos levantar una familia y permanecer en el empleo por treinta años, pero hasta que llegamos a estar conscientes de nuestro Dios, meramente existimos. Al estar conscientes de Dios nacemos y cobramos vida.

Mientras existimos, creemos en el poder personal. Cuando cobramos vida, Dios es el único poder en nuestras vidas. El Todopoderoso no hace que las cosas sucedan; El revela las cosas como son.

Por favor, enumera los aspectos del poder personal que has sostenido en el pasado. (Por ejemplo, tal vez creíste ser responsable de la vida de tu hijo o hija, o ejerciste poder en el empleo.)

Semana 24
Día 164

Camino la milla adicional.

Para la humanidad, el poder y la fuerza pueden parecer ser uno. Pensamos en el poder cuando oímos el estruendo del agua a medida que fluye sobre el vertedero del dique. Esto no es poder. El poder está en la base del dique donde el agua es tranquila. Aquí se ejercen grandes presiones en quietud.

Considera el relato de un hombre que vivió en tiempos bíblicos. El estaba a la orilla del camino y observaba a los soldados romanos marchar a través de su pueblo. De pronto, uno de los soldados se detuvo y le llamó. El aliento del hombre se aceleraba al apresurarse éste para ver lo que el soldado quería. Sucedió lo que él temía. El soldado le ordenó a llevar su carga por una milla. Eso era una ley que había sido decretada en el país. Cualquier romano podía hacer que un habitante de Palestina llevara su carga por una milla.

De mala gana, el hombre cogió la carga y empezó su viaje por el polvoriento camino. El sol ardía, pero la cara del hombre estaba enrojecida no por el calor, sino por su cólera. El soldado se sonrió presumidamente al ver la cólera, porque se dio cuenta de que otro israelita había sentido el poder de Roma.

Después de caminar cerca de media milla, el judío recordó oír a un rabí llamado Jesús decir: "A cualquiera que te obligue a llevar carga por una milla, vé con él dos" (Mt. 5:41). Ahora el hombre comprendió lo que Jesús decía. Durante la primera milla, el soldado romano estaría en control. En la segunda, el hombre que llevaba la carga reclamaría su dignidad, porque la segunda milla era su elección. Después de una milla el soldado miró a su alrededor para encontrar otro judío que llevara su carga. El hombre que había caminado con él por una milla dijo: "¿Puedo llevar su carga por una milla más?" El romano se sorprendió y ahora supo que ese país no era de gente conquistada.

Busca oportunidades para caminar la milla adicional. Haz lo que te dicen que hagas, pero haz, también, un poco más de lo que te piden. Al hacerlo, tendrás una comprensión mejor del poder de Dios en ti. En el siguiente espacio, describe la milla adicional que caminaste:

Semana 24
Día 165

La humildad expresa el poder que Dios es.

A muchos nos gustaría ser poderosos. Queremos ejercer poder, decimos, no para nosotros, sino para el bien común. Podemos hasta crear un sentido de estimación y comenzar a creer que somos seres poderosos. La dificultad es que esa "estructura" no tiene una fundación firme y con el tiempo fracasará.

No hacemos surgir el poder de Dios por medio de la fuerza de voluntad y el esfuerzo humano. La gente más poderosa que jamás ha caminado sobre la faz de la tierra ha tenido un sentido maravilloso de amor propio, pero este aspecto positivo estuvo equilibrado con el conocimiento: *De mí mismo no puedo hacer nada*. Hay humildad y, por lo tanto, ningún sentido de poder personal. Cuando no hay "poder" que se opone al poder de Dios, conocemos las maravillas y misterios del Espíritu. Los llamamos *milagros*. Cuando no tenemos poder, despertamos a la Presencia y liberamos el poder del Espíritu en nosotros. Este poder es siempre para el bien de todos.

Para entrar apaciblemente en la conciencia de no tener poder personal (conciencia que requiere el poder de Dios), enumera diez condiciones o situaciones sobre las cuales no tienes ningún poder:

1.____________________
2.____________________
3.____________________
4.____________________
5.____________________
6.____________________
7.____________________
8.____________________
9.____________________
10.____________________

La gratitud es una invitación al poder.

Hechos 16:25–26 nos relata el tiempo cuando Pablo estuvo en prisión. Era medianoche, y él y Silas cantaban y alababan a Dios. De pronto, hubo un terremoto, y las puertas de la prisión se abrieron y las cadenas de los prisioneros se soltaron. Estaban libres.

Por supuesto, estaban libres. Sus almas eran libres. Sus oraciones, alabanzas y canciones los habían levantado a un estado de libertad. El mundo alrededor de ellos tenía que reflejar el mundo interno. Charles Fillmore declaró sobre este suceso en la vida de Pablo: "Las fuerzas espirituales actúan por medio de pensamientos elevados".

Cuando hay pensamientos elevados, el poder de Dios se libera. Nota que en este relato no hay nada en lo externo por lo cual dar gracias. Los hombres están presos, pero eligen alabar, orar y dar gracias. El poder de Dios es liberado de esa manera desde nuestro interior. Nota, además, que no se intenta ejercer el poder o dirigirlo de un modo particular. El propósito de Pablo y Silas es exaltar o levantar los pensamientos.

Pon a prueba este principio hoy. De un modo que determines, deja que tu alma se llene de gratitud. Da gracias por todos los aspectos de tu vida. Da gracias por el bien en tu vida así como por los retos. Da gracias, y espera tres días. En tres días, el poder de Dios se liberará desde dentro de ti. Anota el suceso en la próxima página, pero durante tu período de espera, no trates de determinar la expresión de este poder. Recuerda, no hay tal cosa como el poder personal.

Semana 24
Día 166
continuación

No por poder, ni por fuerza, sino por el Espíritu.

El verdadero poder es una conciencia de Dios. Cuando llegamos a estar conscientes de nuestro Dios, una ventana o puerta se abre que permite la expresión del Espíritu.

Nuestra obra no es dirigir o ejercer el poder. No hemos de utilizar gran esfuerzo y tratar de lograr cosas por poder. Esto sólo conduce al agotamiento. Nuestro propósito es conocer a Dios. Luego la puerta se abre, y se hace la obra de Dios. Esta obra no requiere esfuerzo y es perdurable. Nos sorprendemos al descubrir cuánto se logra con tan poco esfuerzo. De hecho, cosas extraordinarias ocurren cuando abrimos la puerta de par en par. Durante nuestro tiempo, el suceso extraordinario se llama una experiencia cumbre. Puedes tener la seguridad de que de algún modo el poder de Dios ha sido liberado.

Si no has tenido una experiencia cumbre en tu vida que puedas expresar en algunas oraciones, investiga este tema y describe una experiencia cumbre que alguien haya tenido. Un gran ejemplo de tal experiencia sucedió en 1968 cuando el salto largo de Bob Beaman rompió el récord mundial por más de 12 pulgadas, y él nunca volvió a saltar tan lejos. Las experiencias cumbres están a todo nuestro alrededor y en todo aspecto de la vida. Describe una experiencia cumbre que hayas tenido o una experiencia cumbre que hayas descubierto:

Semana 24
Día 168

Por gracia . . .

Debemos recordar estas dos palabras. Ellas pueden evitar que tratemos muy arduamente. El esfuerzo sin resultados es nuestra especialidad. Esto es improductivo. Es como empujar contra un gran edificio. Puedes gastar mucha energía y quedar exhausto cuando termina el día, pero nada se logra.

Recuerda que nuestra obra es básicamente conocer y sentir a Dios. Tenemos mucho que hacer en la preparación para este "suceso", mas no creas que a Dios se logra del mismo modo que escalamos una montaña. Muchos "escaladores" se sorprenden y deleitan cuando llegan a conocer al Creador en el momento en que menos lo esperan. Ellos han tratado y tratado. Exasperados, abandonan sus esfuerzos y de pronto se vuelven conscientes del Espíritu. ¿No es de extrañarse que digamos: "Por gracia . . ."?

Para mucha gente, Dios es como una montaña para ser escalada a través del esfuerzo humano. En esta montaña divina hay una alta pradera. Es un lugar hermoso, pero aquí estamos conscientes de que la cima está aún ante nosotros. Una niebla la oculta. Queremos ir aún más alto, pero no podemos. No conocemos el camino. Debemos esperar hasta que llegue un guía para mostrarnos el sendero a la cumbre. Espera este guía. Su nombre es Gracia. Todo "alpinista" sabe llegar a la cima por Gracia.

Una vez durante el día de hoy, reserva por lo menos veinte minutos para la siguiente experiencia. Fórmate una imagen mental de una pradera en una montaña alta donde la montaña se levanta otra vez. Hay nubes y, por lo tanto, ningún sendero es visible, pero con paciencia y espera, la cima puede realizarse . . . por Gracia. Espérala, y deja que ella te lleve más alto.

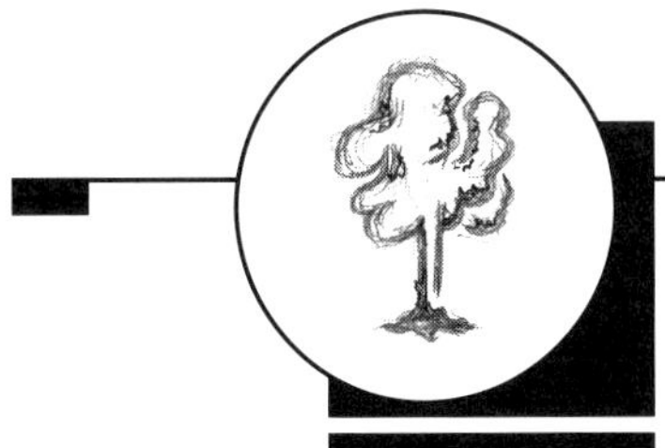

Semana 25

Dios es suficiente

Una verdad fundamental es que hay una Presencia y un Poder en el universo. Buscamos muchas cosas; sin embargo, nada sino una conciencia de Dios nos satisfará. Una conciencia del Espíritu se manifestará en modos que satisfacen toda necesidad humana. Hay satisfacción y cumplimiento *en* (no *de*) Dios.

Puede que haya habido períodos en tu vida cuando sentías una gran inquietud, cuando nada parecía satisfacerte. Puede que no haya habido ningún vacío en tu vida externa. De hecho, puede que haya habido mucho para regocijarte. En tu mundo puede que haya habido plenitud, pero tu alma permanecía vacía. Tal vez continuabas buscando en el mundo algo que te satisficiera completamente.

Ahora viene la verdad: *Dios es suficiente.* Deja que esta simple afirmación se vuelva más que palabras para ti ahora. Deja que la frase se vuelva tu amiga. Cuando tengas un sentido de carencia y comiences a buscar fuera de ti por lo que crees necesitar, deja que tu "amiga" te apoye de nuevo y te traiga a tu hogar.

Semana 25
Día 169

Sólo Dios puede satisfacerme.

La búsqueda de la felicidad y satisfacción pueden continuar indefinidamente. De hecho, la búsqueda continuará siempre y cuando acudamos al mundo por lo que sólo Dios puede proveer. Hoy es un nuevo comienzo, porque reconocemos conscientemente: *Sólo Dios puede satisfacerme.*

Estamos tan acondicionados en creer que nuestros cinco sentidos nos traen gozo. Vemos una hermosa puesta del sol, o una película significativa nos conmueve. Saboreamos la buena comida. Sentimos la suavidad del viento y la calidez del sol. Olemos las fragancias de las flores y de los pinos de las altas montañas. Oímos el canto de un pájaro y el sonido de una bella música. Acogemos las palabras de bondad. Mucha de la alegría y felicidad que sentimos en la vida llega del mundo y a través de los cinco sentidos. Esos mensajes alimentan una parte de nuestro ser, pero otra parte encuentra gozo y satisfacción en Dios.

Es obvio que únicamente el aspecto espiritual de nosotros puede decir: *Sólo Dios puede satisfacerme.* Este es un paso natural en nuestro viaje interno. Todos debemos caminar por esta senda. Hace mucho tiempo intuimos esa verdad, pero la ignoramos y buscamos lo obvio —la felicidad en el mundo.

Ahora un nuevo día empieza.

Haz una lista de algunas "cosas" que una vez te trajeron felicidad, pero que hoy te traen poca satisfacción.

¿Estás dispuesto o dispuesta a considerar la idea de que la búsqueda de la felicidad continuará hasta que llegues a estar consciente de tu Dios? Si la respuesta a esta pregunta es sí, escribe en el espacio abajo: *Sólo una conciencia de Dios puede satisfacerme.*

Esas son palabras sencillas, pero te ofrecen una vida nueva.

Semana 25
Día 170

El Espíritu es mi todo.

Las cosas que apreciamos verdaderamente pasan desapercibidas por los cinco sentidos. ¿Quién ha visto el amor, o ha tocado la paz? ¿Echa la alegría una fragancia en el aire? ¿Podemos realmente saborear la libertad? ¿Tiene voz la sabiduría o la vida? Los sentidos son nuestros sirvientes y permiten volvernos conscientes del mundo, pero ¿con qué sentido despertaremos al Todopoderoso y llegaremos a saber lo que verdaderamente somos?

Con amor vemos la verdad sobre otra persona. Si nuestro oído es agudo, oímos no tanto el canto de los pájaros como percibimos la voz callada y suave. El Espíritu es como una fragancia, porque cuando nos aquietamos tenemos conocimiento de la Presencia, pero cuando los vientos del torbellino humano soplan, la "fragancia" parece desaparecer. Podemos relacionarnos con la gente, pero a menudo parece que el Espíritu se comunica con nosotros en nuestro interior y llega a nosotros en maneras que desafían nuestra comprensión. Muchos gustos parecen satisfacer nuestros apetitos, pero después de haber bebido la insípida agua viviente, jamás tendremos sed.

Hay una sola Presencia y un solo Poder en el universo, porque está escrito: "En el principio creó Dios . . ." (Gn. 1:1). Todo lo que percibimos y conocemos, ya sea a través de los cinco sentidos u otras facultades del alma, es Dios. Es por esto que concluimos: *El Espíritu es mi todo.*

Percibe hoy aquello que es físico a tu alrededor, y recuerda: el Espíritu es tu todo. ¿Qué has percibido que te recuerda la totalidad del Espíritu?

Percibe hoy lo que está en tu interior, dentro de ti. Ten conciencia de las "cosas" que los sentidos no pueden observar. ¿Es evidente para ti que el Espíritu es tu todo? Si la contestación es sí, ¿por qué?

Semana 25
Día 171

El amor que Dios es, es suficiente.

¿Por cuánto tiempo hemos buscado amor? ¿En cuánta gente hemos buscado amor? A veces parece que lo encontramos, mas luego la emoción y la pasión del momento mueren y el amor parece no existir ya. Damos por sentado: "Encontré amor en los brazos de una persona una vez; lo puedo encontrar de nuevo". ¡Y así la búsqueda continúa!

Gracias a Dios por el viaje interno. El amor que buscamos está dentro de nosotros: el amor que Dios es, y éste es suficiente.

Haz una lista de la gente de la cual has buscado amor:

Presentamos un pacto ahora para ti. Si crees que el amor que Dios es, es suficiente, firma el pacto y practícalo por un período de cuarenta días.

Creo que es suficiente el amor que Dios es. Debido a esta verdad, no busco el amor de otra gente. Por un período de cuarenta días, viajo a mi interior para encontrar Su amor en mí. Durante este tiempo, no comenzaré nuevas relaciones románticas, o haré cosas que he practicado previamente sólo por solicitar el "amor" de otros. Mi búsqueda de cuarenta días es para sentir el amor que Dios es. Espero una relación poderosa y amorosa con la Presencia y una convicción que nace de la experiencia que afirma: El amor que Dios es, es suficiente.

____

Firma

La vida que Dios es, es suficiente.

¿Puede haber otra vida que la vida que Dios es? ¿No son las expresiones de vida de las plantas y animales la vida divina manifestada? ¿Podemos tener vida separada de Dios? ¿Puede la muerte destruir la vida que Dios es? ¿Es la muerte una barrera a la vida de Dios?

En un día anterior, dijimos que la vida es conciencia de Dios. Es por esto que Jesús habló de nacer de nuevo. No estamos realmente vivos a menos que estemos conscientes del Espíritu. Podemos intentar tener y gozar una vida separada de Dios, mas esta vida contiene la semilla de la muerte; esto es, no puede continuar.

Busquemos vida en Dios. Esta búsqueda no ha sido siempre lo más importante en nuestras mentes. Creímos que podíamos encontrar vida en muchos lugares y al hacer muchas cosas. Alguna gente procura encontrar vida a través del amor de otra gente. Decimos: "Estoy vivo cuando soy amado". Los sabios dicen: "Estoy vivo cuando expreso el amor que Dios es". Alguna gente intenta cobrar vida por medio del aprendizaje y la acumulación de conocimientos. Ella dice: "Cobro vida cuando aprendo". Los sabios dicen: "Cobro vida cuando simplemente no acumulo la verdad en mí, sino cuando la aplico para la gloria de Dios".

¿De qué depende tu vida?

¿Hay algo que debes hacer?

¿Tienes que tener algo o estar con cierta persona para sentirte animado y con vida? Si dices sí, ¿qué o con quién?

Recuerda, la vida no depende de una persona o cosa, sino de tu conciencia del Espíritu. Aprende de memoria la siguiente afirmación si no lo has hecho ya: *La vida es conciencia de Dios.*

La sabiduría que Dios es, es suficiente.

El sendero del conocimiento interno está dentro de nosotros, y nos lleva al lugar secreto del Altísimo. Puedes obtener datos del mundo; la Verdad no se puede obtener del mundo, porque debe ser discernida espiritualmente, o revelada por Dios. La gente puede tener una mina de conocimientos, y a menudo está dispuesta a compartir ese conocimiento con otros. El conocimiento luego es duplicado y guardado en otro "lugar", pero las vidas no cambian. Este conocimiento *no* es suficiente.

La sabiduría que Dios es, es suficiente. Esta verdad o luz está dentro de ti. La creatividad, el pensamiento despejado, las decisiones sabias, la intuición y la razón de ser vienen de esta fuente. Otra gente no puede alumbrar tu camino. Tienes una luz en ti que ilumina. Debe ser liberada. Hay solamente una razón por la cual buscar la orientación de otra persona: recibir discernimientos para ayudarte a dejar que la luz que ya está en ti, brille.

May Rowland fue la directora de Silent Unity, un ministerio de oración mundial que continúa ayudando a la gente alrededor del mundo. A una trabajadora se le dio responsabilidades adicionales y ella tenía que tomar decisiones. Una y otra vez, la trabajadora iba donde May para preguntarle lo que debía hacer. Finalmente, la Sra. Rowland dijo a la señora que ella tenía la mente de Cristo y sabría qué hacer. Esas simples palabras dieron a la trabajadora la oportunidad de dejar que su luz brillara.

Los momentos de perplejidad son oportunidades para experimentar la sabiduría que Dios es. Esta sabiduría es suficiente. Cuando estamos confundidos, podemos descubrir la suficiencia total de la Sabiduría divina.

Hoy te ofrecemos una declaración potencialmente enigmática. No preguntes a nadie la respuesta de este enigma. Aunque tomen años, busca la respuesta únicamente en el espíritu de Verdad en ti. Luego sabrás que la sabiduría que Dios es, es suficiente.

"La luz y la obscuridad son una para Dios."

Semana 25
Día 174

La paz que Dios es, es suficiente.

Para la mayoría de nosotros la paz se relaciona directamente con lo que sucede en nuestro mundo. Visualizamos lo que creemos ser mejor, y tratamos de hacer que suceda. A través de los años hasta hemos tomado la posición de que si tenemos paz interna, la tendremos en el mundo. Esto es ciertamente verdadero, mas no busquemos la paz interna para que el mundo esté libre de guerras. Conozcamos la paz porque ella es nuestro estado natural.

La verdadera paz, la paz de Dios, está más allá de nuestra comprensión. Aun en el reto humano más difícil, la paz que trasciende la lógica está presente. Ella es la quietud y tranquilidad que una persona siente después que un ser querido ha fallecido. En el mundo externo, no hay nada por lo cual estar tranquilo, pero el pariente que permanece está, sin embargo, quieto y calmado.

No busquemos paz para que ésta se establezca. La paz está aquí. No debemos exigir que ciertas cosas sucedan.

En el pasado, ¿qué creíste debía suceder antes de que tuvieras paz?

Hoy, invita a tu vida la paz que trasciende la comprensión. Haces esto al dejar que las cosas sucedan más bien que hacer que ellas sucedan, o exigir que ciertas cosas ocurran. Durante este día, tu paz no dependerá de alguien o algo. Eres libre del mundo, libre para sentir la paz que está más allá de la comprensión. Recuerda, no hay paz en el mundo. La paz está en ti.

Había una señora que tenía una palabra favorita *—perfecto*. Ella sentía mucha paz, porque creía sinceramente que lo que sucedía en su vida era perfecto. Es interesante que a medida que los años transcurrían, más y más de lo que pasaba en su vida era lo que todos desearíamos y disfrutaríamos. Ella había encontrado paz en sí misma y, por lo tanto, podía decir al mundo *—perfecto*.

¿Qué crees debe suceder antes de que puedas tener paz?

Semana 25
Día 175

¡El pródigo ha regresado!

Hemos estado en un país lejano buscando felicidad, amor, sabiduría, vida y paz; los hemos encontrado en Dios. ¿Por qué debemos viajar alrededor del mundo sólo para descubrir que el tesoro está en nuestro patio? La contestación es sencilla: porque no hemos buscado en nosotros. El mundo promete, pero no el significado y propósito que anhelamos.

El pródigo ha vuelto a su Creador. Dios es suficiente. El Espíritu es nuestro todo. Una conciencia del Espíritu se manifiesta como el cumplimiento de toda urgencia terrenal.

En las semanas venideras, probablemente sentirás la tentación de aventurarte por el mundo de nuevo para encontrar amor, sabiduría, paz o abundancia. Durante esos momentos, por favor recuerda lo acogido que eres en tu hogar. Una conciencia del Espíritu es la casa en que estás destinado a vivir para siempre.

Cuando la tentación llegue, regresa a esta semana y repasa los ejercicios. Cuando llegues a ese día, di lentamente estas palabras en voz alta: *Sólo Dios puede aplacar mi sed. Sólo la Verdad puede liberarme.*

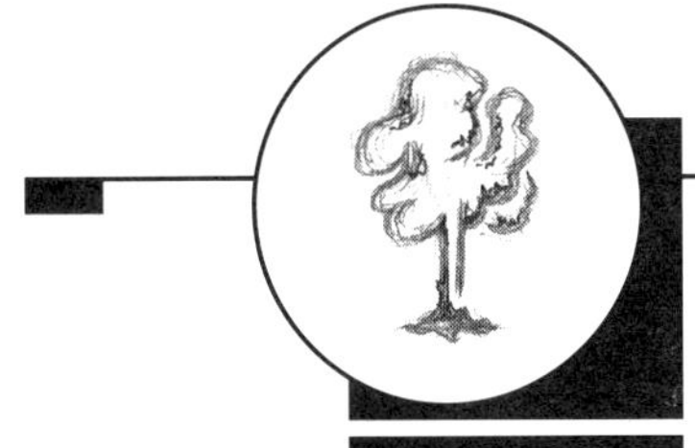

Semana 26
Resumen

El cambio interno requiere un viaje interno. Lo que buscamos está a la mano, porque está dentro de nosotros. Al comenzar el viaje interno, lo primero que enfrentamos es a nosotros mismos, y el perdón del doloroso pasado debe ocurrir. Lo próximo es cesar de decir no a Dios y empezar a decir sí. De hecho, nuestra búsqueda se vuelve una relación con el Espíritu. Es como encontrar a un amigo o una amiga y darnos cuenta de la unidad que siempre ha existido. Es correcto decir: "Yo y el Padre somos uno".

Esa unidad está alineada con la voluntad divina. En la quietud del alma, la voz callada y suave susurra: "Conóceme". Pronto descubrimos que Dios es suficiente.

Regresa a cualquier día o combinación de días que no hayas comprendido, o creas necesitar más trabajo o repaso. Repite la lección o las lecciones como el trabajo para la *Semana 26.*

Resiste la tentación de saltar el repaso y continuar con la próxima sección, *"Conócete a ti mismo"*. La continuación del viaje espiritual puede esperar una semana más.

En los espacios de la próxima página, escribe las lecciones que escoges repasar:

Semana 26
Días 176–182
continuación

Día 176 *Semana*__________

*Día*__________

Día 177 *Semana*__________

*Día*__________

Día 178 *Semana*__________

*Día*__________

Día 179 *Semana*__________

*Día*__________

Día 180 *Semana*__________

*Día*__________

Día 181 *Semana*__________

*Día*__________

Día 182 *Semana*__________

*Día*__________

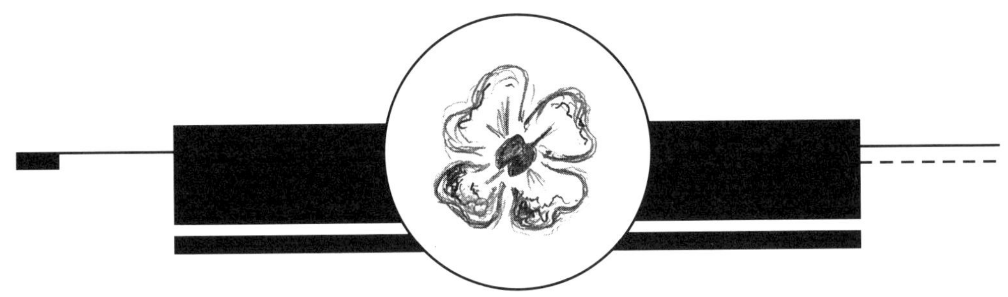

Sección 3

Conócete a ti mismo

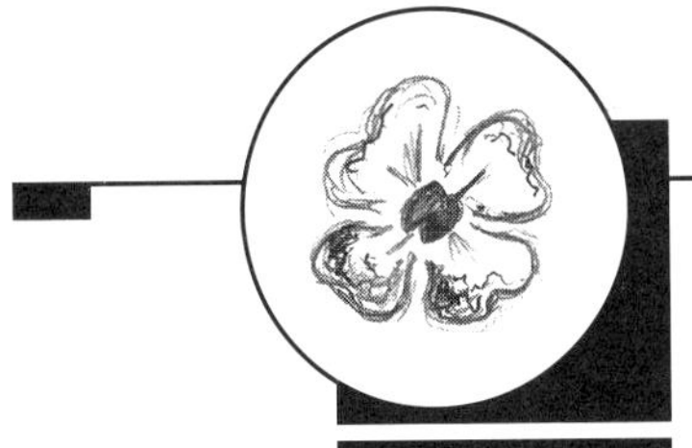

Semana 27

¿Qué soy yo?

Mientras estamos en el viaje interno, llegamos a enfrentarnos cara a cara con el humano sagrado. A medida que continuamos el viaje, llega el momento cuando tenemos que responder a la antigua llamada: "Conócete a ti mismo".

Tal vez Plutarco, el moralista griego que nos pidió conocernos a nosotros mismos, descubrió lo que él era y encontró ser algo que toda la humanidad tiene en común, pero que es supremo y hermoso más allá de palabras. Nadie puede revelar la verdad del ser a otra persona; sin embargo, el regalo que da la persona que sabe lo que ella es y quien ella es, es una invitación a todos para hacer el mismo descubrimiento.

El viaje interno continúa según llegas a conocerte a ti mismo y a conocer tu propia identidad. Tu comienzo es los discernimientos del pasado y la confusión que crean. La Biblia declara que somos hechos a imagen y semejanza del Espíritu, pero nadie ha visto esta imagen. Tal vez lo que somos no puede ser visto por los ojos humanos, pero puede ser conocido por la mente. Es como Pablo dijo: "Tenemos la mente de Cristo" (1 Co. 2:16). Y si esto es verdadero, luego tenemos la capacidad de conocernos a nosotros mismos y descubrir lo que somos.

Que los próximos tres meses de actividades y ejercicios te permitan descubrir quién eres y lo que eres. Empieza ofreciendo doce contestaciones desde el punto de vista humano a la siguiente declaración:

Yo soy

Yo soy

Yo soy

Semana 27
continuación

Yo soy

Yo soy

Yo soy

Yo soy

Yo soy

Yo soy

Yo soy

Yo soy

Yo soy

Soy hecho a imagen de Dios.

Eres hecho a imagen de Dios. Lo que Dios es, tú debes ser. Eres como el niño huérfano que busca a su madre porque conocer a la madre ayudará al niño a conocerse a sí mismo.

Eres hecho a imagen de Dios, pero debes tener precaución con la ley de reversibilidad. Por medio de este principio falso, hacemos a Dios a nuestra imagen y semejanza. Miramos nuestro cuerpo y asumimos que el Creador tiene brazos y piernas. Sentimos coraje y creemos que Dios, que es amor, puede atacar ferozmente a su creación. ¿Qué cualidades humanas hemos atribuido al Todopoderoso?

1. ______________________________
2. ______________________________
3. ______________________________
4. ______________________________
5. ______________________________
6. ______________________________
7. ______________________________
8. ______________________________
9. ______________________________
10. ______________________________
11. ______________________________
12. ______________________________

Enumera algunas cualidades espirituales de Dios (por ejemplo, amor, fortaleza, eterno, incambiable):

1.______________________________
2.______________________________
3.______________________________
4.______________________________
5.______________________________
6.______________________________
7.______________________________
8.______________________________
9.______________________________
10.______________________________
11.______________________________
12.______________________________

¡Esas cualidades son tu naturaleza verdadera!

Puedes hacer las cosas que hago.

Hoy aceptamos la verdad de que nuestro destino es hacer las cosas que Jesús hizo. Una aceptación completa de esta verdad requiere que lleguemos a comprender quién es Jesús.

Había una vez un joven que había llegado a la etapa en su desenvolvimiento espiritual donde la contestación a la pregunta "¿Quién es Jesús?" había llegado a ser crucial. En el proceso de buscar la contestación, dijo las palabras: "Desearía que Jesús viniera a mí y dijera quien es". Inmediatamente, empezó a sentir una presencia y supo que una contestación llegaba.

Recordó un versículo de la Biblia que llenó su mente: "De cierto, de cierto os digo: El que en mí cree, las obras que yo hago, él las hará también; y aun mayores hará" (Jn. 14:12). Luego una imagen llenó su mente. Jesús estaba de pie en la cima de una montaña —una cima de conciencia— y esencialmente decía: "Estarás en la conciencia en que estoy actualmente". Entonces Jesús miró Su futuro y luego miró atrás a la humanidad. En esta imagen, declaró la verdad de la Biblia de que haríamos cosas mayores.

El mensaje era claro. Al joven, Jesús decía que toda la humanidad algún día estará en la conciencia donde El está, pero que hay mayor crecimiento ante El y ante nosotros. Estas son las "mayores obras".

Alguna gente cree que las mayores obras son las que se basan en la tecnología. A pesar de lo grande que son, los descubrimientos científicos y su aplicación en la vida diaria no comparan con el desarrollo de la conciencia espiritual. El punto es una conciencia de Dios y no la tecnología y los aparatos que ahorran trabajo.

Jesús es la expresión de lo que la humanidad está destinada a ser. ¿Podría ser que Jesús fuera el prototipo para toda la humanidad, nuestro Señalador del sendero espiritual?

Haz una pausa durante el día de hoy para oír las palabras: "Puedes hacer las cosas que Jesús hizo y mayores obras harás". Si esta idea te inquieta, emplea algunos momentos para escribir en el espacio que sigue tu comprensión de por qué te inquieta esta idea:

Cristo en ti es tu "esperanza de gloria".

La mayoría de la gente de orientación religiosa tiene un verso bíblico predilecto que es significativo para ella. Charles Fillmore, cofundador de Unity, notó que el siguiente versículo es transformativo: "El misterio que había estado oculto desde los siglos y edades . . . que es Cristo en vosotros, la esperanza de gloria" (Col. 1:26–27). La mayoría de los eruditos de la Biblia cree que cuando se escribió Colosenses, habían pasado aproximadamente treinta años desde la muerte y resurrección de Jesús. Debido a la referencia de un misterio oculto por "siglos y edades", es improbable que el apóstol Pablo estuviese pensando en el Jesús terrenal.

Ciertamente, cuando Pablo empleaba la palabra *Cristo* se refería a la imagen de Dios en Jesús, o nuestra potencialidad divina. En ciertos modos de vida espiritual, se hace una distinción entre Jesús y el Cristo. Se dice que Jesús anduvo sobre el agua, pero fue el Cristo el que hizo posible ese hecho. Cristo es nuestra naturaleza espiritual, y permanece en nosotros en "silencioso reposo".

El Cristo cobró vida en Pablo, y escribió: "Ya no vivo yo, mas vive Cristo en mí" (Gá. 2:20). Cada uno de nosotros está destinado a nacer de nuevo, o a despertar espiritualmente. La imagen es nuestra esperanza de gloria, amor, paz y alegría. El Cristo es lo que realmente somos nosotros. Esto no disminuye a Jesús. Ese es Su mensaje, porque dijo que haríamos obras que El hizo y aún mayores.

Hay numerosos ejemplos de individuos que expresan su divinidad, o que hacen que el Cristo cobre vida en ellos. Por favor, enumera abajo cuatro personas que crees han permitido que sus seres crísticos vivan en ellos:

1. ______________________________
2. ______________________________
3. ______________________________
4. ______________________________

Semana 27
Día 186

Soy un hijo (una hija) de Dios.

Si queremos conocer nuestra identidad, es mejor preguntar a nuestro Creador directamente: "¿Qué soy yo? ¿Quién soy yo?" Mucha gente ha hecho esas preguntas. Las contestaciones han sido diversas. Jesús oyó las poderosas palabras: "Este es mi Hijo amado, en quien tengo complacencia" (Mt. 3:17). Charles Fillmore escribió: "Espiritualmente tú eres Mi idea de Mí Mismo como Yo me veo en lo ideal". Otros han oído la simple verdad: "Tú eres Mi amado (amada)"; aún otros: "Tú eres Mi hijo (hija)". Es útil saber lo que otras personas han experimentado cuando tratan de descubrir su identidad, pero no hay substituto para tu propia experiencia.

Utiliza algunas de las técnicas de oración y meditación de días anteriores y pregunta apaciblemente: "¿Qué soy yo? ¿Quién soy yo?" y luego escucha. Haz esto por el resto de este segmento de trece semanas de *Una guía diaria para la vida espiritual*. Indica tus discernimientos abajo:

. . . y si hijo, también heredero.

Somos hijos de Dios, herederos del Todopoderoso (véase Gálatas 4:7). ¿Qué heredamos? En la tierra, los padres trabajan fuertemente para lograr mucho y usualmente dejan las posesiones terrenales a sus hijos. Un día los padres mueren y sus pertenencias terrenales pasan a ser la propiedad de los hijos. Lo que nos ha creado nunca morirá, por lo tanto, ¿cuál es nuestra herencia?

La iluminación espiritual revela que el Espíritu sólo tiene una "cosa" para dar a Su creación, y es el don de una conciencia de sí misma. Obviamente, este "Padre" no muere para que nosotros recibamos, pero en cambio nosotros morimos a nuestra manera terrenal, de modo que cobremos vida y recibamos lo que se nos ofrece perpetuamente. Las herencias son ofrecidas, mas deben ser recibidas.

Si el Espíritu te ofrece una conciencia de Sí mismo, ¿qué debes hacer para recibir tu herencia?

¿Cómo sabrás que has recibido tu herencia?

Tengo la mente de Cristo.

Pablo sabía quién era él, y conocía nuestra naturaleza también, porque escribió: "Mas nosotros tenemos la mente de Cristo" (1 Co. 2:16). Una mirada casual al mundo nos deja con la honda impresión de que éste es un universo inteligente. Hay sabiduría en el crecimiento de las cosas vivientes, la migración de las aves y ballenas, y los pensamientos que se mueven en nuestras mentes. Y dondequiera que hay inteligencia, hay una mente. En el caso de la cita de Pablo, la mente es divina. Esta es una supermente que se extiende por el universo, y está llena de ideas. Esta misma mente, Pablo concluyó, se nos ha dado. Por medio de esta mente, podemos saber el secreto de la vida y los misterios del universo.

Indica doce ejemplos que te muestran que éste es un universo inteligente:

1. ____________________
2. ____________________
3. ____________________
4. ____________________
5. ____________________
6. ____________________
7. ____________________
8. ____________________
9. ____________________
10. ____________________
11. ____________________
12. ____________________

En el espacio abajo, da un ejemplo que ilustra que tienes la mente del Cristo. Por ejemplo, tal vez supiste que algo iba a suceder antes de que sucediera, o la solución de un problema de pronto surgió en tu mente sin tú haber pensado en ella.

Semana 27
Día 189

El uno se vuelve muchos.

La individualidad es uno de los principios más poderosos y de mucho alcance activo en nuestras vidas y el universo, pero es también parte de nuestra diaria existencia terrenal. Por ejemplo, una madre está preparando el postre favorito de la familia. Una receta enumera los ingredientes necesarios y cómo han de ser mezclados y cocinados para proveer a la familia con un bizcocho de chocolate. La receta es útil porque es un plan para el bizcocho, pero nadie come una receta. *Ella debe ser individualizada.* De este modo, hay un movimiento del mundo abstracto e invisible al mundo concreto y observable. Un juego de béisbol, ya sea jugado por jovencitos o por campeones estrellas, es una individualización de las reglas del juego. Es solamente en el campo para juegos que el árbitro puede gritar: "¡Jueguen pelota!"

Dios es el Gran Principio del universo, pero el principio no "vive" hasta ser individualizado. Esta individualización no es el hombre, la mujer o el niño que los ojos humanos pueden ver, sino el ser espiritual realizado por la mente de Cristo.

Los expertos en supervivencia dicen que la voluntad de vivir es el factor más importante cuando una persona está sola en la selva. Esta voluntad de vivir es más que el deseo de respirar. Ella es la fuerza de Dios que busca individualizarse a través de nosotros.

Da un ejemplo de individualidad:

¿Es tan extraño considerar que el Espíritu desea expresarse o individualizarse?

Da dos nombres que describan la individualización de Dios:

1. ______________________________________

2. ______________________________________

Contestaciones posibles:
1. Cristo
2. Imagen de Dios

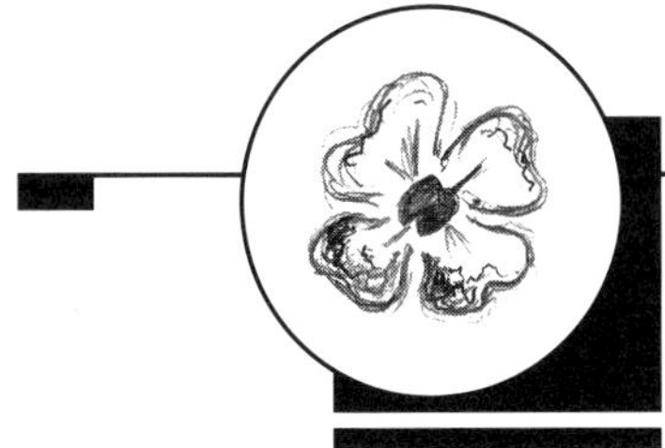

Semana 28
Revelación

Alguien preguntó una vez cómo podemos conocer muchas de las verdades y principios espirituales que gobiernan nuestras vidas y aún no vivir de acuerdo con nuestra completa potencialidad. La contestación es que conocemos la verdad intelectualmente, pero no la vivimos hasta que haya una revelación. Cuando la periferia de la mente está llena de la Verdad, nuestro vocabulario cambia, pero todavía no practicamos la Verdad. Cuando ésta es revelada, despertamos y nuestras vidas cambian para siempre.

Cuando sabemos algo intelectualmente, ahuecamos las manos en forma de taza y bebemos del río de la Verdad. Cuando ocurre la revelación, el río surge desde nuestro interior yendo a la superficie como una verdad viviente. Cuando conocemos la Verdad intelectualmente, a veces hablamos la Verdad que "conocemos" para convencernos y convencer a otros de que lo que decimos es verdadero. Cuando la revelación, no hablamos; escuchamos. Al aprender la Verdad, a menudo decimos la Verdad o pensamos en ella una y otra vez para aprenderla de memoria. Cuando hay revelación, el Cristo en nuestro interior habla la Verdad una vez, y nunca la olvidamos.

Reconoce una verdad o principio espiritual que conoces intelectualmente, pero aún no puedes expresar:

Semana 28
Día 190

Las cosas espirituales deben ser discernidas espiritualmente.

Moisés pasó muchos años en soledad, y su aislamiento le permitió ver la zarza que ardía en fuego. Horeb (que significa soledad), el monte de Dios, es el lugar donde estaba la zarza. Lo más probable es que Moisés había cuidado su rebaño en ese monte anteriormente, y tal vez hasta había visto la zarza muchas veces, pero ésta no ardía en fuego. ¿O ardía? Muchos creen que toda cosa viviente está en llamas con la presencia de Dios, pero nosotros no tenemos la visión para verla. Por medio de la soledad, la verdad radiante de la zarza fue revelada a Moisés.

Es una cosa ver la hermosura de un monte de árboles en un día de otoño, pero imagina cómo será cuando podamos ver como Moisés vio. Esa visión llega por medio de la revelación.

Toma tiempo hoy para sentarte y observar un arbusto, árbol o planta. No trates de ver la brillantez de la presencia de Dios, y no juzgues por las apariencias. Hay más para percibir que lo que los ojos pueden ver. Observa todo detalle de la cosa viviente. Nota la parte más pequeña de ella, y luego vela íntegramente. Recuerda, la habilidad de ver la zarza que arde se basa en la revelación, no en tus esfuerzos.

Después de este ejercicio, afirma y luego aprende de memoria la siguiente declaración: *Por medio de la gracia y revelación, vivo en un mundo nuevo.*

La verdad viviente surge de mi interior.

Alguna gente cree que conocer la Verdad quiere decir que debes decir la Verdad una y otra vez hasta que la fase subconsciente de nuestra mente la absorba. Luego ella impactará nuestras vidas, y viviremos como estamos destinados a vivir. ¿Por qué, entonces, dice la Biblia: "Daré mi ley en su mente, y la escribiré en su corazón" (Jer. 31:33)?

No hay revelación cuando insistimos en afirmar la Verdad con el propósito de impresionar la fase subconsciente de nuestra mente. La revelación y, por lo tanto, la transformación, llega cuando dejamos que la Verdad o Ley escrita en nuestros corazones surja desde dentro de nosotros.

Un niño en el pozo de agua de la casa de su abuelo bombeaba y bombeaba, sin embargo ni una sola gota de agua llenaba su cubo. Entonces su sabio abuelo llegó, derramó un poco de agua en el pozo, y le instruyó a bombear de nuevo. Dijo que era necesario cebar la bomba cuando ésta no se había usado por un tiempo.

La Verdad está en nosotros y, por lo tanto, no tiene que ser añadida a nosotros. Sin embargo, es útil hablar la Verdad del mismo modo que es útil cebar una bomba de agua.

Selecciona una de las siguientes declaraciones, u origina una declaración tú mismo, y "ceba la bomba" hoy. Mantén esta verdad fluyendo en la mente, pero también recuerda hacer una pausa y dejar que la Verdad llegue desde tu interior.

Soy el amado hijo (la amada hija) de Dios.

Soy rico (rica). No tengo necesidades.

Vivo la vida divina.

No encuentro paz en el mundo.

Indica cuál de esas afirmaciones empleaste y la fecha de hoy:

____

Semana 28
Día 192

Estoy dispuesto a pensar de un nuevo modo.

No somos una fuente inagotable de la Verdad, sino una abertura a través de la cual la Verdad puede expresarse en el universo. Algunas expresiones de la Verdad son asombrosamente diferentes de nuestras opiniones anteriores. La Verdad puede ser alarmante. A menudo, a medida que la Verdad es revelada a nosotros, diremos: "Yo no sabía. No tenía idea".

Un joven ministro una vez estaba a cargo de un ministerio que se reunía los domingos por la mañana cerca de un hermoso jardín de rosas. Antes del servicio dominical, él se paseaba por el jardín y abría su mente a los pensamientos absurdos del Espíritu. Frecuentemente se emocionaba con lo que "oía".

Un día preguntó por qué una hermosa rosa tenía que tener espinas. Eso no tenía sentido, él creía. "Porque la belleza no es para ser tocada o estropeada", se le dijo. "Ella es para ser observada y dejar que levante nuestras almas."

En otra ocasión el joven ministro estaba sentado y observaba los grandes robles cimbrearse con el viento. El creyó que el viento movía las ramas altas de los árboles. "¿Has considerado —se le preguntó— que tal vez estos grandes árboles mueven y crean el viento?" Absurdo, sí; pero a menos que estemos dispuestos a considerar tales pensamientos, la revelación no puede ser parte de nosotros, porque la realidad va más allá de lo que se lee en las novelas. La mayor parte de la Verdad que puede ser revelada a nosotros parecerá absurda al principio, pero con el tiempo la apreciaremos y nos sentiremos tan confortables con ella como lo hacemos con un buen amigo.

En el caso de los árboles que mueven y crean el viento, el joven ministro hizo una pausa y consideró la sugerencia de la voz interna. Lentamente sonrió y dijo: "Desde luego". Con esto no quiso decir que había llegado a creer que los árboles mueven y crean el viento, sino que ahora se daba cuenta de la importancia de pensar de una nueva manera.

Declaramos este día un Día Absurdo en el que tu mente está dispuesta a tomar en consideración la revelación de la Verdad. Indudablemente durante el día de hoy vislumbrarás el sentido del humor del Espíritu. Disfruta, y anota cualesquiera pensamientos absurdos en el espacio abajo.

Semana 28
Día 193

Disfruto del misterio, mas invito la revelación.

La revelación no llega por medio de la lucha. Llega cuando estamos contentos. Por años un joven estudiante de la Verdad creyó que le esperaba un mayor bien. Anhelaba conocer la naturaleza de esa misión y lo que estaba adelante. Numerosas veces preguntaba: "¿Qué está adelante? ¿Qué he de hacer?" La pregunta "qué" creaba una increíble tensión y agitación interna. Aunque la belleza llenaba sus momentos, él no los disfrutaba porque quería conocer el futuro y la misión de Dios que estaba a la vuelta de la esquina.

Después de años de lucha interna, recibió la ayuda que buscaba. "Conténtate con el misterio", su guía reveló. Tomó un tiempo, pero finalmente dejó de preguntar "qué". Llegó a contentarse con el misterio. Parecerá extraño, pero tan pronto como se contentó con el misterio, la revelación comenzó y la misión de Dios fue revelada.

Indica la parte más misteriosa de tu vida. Tal vez te preocupe tu empleo, tu jubilación, tu salud, o una relación. Describe abajo lo que "desconoces" en tu vida:

Ahora, cesa de preguntar o pensar sobre lo que va a suceder. En vez de eso, empieza a orar con la idea: *Estoy contento con el misterio*. La actividad de hoy puede tomar días, hasta semanas, antes de que comiences a disfrutar del misterio. Y ese día, ¡se te dará la invitación a la revelación!

Nadie es la fuente de mi sabiduría.

Llegamos a este mundo con instrucciones completas, porque tenemos la mente de Cristo. Los discernimientos que nos ayudan en la vida diaria pueden llegar desde nuestro interior, mas esto no puede suceder hasta desligarnos de la "sabiduría del mundo". Nadie puede ser la fuente de nuestra sabiduría y ayuda para el vivir diario. La sabiduría está en nosotros y debemos depender de ella. Mientras nos dirijamos a otros para decirnos qué hacer, no percibiremos la luz en nuestro interior.

Los grandes y verdaderos pensadores de nuestro mundo no han tratado de vivir por la luz de otros, pero han llegado a creer que ellos podían *saber*.

¿A quién has acudido en el pasado como fuente de sabiduría y guía?

____

Quizás esa persona fue útil, mas ahora es el momento de independizarte de la sabiduría de los "sabios". Las personas a quienes nos dirigimos deben ahora ayudarnos a encontrar sabiduría en nosotros mismos.

Por favor, identifica a quien puedes dirigirte, no para decirte lo que debes hacer, sino para ayudarte a encontrar la fuente de luz dentro de ti:

____

Desde hoy en adelante, tu enfoque de la vida es dejar que la mente de Cristo te guíe. Busca a otra gente sólo para ayudarte a sentir unión con la luz.

Escribe un convenio que declara tu intención de vivir de ese modo:

____

Firma y fecha

Semana 28
Día 195

Las preguntas "incontestables" invitan la revelación.

La confusión puede ser la madre de la sabiduría, los nuevos discernimientos y la revelación. Cuando se nos hace una pregunta y no tenemos una contestación inmediata, pero creemos que hay una contestación, invitamos la revelación en nuestras vidas. Hemos llegado al límite de nuestra comprensión y, por lo tanto, nos hallamos en los contornos del reino de Dios de donde procede toda revelación.

Hoy hacemos tres preguntas. Esperamos que por lo menos una de ellas te lleve al borde de tu conocimiento intelectual y, por lo tanto, la pregunta se vuelva una invitación a la revelación.

1ra pregunta: ¿Por qué la enfermedad y la salud son una misma condición para Dios?

2da pregunta: ¿Cuál es el sonido de una sola mano que aplaude?

3ra pregunta: Por favor, lee Lucas 14:26. ¿Cuál es el significado de este versículo? El mensaje de Jesús es de amor. ¿Cómo puede decir El que debemos aborrecer a nuestros padres?

Tu contestación a la pregunta que eliges:

La revelación es obra del Espíritu.

Tal parece que la revelación es obra nuestra, mas esto no es verdad. La revelación es obra del Espíritu. No hay nada que podemos hacer para forzar la sabiduría que viene de nuestro interior.

Nuestros aliados son "esperar" y "dejar". Dios dejó que hubiera luz, y así debemos hacer nosotros. Dejamos ir la necesidad de saber, y esperamos. Luego, de pronto, la respuesta llega; sabemos. El amanecer espiritual no llega lentamente. La mente no está llena de gris y entonces llegan los colores del día. Hay noche, y luego hay día. Súbitamente, sin avisar, hay luz.

Pasas la mitad de cada día de tu vida en la acción de dejar, aunque quizás no te des cuenta de eso. La exhalación de tu respiración es dejar. Un ejemplo supremo de esto es el suspiro humano, la señal de que un ser humano ha soltado su dominio de la vida, si al menos por un instante. A medida que empleas tu tiempo en diaria oración y meditación, da atención especial a la exhalación de tu respiración. Deja ir y suspira . . . y luego espera, porque como sabes, esperar es el corazón o esencia de nuestra manera de vivir.

Recuerda, el Espíritu "oye" todo suspiro humano y sabe que cuando un ser humano deja ir, ¡la obra de Dios puede hacerse!

Un joven profundamente perturbado guiaba por una autopista y lloraba. Las lágrimas y la emoción empezaron a nublar su visión, de modo que detuvo su auto al lado de la carretera, puso la cabeza sobre la rueda y sollozó. En medio de sus emociones, oyó una voz que decía: "Deja la lucha". Su confusión se volvió paz.

Cuando dejamos ir y la revelación llega, el discernimiento que recibimos supera al mensajero. Así es como debe ser, porque el mensajero del rey es bienvenido no por lo que él es, sino porque trae el decreto del rey. Las palabras "deja la lucha" fueron el mensajero, pero el decreto fue paz. Y esto sucede cuando hay revelación. Somos avivados y nuestras vidas cambian por medios aparentemente simples. Mas no debemos ser engañados. En vez de esto, que eso sea una indicación para decirnos que nuestra experiencia es genuina.

Hay, también, otra característica en la revelación —nuestra transformación. La gente se sorprendía porque Jesús hablaba como una persona que tiene autoridad. La autoridad viene de la revelación. Jesús no hablaba de lo que había aprendido del hombre, sino de lo que había aprendido a través de la revelación.

No trates de hablar con autoridad. Sólo levantarás tu voz. En lugar de eso, deja que la revelación te inspire, de modo que estés más consciente de lo que es ser creado parecido a Dios mismo. Los niños resuelven los problemas de la matemática, pero no pueden aplicar los principios a las realidades económicas de la vida. Luego, de repente, ellos comprenden y poseen otro medio práctico para la vida diaria. No hay nada más práctico que tener la experiencia de *quién* y *qué* eres.

Indica cuatro personas que has oído hablar con autoridad:

1.____

2.____

3.____

4.____

¿Qué reacción causan esas personas en ti?

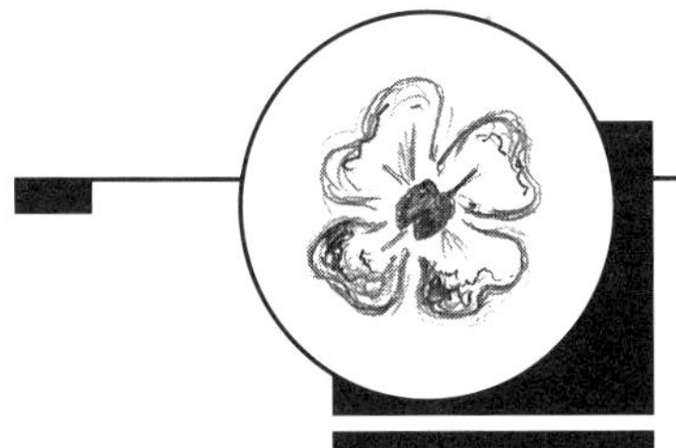

Semana 29

Herodes

Somos seres espirituales, y la revelación nos ilumina para descubrir nuestra verdadera identidad y la verdad acerca del mundo. La revelación nos despierta, y nos avivamos espiritualmente. Es como un nacimiento. Pero hay un aspecto que hemos creado en nosotros que resiste el nacimiento. Es Herodes, el que trató de destruir a Jesús. El Herodes que enfrentaremos no es literalmente el monigote romano que gobernó a Palestina hace dos mil años, sino nuestra voluntad humana que se opone a los asuntos del Espíritu.

El Espíritu ha dado a luz a su creación, la imagen de Dios. Este Cristo que mora en nosotros es nuestra verdadera identidad. Es lo que realmente somos. Mas hay también Herodes —nuestra creación. Herodes es lo que creemos que somos. El resiste el nacimiento espiritual y se rebela cuando averigua que otro rey está en el país. Trata todo lo que puede para permanecer en control. Sin embargo, una vez que lleguemos a ese punto en nuestro desenvolvimiento espiritual, Herodes morirá, así como lo hizo en la historia de Navidad. No es necesario resistirlo, pero es beneficioso conocer algunos de sus modos de obrar. Cuando conocemos y comprendemos nuestras tendencias humanas, se hace más difícil ser engañado por nuestra voluntad humana.

Semana 29
Día 197

¿Quién está hablando por teléfono?

Dos amigos discutían una vez la dificultad de determinar si los pensamientos que circulaban por sus mentes eran "expresados" por Herodes o el Cristo. La frase que usaron fue: "¿Quién está hablando por teléfono?"

¿Quién está hablando por teléfono? ¿Es nuestro ser divino o nuestro ser menor? En realidad, durante las primeras etapas de nuestro crecimiento espiritual no es difícil contestar la pregunta. Nuestro ser menor no nos engaña. Los pensamientos que circulan a través de la mente son negativos y limitativos. Por ejemplo, consideramos volver a estudiar para obtener más instrucción, de manera que podamos adquirir un empleo mejor y más creativo. ¿Quién habla por teléfono cuando esas palabras llenan nuestras mentes? "Nunca fuiste muy buen estudiante. Y, además, ¿por qué empezar de nuevo?" O, tal vez, podríamos oír: "Nunca saldrás de la rutina en que estás. No mereces un empleo mejor".

Nuestro ser divino no habla de ese modo. Solamente nuestro ser menor puede tener una opinión tan pesimista de nosotros y del mundo. Sin embargo, a medida que progresamos en nuestro crecimiento espiritual, Herodes se volverá más sutil y engañoso. Consideraremos esta idea más tarde en la semana.

Entretanto, ¿cuál es el pensamiento o declaración prominente y negativo que Herodes ha dicho acerca de ti?

¿Qué sentimiento produce en ti esa declaración? Describe ese sentimiento en una palabra: ____________________

Soy bendecido cuando soy perseguido por amor a Dios.

La siguiente bienaventuranza es una gran ayuda para conocernos a nosotros mismos. "Bienaventurados sois cuando por mi causa os vituperen y os persigan" (Mt. 5:11). Esas palabras inspiraron a los primeros cristianos cuando ellos soportaban persecución y prejuicio, mas en el mundo de hoy no somos perseguidos usualmente por nuestras creencias cristianas. No obstante, hay una inquietud interna que es parte natural del viaje espiritual.

Cuando tratamos de dejar un mal hábito o levantarnos de alguna limitación, hay un impulso negativo que debemos superar. Tratar de empujar un automóvil atollado ilustra este principio. Al principio, empujamos con gran ímpetu y vehemencia, porque se requiere gran esfuerzo para mover el auto. Los científicos hablan de esto como la ley de inercia: un cuerpo en reposo tiende a permanecer en reposo; un cuerpo en movimiento tiende a permanecer en movimiento. Cuando nuestra vida está atollada y tratamos de ir adelante, hay una persecución debido a este cambio, o resistimos el cambio. Herodes está contento con la limitación. Comenzamos a buscar un nuevo empleo y la persecución interna empieza. "Nunca conseguirás un empleo. Has tratado eso antes. Sería mejor que te quedaras donde estás. Por lo menos, tienes un empleo."

Jesús dio énfasis al hecho de que somos bendecidos cuando experimentamos esta inquietud. Es una buena señal, porque indica nuestro esfuerzo sincero de seguir adelante en la vida. Por lo tanto, debemos persistir hasta ponernos en movimiento. Recuerda, un cuerpo en movimiento tiende a permanecer en movimiento. Una vez que empezamos a crecer, la tendencia es seguir creciendo.

Semana 29
Día 198
continuación

Di a ti mismo: *Soy bendecido cuando siento inquietud interna, porque esto quiere decir que comienzo a avanzar. Herodes es amenazado, porque nace un nuevo ser.*

Describe un tiempo en tu vida cuando sentiste esa "persecución":

La verdad me libertará.

Hay un diálogo que persevera en la mente. Herodes habla sus mentiras, y escuchamos. Algunas veces hasta creemos sin duda las falsedades que se nos presentan. Nota que cuando Herodes habla por teléfono, nos sentimos limitados y, a veces, avasallados por los sentimientos negativos. En esas ocasiones, es bueno recordar que la verdad nos libertará.

Entra en el diálogo y habla la verdad más elevada e ideal que conoces. Por ejemplo, si vas a empezar una nueva tarea y tu ser menor dice que fracasarás, puedes responder: "Soy guiado al éxito. Con Dios nada es imposible para mí". El ser menor podría responder: "Si eres guiado al éxito, ¿por qué has tenido tanto fracaso?" Podrías contestar: "El pasado no cambia la verdad de que soy guiado al éxito. Cada día puede ser un nuevo principio, y éste es el día para comenzar de nuevo".

Presta atención al diálogo interno hoy. Cuando es obvio que Herodes está hablando por teléfono, habla la verdad, porque ella te libertará.

Semana 29
Día 200

Rehúso convertir las piedras en pan.

Antes de comenzar Su ministerio, Jesús fue al desierto y enfrentó tres tentaciones. Todo ser humano es confrontado con esas mismas tentaciones y deben ser vencidas si hemos de tener vidas espirituales.

El diablo con quien se enfrentó Jesús tiene muchos nombres: el ego, el ser menor, Herodes, Satanás, y otros nombres. Esencialmente, este adversario, como es llamado en Job, es nuestro ser humano que se opone a los modos del Espíritu. Pero somos seres espirituales, por lo tanto, la inclinación natural de nuestras almas no ha de ser gobernada por nuestros apetitos y deseos terrenales. Estamos destinados para grandes objetivos. Sin embargo, debemos primero enfrentarnos con nosotros mismos y dejar que la verdad nos libere.

La primera tentación de Jesús fue convertir las piedras en pan (Mt. 4:3). Hay dos aspectos principales en este encuentro. Primero, hay hambre, o apetito humano. No hemos de ser dominados por nuestros sentidos e impulsos terrenales ya sean estos hambre, sed, lujuria, o cualquiera otra cosa. Segundo, no hemos de emplear nuestros talentos con propósitos egoístas. Jesús era capaz de convertir las piedras en pan, pero rehusó usar el poder para Sí mismo. En realidad, en todo Su ministerio, nunca empleó el poder con egoísmo: lo usó siempre para la humanidad.

Durante las actividades de esta semana, te estás familiarizando con tu ser inferior y sus maneras. Por hoy, reconoce los apetitos que tienden a dominarte.

Además, haz una lista de tus talentos. ¿Cómo puedes usar estos talentos para beneficiar a otros?

Semana 29
Día 201

Rehúso presentar alternativas a Dios.

Por favor, lee el relato de la segunda tentación de Jesús en Mateo 4:5–7. Esta tentación, como la anterior, tiene varios elementos. Una perspectiva histórica es útil para comprender lo que Jesús enfrentó mientras estaba en el desierto y lo que nosotros, también, debemos enfrentar. Los judíos en los tiempos de Jesús creían que si alguien se tiraba desde el punto más alto del Templo y no sufría heridas, él era el Mesías. Jesús era el Mesías, mas Su visión del Cristo difería de la visión de la mayor parte de la gente. Esta buscaba un rey guerrero. Jesús vino para guiar a la gente no a guerra, sino a paz; no a establecer un reino sobre la tierra, sino a dar a la gente las buenas nuevas de que el reino del cielo estaba en ella, esto es, en su interior.

Para nosotros, esta tentación consiste en ignorar nuestro conocimiento interno y someternos a la opinión humana de las masas. Esto sucede cuando entramos en una discusión que se vuelve negativa, y empezamos a chismear o hablar negativamente como los otros en el grupo. Hemos abandonado lo que sabemos que es verdadero y adoptamos la opinión humana prevaleciente. Otro ejemplo, un hijo o una hija puede hacer algo similar al llegar a ser doctor o doctora, cuando ellos quieren realmente llegar a ser periodistas.

Otra dimensión de esta tentación es que se le dijo a Jesús que se tirara del Templo y Dios lo salvaría. La mayoría de la gente que se tira desde una gran altura sufre graves heridas. No debemos presentar alternativas a Dios, o esperar que Dios deje a un lado las leyes físicas y espirituales para beneficio nuestro. El Espíritu es el mismo hoy y todos los días. El universo y nuestras vidas son gobernados por ley divina. No debemos esperar que esos principios se detengan por causa nuestra. El conocimiento de la consistencia de las leyes universales es una gran ayuda para nosotros a medida que tratamos de vivir espiritualmente.

Básicamente, debemos vivir con las consecuencias de nuestra conciencia. Dios no nos rescatará de nosotros mismos. Si sentimos infelicidad y limitación, debemos subir más alto. No hay otra manera de hacerlo, excepto alcanzar un estado más alto de conciencia. No le presentemos a Dios alternativas. Respondamos a la alternativa que está perpetuamente ante nosotros: subir más alto.

¿Estás consciente de un tiempo en tu vida cuando le presentaste a Dios una alternativa? Sí es así, ten la bondad de describir la situación.

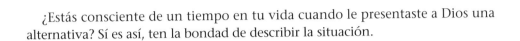

¿Estás consciente de una ocasión en tu vida cuando te amoldaste a la opinión general humana en vez de seguir tu guía? De ser así, por favor describe la situación.

Nota que no hay condenación debido a que hemos sucumbido a esa tentación. Recuerda, esta semana es para familiarizarnos con los modos de nuestros seres menores. Este conocimiento probará útil en el futuro.

Semana 29
Día 202

Rehúso creer que hay dos poderes en mi vida.

En la tercera tentación de Jesús, el diablo (el ser menor) Le ofreció los reinos y poderes de la tierra (Mt. 4:8–9). Todo lo que Jesús debía hacer era sucumbir y adorar, o dar poder, a Su ser menor. El Hombre de Nazaret rehusó y restableció la verdad de un solo poder en Su vida.

La tentación de creer en más de un poder es el reto más persistente de la humanidad. No sólo sucumbimos a la tentación, pero hemos llegado a creer en dos poderes. No ganamos nada con esta creencia —ciertamente no ganamos los reinos de la tierra. Para Jesús, la verdad fue clara. "De Jehová es la tierra y su plenitud; el mundo, y los que en él habitan" (Sal. 24:1).

Las palabras asociadas con esta tentación según anotadas en la Biblia son significativas. Todo fue ofrecido a Jesús si *sucumbía* y adoraba al diablo. Hubiera sido una caída de proporciones astronómicas si Jesús hubiera optado por gobernar el mundo en vez de Su propio ser. Rehusemos dar poder a algo en la tierra, o en nosotros, aparte de la presencia y poder de Dios.

¿Adoras otra cosa que Dios? (¿Qué crees tiene poder sobre ti?)

Haz una lista de esas personas o cosas que piden que *sucumbas* y las adores:

Cuando la tentación venga, declara: *Rehúso creer que hay dos poderes en mi vida.*

No resisto.

En este momento en nuestro crecimiento es importante no resistir. Nota en la historia de Navidad que Jesús, María y José no resistieron a Herodes. Ellos no dirigieron una rebelión armada en contra del rey. En vez de eso, la familia siguió la guía del Espíritu, y Herodes no hizo mal al niño.

Espiritualmente, la historia es sólida, porque el Cristo Niño es nuestra verdadera identidad. No la comprendemos plenamente aún, pero al Cristo *no se puede* hacer mal. Nada en la tierra tiene poder y dominio sobre el Espíritu.

Estamos empezando a despertar a lo que realmente somos. Sin embargo, al resistir nuestro ser menor, aplazamos el tiempo cuando nuestro ser divino se imponga y tenga su verdadero lugar en nuestras vidas. No debemos resistir.

Estamos naciendo espiritualmente, y los recién nacidos no luchan. Son demasiado jóvenes y frágiles. Por lo tanto, no resistamos. El no hacer resistencia ha sido un tema silencioso y callado para esta semana. Estamos familiarizándonos más con Herodes, nuestro ser menor, que se opone al descubrimiento de nuestra identidad espiritual. El Cristo que vive en nosotros asumirá su "trono" correcto con más rapidez si no resistimos la persona falsa que hemos creado. Por tanto, esta semana no resistimos, sino que nos volvemos conocedores de Herodes y sus modos. En el futuro, cuando se imponga, el resultado será que estaremos menos dispuestos a sucumbir a sus tentaciones.

¿Cuáles son algunas de las formas en que has estado resistiendo a Herodes? (He aquí varios ejemplos: una persona tiene un sentido de insuficiencia, por tanto, hace alarde de sus logros y está reacia a admitir sus faltas. O, tal vez, un individuo se pone a la defensiva cuando se le señalan faltas.)

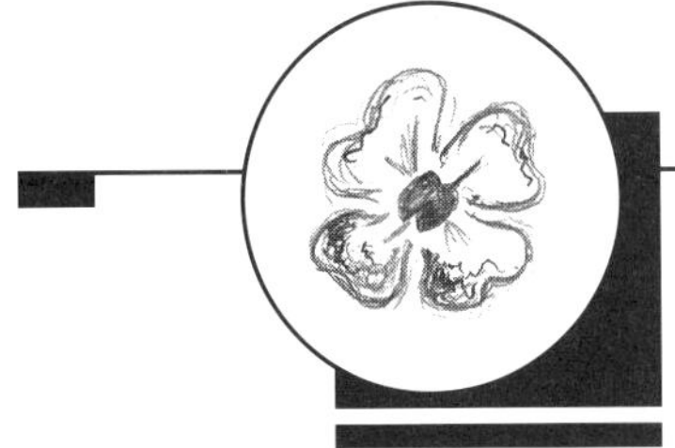

Semana 30
La batalla es de Dios

Poco después de comenzar cualquier viaje espiritual, puede que haya contienda. Nuestro ser menor, Herodes, resiste nuestro nacimiento espiritual, de modo que tiene lugar una rebelión. Por favor, comprende que el Cristo, la verdad de nuestro ser, no lucha. De hecho, la perturbación y resistencia que sentimos es el temor y preocupación del ser menor por la pérdida de su dominio. Durante estos tiempos, es bueno saber que la batalla no es nuestra; es de Dios.

Encontramos ese concepto en la historia de los hebreos cuando huían de Egipto y se preparaban para cruzar el mar Rojo. El ejército del Faraón estaba a punto de rodear a los hebreos, y éstos estaban temerosos. En esta situación, llegaron palabras consoladoras: "Jehová peleará por vosotros, y vosotros estaréis tranquilos" (Ex. 14:14). En una historia similar de un asedio a Jerusalén, Dios habló por medio del rey Josafat y dijo: "No es vuestra la guerra, sino de Dios" (2 Cr. 20:15). Esta es una declaración metafórica, porque Dios no lucha con lo que hemos creado: nuestro ego o identidad falsa.

¿Estás dispuesto a declarar tregua en la batalla con tu ser menor? ¿Estás dispuesto a desistir del intento de resolver el problema o hacer que las cosas mejoren? Por favor, comprende que puedes detener tus acciones, pero lo más probable es que el ego continúe con sus intenciones de salirse con la suya. Tal vez recuerdes la semana titulada *Estad firmes*. La verdad es: quien realmente eres no lucha con Herodes. Por tanto, debes cesar el intento de vencer tu ego. Hay otro modo.

Semana 30
Día 204

No lucho.

Cuando Jesús nació, Herodes creyó que perdería su reino y trató de destruir al niño. El miedo produjo dicha acción. Recuerda que Jesús y Su familia no trataron de derrotar o destruir a Herodes. De hecho, fueron guiados a ir a Egipto y esperar hasta que Herodes muriera.

Quien somos no lucha con el ego o ser menor; él espera, porque el ser menor es su propio enemigo. El se destruye a sí mismo. Por ejemplo, la conducta de un alcohólico es destruirse a sí mismo. En la mayoría de los casos, aun cuando la persona bebe, existe el deseo de una nueva manera de vivir. Ciertamente, esto ocurre por la mañana después de una noche de estar bebiendo. Este deseo de empezar de nuevo es el comienzo del final del ser menor.

Más bien que atacar el comportamiento y pensamiento negativos que nos atormentan, estemos receptivos para saber que somos hechos a imagen de Dios. Descubramos que somos seres espirituales. Esta nueva conciencia luego se manifestará al decir y hacer cosas específicas. Algo de la conducta limitativa del pasado cesará porque nuestras creencias han cambiado. Finalmente, Herodes perecerá, y el Cristo, nuestra verdadera identidad, empezará su gobierno de amor, paz y alegría.

Haz una lista de los comportamientos negativos que deseas cambiar:

1. ______________________________
2. ______________________________
3. ______________________________
4. ______________________________
5. ______________________________

De hoy en adelante, no trates de cambiar esos comportamientos. Has admitido esas limitaciones; ahora haz algo nuevo. Tu nuevo propósito es saber que eres un ser espiritual. Cuando este descubrimiento se profundice más en ti, encontrarás que el dominio de Herodes termina.

Donde sólo existe Dios, no hay batalla.

Por miles de años, hemos creído en dos poderes. La lucha entre la luz y la obscuridad domina nuestro mundo. Podemos ver esto en nuestras películas, leerlo en nuestros libros, mirarlo en nuestras pantallas de televisión todas las noches. Se nos ha prometido que con el tiempo el bien se impondrá y el mal dejará de existir. La humanidad ha creído esa historia desde que comenzó a buscar un mejor modo de vida.

Ahora se nos presenta un nuevo enfoque. La gente con vidas extraordinarias no participa en la guerra de la luz y la obscuridad. Cuando Jesús estuvo frente a Pilato, El rehusó hablar al procurador romano. Pilato respondió diciendo al rabí de Nazaret que él tenía autoridad para matarle. Jesús replicó: "Ninguna autoridad tendrías contra mí, si no te fuese dada de arriba" (Jn. 19:11).

Jesús vivió en un mundo donde Dios, el poder "de arriba", era el único poder. Podemos especular que Jesús no habló a Pilato al principio porque, ante un poder aparente, Jesús comulgaba con Su Padre. El estaba arraigado en la conciencia de una Presencia y un Poder. Cuando Dios es el único poder, no es necesario ser amenazado, o contender con gente y situaciones. Nuestro propósito es el contacto con el Espíritu. Rehusamos pelear, no porque somos cobardes, sino porque Dios es el único poder en nuestras vidas. La mayor parte de la gente estaría de acuerdo con este nuevo enfoque de la vida.

Este enfoque nos reta grandemente porque se opone a nuestra manera de pensar anterior. Sin embargo, la verdad es que él reta nuestra creencia en un mundo de dos poderes.

A medida que empiezas a estar receptivo a esta emocionante posibilidad, deja que tu palabra sea el comienzo. Tres veces durante el curso de este día, haz una pausa y considera la siguiente declaración al menos por diez minutos: *Donde sólo existe Dios, no hay batalla.* También, ten la seguridad de practicar los momentos monásticos al declarar: *Donde sólo existe Dios, no hay batalla.*

Semana 30
Día 206

No hay paz en la tierra.

No hay paz en la tierra. En este momento en la historia, la mayoría de la humanidad estaría de acuerdo con esa declaración, pero esas seis palabras son de mucho más alcance de lo que parecen ser. Podemos añadir que nunca habrá paz en la tierra. Este no es el punto de vista de una persona propensa a predecir desastres inminentes, sino de uno que ha redefinido la palabra *tierra*. En este caso, la tierra no es el planeta, sino la conciencia humana.

No puede haber paz en la conciencia humana, porque la paz no es su modo. La paz existe en Dios, en la conciencia espiritual; por tanto, debemos subir más alto y experimentar el reino. Aquí y solamente aquí encontraremos verdadera paz. Desde luego, hay otras clases de paz —la paz temporal creada por tratados, o la tregua en la familia, que existe hasta el próximo arranque de cólera— mas ésa no es la clase de paz de la cual Jesús habló cuando dijo: "Mi paz os doy; yo no os la doy como el mundo la da" [la paz que va y viene] (Jn. 14:27).

Considera la declaración: *No hay paz en la tierra*, y deja que te dé el don de saber que la paz no descansa en condiciones, sino en conocer a Dios. Cuando esto ocurre, cesarás de tratar de hacer que sucedan cosas que parecen traer paz mental. Esto es importante, porque tratar de hacer que la paz suceda llena la vida de contienda. Obviamente, una vez que hay paz interna, la paz en la tierra es natural. La gente que está en la conciencia espiritual *debe* vivir en un planeta de paz.

Por medio de la aceptación, subo más alto.

Subir más alto tiene un comienzo extraño: la aceptación. Es casi inconcebible creer que aceptar una situación es el primer paso a un nuevo modo de vida. Sin embargo, la aceptación no es derrotismo, porque no solamente aceptamos las situaciones, sino que aceptamos, también, la verdad de que Dios es el poder en nuestras vidas. La historia de Mesac, Sadrac y Abed-nego es un buen ejemplo de cómo la aceptación nos permite subir más alto.

En la historia anotada en el tercer capítulo de Daniel, estos tres hombres fueron echados dentro de un horno de fuego ardiendo porque rehusaron doblegarse al rey. Antes de entrar en el horno, los tres hombres hablaron con el rey, y él trató de intimidarlos al hacer el fuego siete veces más caliente que de costumbre. Era tan caliente que los que atendían el fuego murieron. Al rey, quien había preguntado cómo los hombres serían librados del horno, los tres hombres dijeron: "No es necesario que te respondamos sobre este asunto. He aquí nuestro Dios a quien servimos puede librarnos del horno de fuego ardiendo; y de tu mano, oh rey, nos librará. Y si no, sepas, oh rey, que no serviremos a tus dioses, ni tampoco adoraremos la estatua que has levantado" (Dn. 3:16–18). Mesac, Sadrac y Abed-nego aceptaron su muerte, pero también aceptaron la verdad de que Dios era el único poder en sus vidas.

Los hombres fueron echados al horno y permanecieron intactos. El rey y sus acompañantes luego vieron a un cuarto hombre andar en las llamas. Hay varias interpretaciones en cuanto a este cuarto hombre, pero esencialmente él era evidencia de la Presencia. Los tres hombres fueron liberados del fuego y sus ropas ni siquiera olían a humo.

Semana 30
Día 207
continuación

¿Qué crees permitió a los hombres aceptar su muerte? En un nivel puramente humano, entrar en un horno de fuego ardiendo resulta en la muerte, pero ¿qué ocurriría si Mesac, Sadrac y Abed-nego podían aceptar su destino terrenal porque se veían desde otro nivel? ¿Cuál es ese discernimiento que les permite a ellos y te permite a ti decir a un poder aparente: "Estoy en manos de Dios?"

Ten la bondad de escribir tu contestación abajo:

Durante la próxima semana, ¿qué es probable que encuentres que puedas enfrentar de mejor manera por medio de la aceptación y conciencia de que eres un ser espiritual?

Al llegar a un nivel más alto, veo quién soy.

La norma se desenvuelve. Primero, no resistimos. Luego, aceptamos. Humanamente, sabemos que hay numerosos problemas y situaciones que pueden vencernos, pero somos más que humanos. Ser humano es una condición, parte del plan divino que nos capacita a descubrir lo que somos.

Recuerda la historia del horno de fuego ardiendo en la cual los hombres aceptaron su situación humana, pero pusieron su fe en Dios. Su enfoque no fue en el problema o en encontrar una solución. Se dio atención al Espíritu (dar atención a Dios es subir más alto), y el cuarto hombre apareció.

Hoy es un día de aceptación, pero primero debemos dejar a un lado la resistencia o la inclinación humana de tratar de encontrar una solución al problema. Si alguna dificultad te reta hoy, aplica estos tres pasos en tu vida:

1. No resistir: No debemos intentar cambiar la condición o encontrar una solución.

2. Aceptación: Deja ir al aceptar tu condición humana. Las palabras siguientes podrían expresar este paso retador de la vida espiritual. *Si pierdo mi empleo, pierdo mi empleo. Si mi matrimonio termina, él termina.* Estas palabras tal vez parezcan derrotistas, pero encontrarás que liberan, porque ayudarán a liberar desde tu interior al "cuarto hombre": tu verdadera identidad que nunca muere y no puede ser derrotada.

3. Fe en Dios: Da atención a Dios en la oración y meditación más bien que preocuparte por el problema.

Semana 30
Día 209

Mi "protección" está en saber quién soy.

Los seres humanos creen en protección. Las armas nos mantienen seguros, o así creemos. Cerramos las puertas, y entrenamos a los perros para que nos protejan. Alguna gente tiene guardaespaldas. Pero en todo caso ha habido veces cuando el sistema falló, la gente sufrió daños y sus pertenencias fueron robadas o destruidas.

Realmente, nuestra protección está en saber quiénes somos. Como seres espirituales, no necesitamos protección. ¿Qué puede hacer daño a la imagen de Dios? A nuestros cuerpos se les puede hacer daño y en situaciones extremas el alma puede huir del cuerpo, pero la imagen de Dios permanece intacta. En verdad, nada y nadie sobre la tierra puede hacer mal a un ser espiritual.

La protección es una necesidad humana. El Espíritu no necesita protección. *Nosotros* no necesitamos protección. Por favor, recuerda que esta última oración es una expresión de la perspectiva de Dios de las cosas.

Indica cuatro cosas que pueden hacer daño a un ser humano:

1. ____________________

2. ____________________

3. ____________________

4. ____________________

Nombra una cosa que puede hacerte daño cuando estás consciente de quién eres:

____

Soy un ser espiritual. Nada puede causarme daño.

No es necesario defendernos o protegernos. Lo necesario es despertar a lo que somos. "Conócete a ti mismo" es la llamada del filósofo sabio. Cuando dejamos de recordar nuestra identidad espiritual, estamos en vías de hacernos daño.

Hay una historia maravillosa acerca de un hombre y una mujer que vivieron en Londres durante la Segunda Guerra Mundial. Al ser bombardeada la ciudad por la *Luftwaffe,* fuerza aérea alemana, esta valiente pareja trabajaba como vigilantes de fuegos, colocándose en las azoteas de las iglesias o en otros lugares altos. Mientras algunos huían a los refugios subterráneos, este hombre y esta mujer hacían su trabajo para el bien común de todos. Lo maravilloso fue que esta pareja nunca sufrió daño. Había destrucción por todas partes, mas su hogar permaneció intacto. Esta gente centrada en Dios no creía que ella era protegida y que otros sufrían daño. Vivían en una conciencia de la presencia de Dios, y en Dios no hay destrucción o caos.

Por favor, deja que las siguientes negaciones y afirmaciones te levanten durante tu tiempo de oración y meditación por la noche. Y luego espera. Comparto estas ideas con la esperanza de que te ayuden a permitir al Espíritu que te revele quién eres realmente:

No respiro aire.

No tomo agua.

No como alimentos.

Soy Espíritu.

El viento y la lluvia,

las piedras y las palabras duras

nunca me han afectado.

No tengo calor o frío.

No me ofenden o rechazan.

Soy Espíritu.

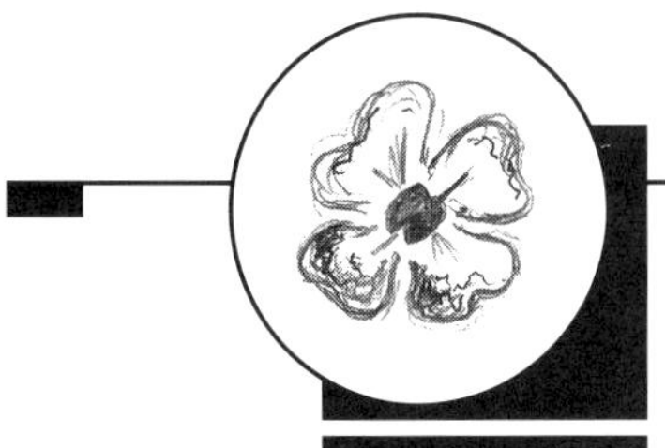

Semana 31

El eterno ahora

La sabiduría antigua dice que nuestro contacto con el poder está en el momento presente. Insistir en el pasado, aun en un pasado glorioso, es ser privados de poder. Mirar hacia el futuro, aun hacia un mañana mejor, sólo inhibe nuestra habilidad de experimentar el bien mayor que está presente ahora. La visión que trae esperanza no escudriña el futuro. Ella ve la plenitud del momento. La visión del futuro cree que ahora estamos desprovistos, mas promete un tiempo cuando nuestra copa estará llena. La visión del momento nos dice que nuestra copa se derrama.

Acaso hayas creído que te esperaba un bien mayor. Aun si el momento presente fue espléndido, tal vez no lo experimentaste completamente porque deseabas saber sobre el futuro. ¿Qué hay para mí más adelante?, quizás pensaste. La pregunta —*¿Y ahora qué más?*— envenenó el momento presente. Acaso había mucho que disfrutar en aquel momento, pero no lo disfrutaste totalmente porque tratabas de ver lo que había a la vuelta del recodo en el camino y te preguntabas lo que iba a suceder. En cuanto a nuestras vidas espirituales, profesionales, o nuestras relaciones, nunca hagamos la pregunta: *¿Y ahora qué más?* Esas palabras envenenan el momento y, también, tu futuro.

Semana 31
Día 211

Ahora es el único momento que tengo.

Hay un regalo que se ofrece por igual a todos. Lo que hacemos con el regalo determina el curso de nuestras vidas. Es más valioso que la joya más preciada. Es insustituible, porque una vez que se va, no vuelve. Cada día todo individuo recibe 86,400 unidades de ese "regalo". Llamamos a esas unidades *segundos* y a ese "regalo" *tiempo.* Lo que hacemos con cada momento pasajero determina las emociones que sentimos y los sucesos que nos ocurren.

Ahora es el único momento que tenemos. No hay discriminación con este ofrecimiento, porque todo hombre, mujer y niño recibe la misma cantidad del regalo. Nos toca a nosotros determinar la calidad de cada momento.

La actividad de hoy es simple, pero detallada. Calcula cuántos segundos pasas aproximadamente en cada una de las siguientes actividades:

1. Dormir ________segundos
2. Comer ________segundos
3. Leer ________segundos
4. Orar/Meditar ________segundos
5. Conversación significativa ________segundos
6. Trabajar ________segundos

En el momento, hay paz.

Había una vez un monje que era perseguido por dos tigres. El hombre llegó al borde de un precipicio y lentamente bajó sobre el abismo por medio de una enredadera que colgaba sobre el borde. Después de bajar por un breve tiempo, el monje miró hacia arriba y vio un tigre que se asomaba por el borde. El hombre luego miró hacia abajo y vio el segundo tigre que le esperaba en la base del precipicio. Mirando hacia arriba otra vez, el monje vio un ratón que mordiscaba la enredadera. La higuera no tardaría mucho en romperse, y el monje caería a su muerte. Luego él miró a la ladera del precipicio y notó que en ella crecían fresas salvajes. El arrancó una y se la comió.

La habilidad de vivir en el momento presente es el mayor don que recibimos cuando aceptamos completamente la preciosidad de cada segundo. Cuando vivimos en el eterno ahora, hay poder y paz.

Vivir en el momento, no importa lo que contenga, es usar sabiamente el regalo del momento. Hoy te pedimos que adquieras un sentido de cuán a menudo estás consciente del momento. Hay muchas tareas que hacemos automáticamente. Pensamos en otras cosas mientras las hacemos. Hoy te pedimos que hagas tres actividades que ejecutas normalmente, mas éstas han de hacerse conscientemente.

Las tres actividades son:

1. Lávate las manos.

2. Vístete.

3. Come.

¿Cómo son esas tareas diferentes cuando las haces conscientemente?

Semana 31
Día 213

Mis cinco sentidos me ofrecen el eterno ahora.

Vivir en el momento no es fácil. La vida parece tan apremiante que hacemos una cosa mientras pensamos en otra. A menudo estamos en el pasado o el futuro y debido a esto, la plenitud de la paz y el poder de Dios son inasequibles para nosotros. Además, los cinco sentidos nos proveen con un continuo suministro, y creemos que estos mensajes nos distraen de nuestro viaje espiritual. Es verdad que hay veces cuando los sentidos pueden distraer nuestra atención de lo espiritual, pero también nos ofrecen el eterno ahora.

Tal vez hayas notado que los mensajes de los cinco sentidos se reciben siempre en el momento. Los sonidos, por ejemplo, nunca se oyen en el pasado o en el futuro. El sonido es algo del presente. Podemos decir lo mismo de la vista, olfato, tacto y gusto. Tan intrigantes como los sentidos parecen ser, ellos también son la entrada al momento.

Haz una pausa por cinco minutos durante el día y escucha. Vive el momento con los sonidos que escuchas, y anótalos abajo:

Durante una comida, come tu fruta predilecta y saboréala verdaderamente.

Finalmente, cerca del anochecer, siéntate y observa por cinco minutos. ¿Qué ves?

Porque vivo en el eterno ahora, soy paciente.

La paciencia es una virtud, y se logra cuando consideramos que el momento es importante y lo vemos lleno de maravillas y posibilidades. La impaciencia llega cuando tratamos de vivir aun un segundo después del momento corriente.

Esperar en una fila parece causar impaciencia. Esto no es verdad. Las filas son filas. No son ni buenas ni malas. Sin embargo, las filas largas nos revelan lo apurados que vivimos. Más importante aún, ellas muestran que no vivimos en el momento, sino que intentamos vivir en el futuro. Nadie jamás ha logrado este acto de destreza.

Esperamos que el día de hoy incluya al menos una fila bastante larga. ¿Qué haces usualmente cuando estás en una fila?

Si eres bendecido con esperar en una fila hoy, por favor, acepta la oportunidad de estar en el momento. Emplea ese tiempo para comulgar con Dios. No pienses sobre tu próximo quehacer. Piensa en Dios.

¡Que encuentres el ahora eterno y la paciencia en la primera fila larga en que estés!

Semana 31
Día 215

Por medio de la oración y meditación, acepto el regalo del eterno ahora.

La oración, una experiencia de la presencia de Dios, no conoce el pasado o futuro. Sólo en el momento descubrimos al Todopoderoso, y luego estamos en un estado sin limitación de tiempo donde sólo existe Dios.

Sin embargo, en momentos de quietud esta conciencia no es la primera en llegar a nosotros. Durante estos momentos, los pensamientos e imágenes del pasado o los sentimientos de preocupación por el mañana a menudo dominan nuestras mentes. Pero por lo menos los pensamientos, imágenes y sentimientos son experimentados en el momento presente. Tal vez no nos guste su mensaje, o lo que ellos evoquen en nosotros, pero son nuestro primer encuentro con el ahora. Porque estamos conscientes de estar en el momento presente, estamos cerca del poder que Dios es: el poder de sanar.

Por medio de la oración y meditación, aceptamos el regalo del eterno ahora. Habrá unidad con el Espíritu, pero primero hay el pasado y futuro. El modo de curación es regresar repetidas veces a un momento lleno de Dios.

Durante tu tiempo de oración y meditación hoy, da atención consciente a los pensamientos. ¿Son éstos del pasado o futuro? No resistas los pensamientos. Simplemente obsérvalos e identifícalos. Luego vuelve al Espíritu con esta declaración, o con una similar: *No puedo encontrar a Dios en el pasado o futuro . . . sólo en el ahora.* Luego descansa y observa de nuevo el movimiento de tus pensamientos. Cuando tu mente se desvíe, regresa a la declaración.

El resultado de esta práctica es que pasamos más tiempo en el ahora. Somos pacientes naturalmente, primero con nosotros y luego con otros. Esto es un preludio a la práctica de la presencia de Dios.

Cada momento es dado, de manera que yo pueda descubrir mi unidad con mi Dios.

Hacemos mucho durante el curso de un día. Algunas veces vagamos sin orientación. Otras veces parece que estamos llenos de propósito, o por lo menos dirigidos hacia un objetivo. Debemos lograr algo, y nos dedicamos a la tarea a la mano. Estemos activos de esos modos, pero también recordemos el propósito del momento. El momento es dado, de manera que podamos descubrir nuestra unidad con nuestro Dios.

Cada momento, como la vida misma, es un regalo. Lo que haces con él determinará la calidad de tu vida. El discernimiento de hoy es inmensamente importante, porque nos dice el propósito del regalo del momento: descubrir nuestra unidad con el Espíritu. Hasta ocurrir esto, un momento fluirá al próximo. Pero finalmente, despertaremos, y el fluir del tiempo cesará. Todo lo que quedará es Dios.

Tu misión hoy es recordar por qué se te ha dado el regalo de cada momento. Durante el día, preestablece tres pausas. Por ejemplo, puedes elegir detener lo que haces a las 10 a.m., 3 p.m. y 7 p.m. Escribe abajo lo que parece que haces. Luego recuerda el verdadero propósito del momento.

Por ejemplo:

Tiempo	Tarea Corriente	Propósito
10 a.m.	Preparación del proyecto	Unidad con Dios

Semana 31
Día 217

Tengo presencia.

Tener presencia es tener todo lo necesario. Cuando hablamos con alguien que tiene presencia, sentimos que tenemos la atención total de la persona que nos habla. La gente que tiene presencia está tranquila durante los momentos llenos de tensiones. Para ella, no hay pasado o futuro. Su momento está tan lleno de Dios que no mira a un tiempo más favorable.

El ahora eterno es la fuente de la cual bebes de la presencia viviente de Dios. Hoy, repasa las lecciones de la semana pasada, y planea las actividades que te ayudarán a tener presencia. Anota éstas y si ellas trabajan para ti, porque tal vez quieras regresar otra vez a este ejercicio. Por favor, observa que cuando una persona tiene presencia, el don natural que emerge es una conciencia de la verdad del ser —¡lo que él o ella es!

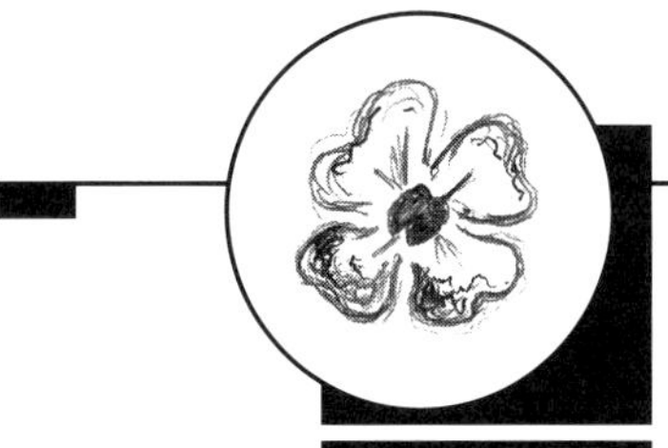

Semana 32
Fortaleza espiritual

¿Cómo podemos estar contentos antes de saber quién somos y lo que somos? En el pasado, tal vez no pensamos en nuestra verdadera identidad. Parecía obvio que éramos seres humanos viviendo sobre la tierra, trabajando y tratando de progresar. Luego, debido a algún suceso o persona, empezamos a preguntarnos sobre nuestro propósito y razón de ser. ¿Por qué estamos aquí? ¿Estamos aquí simplemente para vivir y morir? ¿No hay nada que perdure? ¿Qué somos? ¿Quiénes somos?

El descontento divino y las preguntas nos inician en el viaje espiritual. Sabemos intelectualmente que somos seres espirituales y vivimos en un universo espiritual gobernado por leyes espirituales; sin embargo, comprendemos que esta clase de "conocimiento" no es suficiente. Debe haber revelación, y esto requiere fortaleza espiritual. Debemos persistir en nuestro trabajo hasta que se nos revele quiénes somos. Esto ha sucedido a otra gente; un despertamiento espiritual es nuestro destino también. Las fuerzas espirituales están activas hoy para manifestar el descubrimiento de nuestra verdadera identidad. Más allá de este descubrimiento está el propósito.

¡Persistamos hasta nacer de nuevo!

Semana 32
Día 218

Tengo una elección. Puedo desistir o puedo seguir.

La fortaleza espiritual es la habilidad de persistir y perdurar. Podemos persistir en nuestros esfuerzos por lograr un diploma de escuela superior o un grado universitario o alcanzar algún otro objetivo. Sin embargo, tenemos elecciones. Podemos desistir, mas esto nos desalinea con la fuerza natural y la dirección del universo. O podemos continuar. Nuestra vida es eterna y sin fin. La persistencia y perduración son parte de nuestra identidad.

Cuando nos rendimos, negamos lo que somos realmente y, sin embargo, desde la perspectiva humana, llegamos al punto donde creemos que no podemos seguir. Todos hemos desistido en algún momento en el pasado. Ha habido prisioneros de guerra que han vivido bajo gran coacción, con la constante amenaza de represalia, sometidos a constante tortura. Aparentemente, estos desafortunados prisioneros no lograron encontrar la fortaleza espiritual que estaba en ellos, y desistieron. Mas esto no fue verdad. Ellos tal vez desistieron por un tiempo, pero luego encontraron la fortaleza en sí mismos para continuar.

El punto no es desistir. Como seres humanos experimentamos adversidades tan grandes que nos detenemos momentáneamente. Esto es normal, pero dejemos que la norma de nuestras vidas sea la persistencia. De este modo, expresamos fortaleza espiritual, y descubrimos más de los recursos humanos.

Dios persiste con nosotros, y nuestra fortaleza encuentra su expresión más elevada cuando se vuelve hacia Dios. Descubriremos cuán retador es darnos a la búsqueda del Infinito. El deseo de conocer a Dios y descubrir nuestra identidad espiritual requiere gran persistencia. Algunos días nos sentiremos fuertes en este propósito, y otros días ni aun recordaremos que hemos hecho este compromiso. Sin embargo, dejemos que la tendencia general de nuestras vidas sea ésta: no abandonar a Dios, porque Dios no nos abandona.

Escribe abajo un pacto que expresa tu disposición para persistir en todos los asuntos humanos así como tu deseo de conocer a Dios.

Ahora abrevia tu pacto en una oración que puedas aprender de memoria y usar para ayudarte a "seguir".

Semana 32
Día 219

La persistencia me ayuda a descubrir mis recursos internos.

La fortaleza física es un resultado del esfuerzo humano y la repetición en los cuales los músculos del cuerpo se someten a tensión. Para enfrentar el reto, los músculos crecen en poder. Pronto la persona puede levantar mayores y mayores pesas y hacer tareas que requieren mayor fortaleza física. Aun en este asunto terrenal, se descubren recursos humanos. El hacer ejercicio requiere persistencia, de modo que los músculos puedan crecer.

Por la misma razón, la fortaleza espiritual es un resultado del ejercicio de los "músculos" espirituales. La fortaleza espiritual abre la puerta al reino de Dios.

Piensa en algo que has querido lograr, pero que no lo has conseguido. Por ejemplo: un asunto terrenal como obtener un diploma, o aprender alguna destreza. Escríbelo abajo:

Ahora empieza de nuevo y persiste con una nueva comprensión. El regalo que has de recibir excede por mucho el logro de la meta. Por medio de tu persistencia, la puerta del reino de Dios se abre, y descubres mayor conocimiento de *quién* eres y de *lo que* eres. Regresa a este día en un futuro cercano, y escribe tu descubrimiento:

Doy un paso más.

Jim States, un alpinista que llegó a la cima del monte Everest, el pico más alto del mundo, cuenta la historia de un ascenso muy alto en el cual se sintió inmensamente cansado. El respiraba profundamente, afirmaba su fe en Dios y daba cuatro pasos. El repitió este proceso por horas. No solamente Jim subió a la cumbre, sino que ascendió a nuevas alturas al descubrir una mayor fe en Dios.

Recuerda la frase: *Doy un paso más*. Este es el modo en que las montañas se escalan, la manera en que la vida se vive. A medida que persistes, puedes añadir otro factor: fe en Dios. Al enfocar tus quehaceres de este modo, reconoces que el Espíritu es la fuente de tu fortaleza. Esto ayuda a revelar *quién* eres y *lo que* eres.

Semana 32
Día 221

No persisto por medio de la voluntad humana.

No persistimos por medio de la voluntad humana. Determinamos permitir al Espíritu hacer la obra. Nuestra persistencia estriba en dejar ir y dejar a Dios actuar. El resultado de la persistencia humana es el agotamiento, mientras que la persistencia del Espíritu a través de nosotros guía a sucesos extraordinarios que dan gloria a Dios. Estos actos de fortaleza y logro son tan dramáticos que movemos la cabeza con incredulidad, pero nos damos cuenta a la misma vez que lo sucedido es posible para todos.

Por ejemplo, casi todos los años se publicará en un periódico una historia parecida a la que vamos a narrar más adelante, sobre una mujer que realizó una gran proeza de fortaleza. Su esposo alzó con un gato un vehículo y trabajaba debajo de éste; el auto se deslizó del gato atrapando al hombre debajo de él. La esposa, que trabajaba en la casa, oyó los apagados lamentos de su esposo y fue a ver lo que ocurría. Vio a su esposo aprisionado debajo del carro. Sin titubear un instante, se dirigió a él y levantó el auto. No le importó lo que le sucediera a ella y, por tanto, la fortaleza espiritual la capacitó a hacer lo "imposible".

La voluntad humana no puede lograr tales cosas. ¿No te parece raro que un levantador de pesas tal vez no pudiera levantar el carro, pero una mujer de 90 libras pudiera hacerlo rápidamente y sin pensar? Esto es evidencia de los recursos que están en nosotros y la importancia de poner a un lado la voluntad humana.

Describe un ejemplo extraordinario como el que damos en la lección de hoy. Si no viene a tu memoria una historia, está alerta a una en el futuro, y cuando la descubras, regresa a este día y describe brevemente lo que ocurrió. Quizás sea una historia acerca de ti.

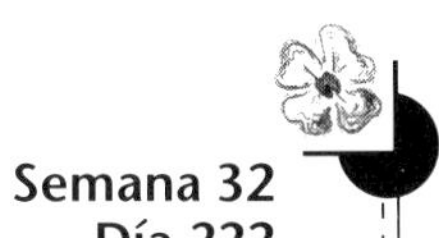

Mi persistencia es dejar que el Espíritu haga Su voluntad conmigo.

El Espíritu nos ha dotado de muchos talentos, habilidades y recursos. Estos pueden ser empleados a pesar del estado de conciencia en que estamos. Por ejemplo, podemos persistir con gran determinación en esfuerzos atléticos o artísticos. Un músico alcanza éxito de la noche a la mañana después de veinte años de tocar para públicos pequeños y a menudo desagradecidos.

Podemos continuar firmemente y perseverar en hacer nuestra voluntad, mas esto es obstinación. Llega el día cuando liberamos y devolvemos gustosamente el don de fortaleza al Espíritu. Nuestra persistencia finalmente se aparta de la tierra y se vuelve hacia Dios. Lo terrenal acaso requiera que continuemos, pero el sendero espiritual y la búsqueda de Dios requieren aún mayor persistencia.

Ese es uno de los grandes retos de una vida espiritual. Si hemos tenido éxito de un modo humano y logrado muchos de nuestros objetivos terrenales, por lo general pensamos que somos listos y capaces de "hacer que las cosas sucedan". Es posible alcanzar metas terrenales y lograr mucho sin lograr a Dios. Finalmente, los métodos humanos deben ser abandonados. Nuestra persistencia ya no es hacer nuestra voluntad, sino dejar que el Espíritu haga la Suya con nosotros.

Lleva esta idea a la oración y meditación hoy: *Persisto en dejar al Espíritu hacer Su voluntad conmigo.*

Semana 32
Día 223

La fortaleza yace en el Espíritu, no en mí.

La fortaleza espiritual, la habilidad de persistir y continuar, es innata en todos nosotros. Llenamos dos requisitos al hacer surgir la fortaleza espiritual. El primero es que debemos estar dispuestos a levantarnos cuando nos hemos caído; debemos dar un paso adicional cuando estamos cansados y no podemos ver cómo podemos llegar a la cima o lograr el objetivo. "Un paso más" es una frase clave cuando enfrentamos los retos de la vida. Segundo, la energía que gastamos no debe ser sólo para nosotros, sino para el bien común. La fortaleza, como todas las cualidades del Espíritu, se expresa cuando es de ayuda a otra gente. Al entrar en la conciencia de "un paso más" y servicio a otros, la puerta del alma se abre, y la fortaleza que siempre ha sido una parte de nosotros es liberada al mundo. Cuando ocurre esto, no debemos llamarla nuestra, porque esto cerrará la puerta. Recordemos, ella es la actividad del Espíritu.

Empezamos a aprender quiénes somos. Respondemos a la llamada de conocernos a nosotros mismos. Un ser espiritual iluminado es un portal abierto por medio del cual el Creador se expresa y puede ser una bendición. Obviamente, cuando Dios se expresa por medio de uno de nosotros, esa persona es bendecida. Tenemos la tendencia de considerar a la persona como especial y, en cierto modo, él o ella es extraordinaria, porque Dios "aparece" donde esa persona está. Sin embargo, no alabemos la ventana por la cual vemos la belleza del universo; alabemos la belleza que contemplamos. La fortaleza espiritual es sólo una de las "vistas" maravillosas que podemos ver.

¿Qué te ha enseñado la lección de hoy respecto a *quién* y *lo que* realmente eres?

Cuando soy fuerte espiritualmente, conozco mi naturaleza espiritual.

Nunca debemos temer al mundo y sus mortificaciones y tribulaciones. Hay en nosotros la fortaleza para sobrellevar todas las cargas. Es importante comprender que la fortaleza está presente ahora. No la recibimos de otra gente, o de drogas, o de ninguna cosa terrenal. La fortaleza, la habilidad de persistir y de seguir sin rendirnos, es parte de *quiénes* somos.

La fortaleza es más que la habilidad de escalar montañas o de alcanzar objetivos, aunque puede aplicarse de esos modos. De hecho, así es cómo la mayor parte de nosotros llegamos a familiarizarnos con la fortaleza. Pero el día llega cuando persistimos en nuestra búsqueda de conocer a nuestro Dios. A medida que continuamos, encontramos que la fortaleza es una hebra en la textura de nuestro ser.

¿Qué harás para ayudar a abrir el portal de tu alma, de manera que la fortaleza espiritual pueda ser expresada? El proceso es similar a cebar la bomba que estaba en el patio del abuelo. El agua era derramada en el pozo, de modo que una abundancia pudiera subir de una fuente honda y escondida. En este caso mostramos fortaleza, la cual provee un medio para mayor fortaleza para hacer cosas que aún no hemos soñado hacer. Por tanto, la pregunta permanece . . . ¿qué harás para cebar la bomba?

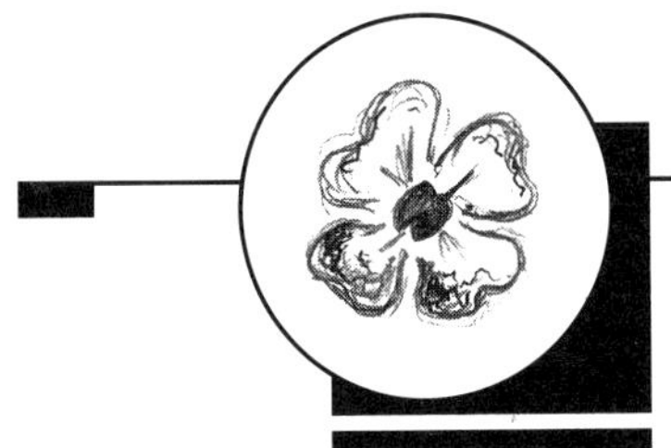

Semana 33

Soy perfecto

Cuando pensamos en nosotros como humanos únicamente, hay muchas cosas que aparentemente carecemos. Nunca hay bastante dinero. Tenemos amor por un tiempo, y luego se va. La buena salud es nuestra, y entonces la enfermedad viene.

La manera en que pensamos sobre nosotros mismos determina muchas de las experiencias de nuestras vidas. ¿Cómo sería la vida si creyéramos que fuimos hechos a imagen y semejanza de Dios? No seríamos solamente seres humanos limitados por el tiempo y las circunstancias; seríamos seres espirituales.

Durante esta semana, daremos atención a la verdad de que somos seres espirituales. No sólo habrá revelaciones en cuanto a nuestra totalidad en Dios, sino un llamado para vivir una semana como si fuéramos de lo alto más bien que de lo bajo.

Semana 33
Día 225

No carezco de nada.

¿Carece el Espíritu de algo? ¿Tiene Dios una necesidad insatisfecha? No, el Creador es la satisfacción de todo deseo. Como seres espirituales e hijos del Creador, ¿carecemos de algo? Tal vez creamos que carecemos, pero no es así. Somos como el hombre que ha disfrutado de una buena cena en un restaurante magnífico y no encuentra su cartera. Lo menos que él piensa es que su dinero está en el bolsillo de su abrigo. Dios es totalidad, y así somos nosotros.

Nuestro problema básico tiene dos aspectos. Creemos que hay cosas cruciales que carecemos, y creemos que el mundo puede satisfacerlas. El dinero nos traerá seguridad y respeto. La instrucción nos hará sabios. La gente confirmará nuestra importancia, propia estimación y valer. La verdad es: la seguridad no es el resultado de tener empleo y dinero. Muchos expertos en un campo particular se conocen poco a ellos mismos y conocen poco a otra gente. Miles adoran a algunos individuos y éstos aún pierden sus vidas.

¿De qué careces? Enumera tres cosas:

1.______________________________

2.______________________________

3.______________________________

Tal vez parezca que careces esas cosas, pero ¿estás dispuesto a considerar que no careces de nada? Para llevar esta idea hacia mañana, continúa con estas palabras durante el día: *Lo que creo carecer, eso soy.*

No necesito ser sanado.

Hoy examinaremos un aspecto específico de la necesidad humana en el cual nos consideramos humanos y creemos que hay algo que carecemos. ¡Ojalá lleguemos a saber que eso no es verdad!

Cuando creemos que somos simplemente seres humanos, estamos sujetos a gérmenes, viruses y una variedad de enfermedades humanas. ¿No es extraño que algo tan pequeño como un germen pueda ejercer poder y dominio sobre nosotros? En esto está la clave de nuestra salud perfecta. Dios nunca se enferma, y tampoco nosotros. En verdad, nunca hemos estado enfermos y nunca lo estaremos. Las bacterias y los víruses no tienen dominio sobre nosotros. Este es el punto de vista de un ser espiritual.

Tal vez seas retado por este modo de pensar. Este será el caso para muchos lectores, mas la confusión presente es el comienzo de la revelación. Si hay confusión e incredulidad, es porque creemos que somos humanos. Tenemos un cuerpo por un tiempo, mas nuestra progresión es espiritual.

Empecemos a creer que gozamos de perfecta salud. Charles Fillmore, el cofundador del movimiento Unity, dijo: "No hay nada que sanar, sólo algo que saber". Hay muchas interpretaciones de esta declaración, mas la idea central es que somos seres espirituales, que no estamos enfermos y nunca lo estaremos. Cuando el Espíritu nos revele esto, el mundo acaso diga que estamos *curados*, pero simplemente estamos *expresando nuestra perfecta salud.*

No juzgues por las apariencias. La perfecta salud no es una función del cuerpo. En el Espíritu somos tan perfectos cuando estamos cerca de la muerte como cuando nacimos. El cuerpo no determina nuestra perfección. ¡Gozamos de perfecta salud ahora y eternamente! Despertemos a esta verdad. Al entrar en la conciencia de un ser espiritual, las necesidades terrenales se cumplen sin hacer de ellas el objeto de nuestra existencia, o sin considerarlas. La declaración de hoy es: *No necesito sanarme.* ¿Por qué es esta declaración verdadera?

No respiro aire.

Continuemos pensando que somos seres espirituales. Considera la siguiente serie de afirmaciones:

No respiro aire.

No tomo agua y no como alimentos.

Nunca tengo frío. El calor no me afecta.

Nunca he usado ningún tipo de droga.

El escalpelo del doctor nunca me ha tocado y nunca me tocará.

En un sentido terrenal respiras siempre. Te alimentas. Tal vez tu cuerpo haya tenido cirugía en el pasado. Sin embargo, las afirmaciones anteriores son aún verdaderas desde la posición ventajosa del Espíritu.

Deja que esas palabras sean como semillas para tu oración y meditación hoy. Háblalas, y luego déjalas ir. Quizás ellas "ceben la bomba" y otros discernimientos surjan desde tu interior. Además, según haces tus quehaceres durante el día, observa cuántas de tus afirmaciones reflejan la creencia de que eres un ser espiritual y cuántas se basan en la creencia de que eres un ser humano.

Por ejemplo, si hablas de evitar estar con una persona porque él o ella está enfermo o enferma, consideras que eres un ser humano que puede pescar un resfriado de alguien. Cuando estás en la conciencia del Espíritu, ninguna bacteria o virus puede afectar lo que realmente eres. ¿Cómo puede una cosa terrenal afectar el Espíritu? Por favor, escribe abajo y en la siguiente página todo pensamiento, declaración o creencia que se vuelva obvio durante el día:

Soy perfecto.

Si hemos de vivir una vida espiritual, debemos abandonar la búsqueda en lo externo (es decir, fuera de nosotros) como si no tuviésemos los recursos y habilidades necesarios para encontrar felicidad. La idea *Soy perfecto* niega esa mentira y nos señala que dentro de nosotros encontramos todo lo necesario. El mundo es fascinante y parece el lugar donde las necesidades se pueden satisfacer, mas esto no es verdad. Somos seres vastos y abundantes porque el reino del cielo está en nosotros.

Nuestra perfección se nos ha de revelar. Algunas veces ocurre esto cuando buscamos algo en el mundo y hasta parece que lo logramos, mas el lograrlo no provee el gozo que creímos que traería. Por ejemplo, podemos casarnos con la persona de nuestros sueños y tener felicidad por un tiempo, pero luego descubrimos que el amor ya no es parte de nuestras vidas aunque permanezcamos casados con la persona. El amor que buscamos está realmente dentro de nosotros.

Supongamos que la siguiente afirmación es verdadera: Somos perfectos. ¿Cómo, entonces, vivimos nuestras vidas diarias? Cuando nos sentimos no amados, inseguros, ignorantes, achacosos . . . ¿qué hacemos? En el pasado, nuestra primera reacción fue acudir a otra persona por amor, tratar de hacer más dinero para sentirnos seguros, pedir a una persona sabia que nos diga qué hacer, ingerir una medicina o ir a un doctor. Estas acciones se fundan en la suposición de que nos falta lo que deseamos. Ahora tenemos otra premisa. Somos perfectos; por lo tanto, nuestras acciones deben ser distintas. Nuestro propósito es abrir la puerta del alma, de modo que el amor, la sabiduría, la seguridad y la vitalidad puedan expresarse.

El esplendor de la verdad de nuestro ser es demasiado grande para comprenderse intelectualmente. Solamente el Espíritu puede revelar las maravillas de nuestra perfección. Por lo tanto, nuestro primer paso es aquietarnos, estar receptivos a la conciencia de Dios, cebar la bomba al hablar la verdad de nuestra perfecta salud, y esperar. De la quietud llegará la revelación de nuestra perfección y con ella las cosas terrenales que debemos hacer. El proceso es simple; sus aspectos más retadores son: cambiar nuestra motivación a un deseo por el Espíritu y esperar.

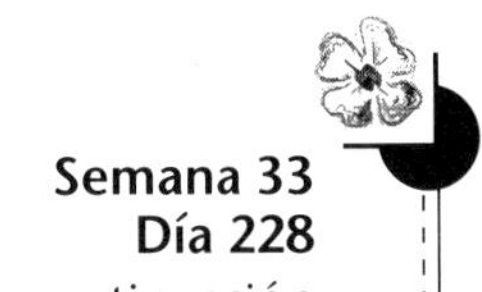

Esta sección de *Una guía diaria para vivir espiritualmente* se llama *"Conócete a ti mismo"*. Las ideas de oración y meditación que aprendiste en la sección anterior, *"El viaje interno"*, ahora se vuelven instrumentos diarios para la transformación y revelación. Hoy, no hay nada específico que debas hacer, mas se te da un reto. Recuerda, ésta es una guía diaria para la vida espiritual. Es el momento de no sólo hablar, sino de actuar. Cuando te encuentres creyendo que careces de algo, recuerda que gozas de perfecta salud, y aventúrate a tu interior en la manera que esbozamos previamente. Allí descubrirás que eres un ser espiritual, capaz de hacer mucho.

Semana 33
Día 229

Soy Espíritu.

Haz una lista de lo que crees que el Espíritu es. La Biblia dice que Dios es amor. Es obvio que Dios es, también, vida. Sé lo más inclusivo que puedas.

La simple lógica unida a la verdad de que somos hechos a imagen y semejanza de Dios declara que lo que Dios es, nosotros debemos ser. ¿Podría haber limitación a tal ser? Y aun así, no nos enamoremos de nosotros mismos demasiado, porque sin nuestro Dios nada podemos hacer de importancia.

No tengo necesidades.

Los niños en nuestra sociedad aprenden rápidamente que el dinero es necesario para la existencia humana. Al cambiar dólares y centavos por mercancías, las necesidades son satisfechas. Cuando nos consideramos como meramente humanos, tenemos necesidades. Sin embargo, cuando comprendemos que somos seres espirituales, no tenemos necesidades. De hecho, Tomás Merton, un monje del siglo veinte, dijo que un hombre rico no tiene necesidades. El señor Merton no hablaba de riqueza financiera y la habilidad para comprar cualquier cosa que una persona desea. El hablaba sobre un estado de conciencia en que no hay deseos y, por lo tanto, no hay necesidades.

David, quién escribió el Salmo 23, sintió la presencia de Dios y entró en el estado de ser donde no hay necesidades. "Jehová es mi pastor; nada me faltará" (Sal. 23:1). Los seres espirituales no tienen necesidades humanas. Son ricos en espíritu y no tienen deseos. La satisfacción más bien que la inquietud llena sus almas.

Si estuvieses en el estado de conciencia donde "nada te faltara", pero gradualmente perdieras esa satisfacción y alegría, ¿cuál sería la razón probable por la pérdida, y cómo regresarías al Pastor? (Puedes encontrar las respuestas posibles en la próxima página.)

Semana 33
Día 230
continuación

Respuestas posibles:

Perdemos gradualmente la riqueza de la presencia de Dios cuando damos atención a las cosas y placeres del mundo. Mantenemos perfecta paz cuando nuestras mentes permanecen en Dios. "Tú guardarás en completa paz a aquel cuyo pensamiento en ti persevera" (Is. 26:3).

Podemos comenzar nuestro viaje a la casa del Pastor al "cebar la bomba" con las palabras: "Jehová es mi pastor; nada me faltará". Es también importante no llevar los deseos terrenales a nuestros momentos de quietud. El deseo por Dios es el único deseo del alma que será satisfecho.

Sirvo a otros de mejor modo al saber que ellos son perfectos.

Tal vez no nos veamos perfectos, pero esto se debe a que no vemos claramente. Realmente, no podemos ver la perfección por medio de nuestros ojos; la visión llega por medio de la revelación del Espíritu. No hay imagen o forma que pueda describir nuestra perfección. Cuando visualizamos a los inválidos andar, no vemos a esas personas gozar de salud perfecta. En vez de eso, debemos saber que esas personas gozan de perfecta salud aun si ellos o ellas nunca caminan de nuevo. La perfección no tiene nada que ver con caminar; ella es un paso más profundo hacia el reino de Dios.

Cuando percibimos la salud perfecta de otra gente, las aceptamos como son. Jesús hizo esto, y las masas Le amaban. El no trataba de cambiarlas, pero cuando la gente venía a El deseando ser sanada, Su conciencia de perfección a menudo se manifestaba como una mente o un cuerpo restaurado. Esto no debemos olvidar. Una conciencia de perfección, como cualquier otro estado mental, se manifestará, y cuando lo hace, los inválidos caminan y los ciegos ven.

Realmente, es importante no tratar de hacer nada con la otra persona. Usualmente, lo que tratamos de hacer es corregirla. Si él o ella goza de perfección, ¿hay algo que deba ser cambiado? No. Mantengamos nuestra conciencia de perfección. En maneras que investigaremos en otra ocasión, la gente recibirá ayuda.

¿Hay alguien en tu vida que parece que necesita cambiar? Si ves a esa persona de ese modo, no la ves perfecta. Sin embargo, es importante que no trates de compartir estas ideas con la otra persona. Recuerda, la persona es perfecta —¡AHORA! Tú eres el que tienes la visión nublada, por tanto, "ponte tus alas" y "ceba la bomba", de modo que una vez más sepas la verdad del ser. Esta conciencia de Dios luego hará la obra de Dios. De ningún modo trates de dirigir o enfocar Su obra.

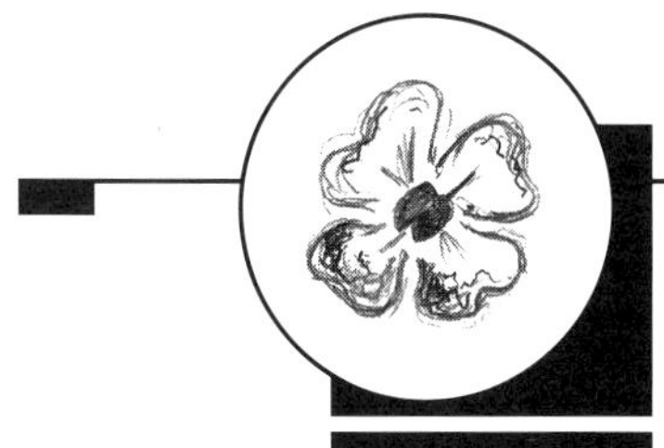

Semana 34

No juzgo por las apariencias

Qué fácil es juzgar por las apariencias. Estemos conscientes, sin embargo, de que los sucesos terrenales, las cosas físicas y la gente no cambian o alteran la creación de Dios. Vemos los sucesos, las cosas y la gente, pero es lo que percibimos o creemos lo que atribuye significado a lo que vemos u oímos. Los cinco sentidos sirven de criados. Los criados no gobiernan la casa ni dicen al dueño lo que debe creer o lo que es verdadero. Los criados proveen los hechos. El dueño hace lo que quiere con los hechos.

El juzgar por las apariencias no es un asunto de ver y oír. Es un asunto de seleccionar a quién oiremos y quién será la autoridad en nuestras vidas. A los cinco sentidos, decimos: "Gracias por hacer su trabajo y mostrarme el mundo, pero yo determinaré el hecho o suceso que refleje la verdad del ser".

En la mayor parte de las comedias, el humor ocurre debido a que algo está sucediendo, pero alguna gente cree que algo completamente diferente está ocurriendo. Por ejemplo, un esposo oye por casualidad una conversación y supone que él y su esposa van a tener un niño. El está lleno de alegría y espera que su esposa le dé la feliz noticia. Mientras él espera, empieza a tratar a su esposa de una manera diferente. La verdad es que ella no va a tener un niño y no puede comprender por qué su esposo es tan atento con ella. Imagina lo que se divertiría un escritor con un guión como éste.

¿Puedes pensar en una situación en tu vida en la que, debido a las apariencias, supusiste que una cosa era cierta, o que algo sucedía, pero no fue así? Por favor, da una descripción breve de la situación:

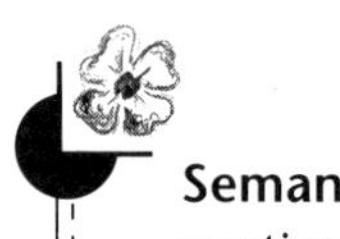

Semana 34
continuación

He juzgado por las apariencias.

Toda persona que se ha divertido con un mago ha juzgado por las apariencias. El mago muestra al público una caja vacía y pide que un voluntario confirme que ella está vacía. Todos están de acuerdo, y el truco empieza. La verdad es que la caja parece vacía, pero no lo está. Una cosa es ser engañado por un mago; disfrutamos la sorpresa que sentimos cuando el conejo aparece. Sin embargo, pocas personas disfrutan ser engañadas por la vida.

Parte de nuestro juicio se basa en nuestros cinco sentidos. Casi toda persona que conduce un vehículo se ha detenido en un semáforo y de pronto da un frenazo brusco porque creía que su auto rodaba hacia la intersección. Realmente, el carro de al lado retrocedía. Hay muchos ejemplos de nuestra mala interpretación de la información sensoria.

Da un ejemplo de una ocasión cuando juzgaste falsamente por las apariencias:

Semana 34
Día 233

Lo que se ve es hecho de lo que no se ve.

Puede parecer que nuestros sentidos nos proveen de información falsa, pero la verdad es que nuestra interpretación de los datos causa el problema. Los sentidos hacen lo que se supone que hagan. Hagamos nosotros lo que se supone que hagamos: juzgar correctamente.

El mundo contiene mucha belleza, pero no es el lugar para encontrar significado y sabiduría. Hemos de estar en el mundo, pero no ser de él. En Hebreos 11:3 está escrito: "Lo que se ve fue hecho de lo que no se veía". La ciencia moderna confirma que esto es verdad. Hasta los niños escolares aprenden que la materia se hace de moléculas y átomos invisibles. Charles Fillmore llevó esto un paso más cercano al Creador al escribir en *Curación cristiana*: "El punto inicial de toda forma en el universo es una idea, pero las ideas dirigen a la humanidad a la acción".

Si hemos de conocernos y tener vidas significativas, debemos ir más allá de la forma que vemos y hacer nuestro trabajo en el reino de las ideas. Cuando respondemos a ellas, entonces no somos embaucados por las apariencias.

La idea de libertad ha sido la fuerza motivadora a través de la historia de la humanidad. Enumera cuatro ejemplos que se han realizado debido a que alguien ha respondido a esa idea poderosa:

1. ______________________________
2. ______________________________
3. ______________________________
4. ______________________________

La realidad de la vida no puede verse.

Podemos ver y sentir el cuerpo, pero ¿quién puede sostener la vida en su mano? Podemos hablar palabras suaves, tiernas y amorosas, pero ¿puede cualquier sonido llevar la plena maravilla del amor y su mensaje? Los estudiantes pueden conocer la sabiduría de las edades y aprender los discernimientos que han transformado a incontables miles de personas y aún permanecer no tocados por las ideas que conmueven a la persona sentada cerca de ellos.

Será mucho más fácil dejar de juzgar por las apariencias cuando comprendamos que los asuntos de consecuencia están más allá del alcance humano. Cuando empezamos nuestra búsqueda de las cosas no vistas, miraremos con mayor facilidad más allá de las apariencias y podremos contemplar el infinito.

Nadie puede conocerse mientras el mundo y sus apariencias motiven el alma a la acción. Por favor, considera las declaraciones siguientes, y empieza a hacerlas tus compañeras para el viaje.

La realidad de la vida no puede verse.

No juzgo por lo que veo, oigo y siento.

El mundo y sus apariencias no significan nada para mí.

¿Qué ideas crees que están "detrás" de los siguientes sucesos?

1. La Revolución Americana ______________________
2. El perdón ______________________
3. Un cuerpo sano ______________________
4. Un nuevo empleo ______________________

Contestaciones posibles:
1. Libertad
2. Amor y dejar ir o liberar
3. Vida y gozar de salud perfecta
4. Seguridad

Semana 34
Día 235

Yo doy a César.

Es verdad que la realidad de la vida no se puede ver, oír o sentir. Ella es del Espíritu y está más allá de los cinco sentidos. Sin embargo, no debemos ser tan celestiales que no sirvamos para nada. De hecho, hemos de dar ayuda aquí y crecer en la comprensión de las "cosas que no aparecen". Vivimos en un mundo tridimensional, pero podemos vivir nuestras vidas terrenales con la comprensión y convicción de la realidad del Espíritu.

Hay un episodio maravilloso en la vida de Jesús cuando los fariseos (uno de los grupos religiosos del tiempo de Jesús) Le plantearon lo que ellos creían era una pregunta incontestable: "¿Es lícito dar tributo a César, o no?" (Mr. 12:14). Sin duda, el pueblo había hecho la misma pregunta a sus líderes religiosos. Si los fariseos decían no, entonces los soldados romanos los encarcelarían o los ejecutarían por alentar al pueblo a rehusar pagar sus impuestos. Si decían sí, la gente rechazaría a los clérigos porque los judíos odiaban la dominación romana.

Cuando a Jesús se le hizo la pregunta, pidió una moneda para verla. Se Le trajo una moneda romana y, después de preguntar de quién era la inscripción en la moneda (era la de César), Jesús dijo: "Dad a César lo que es de César, y a Dios lo que es de Dios" (Mr. 12:17). El equilibrio es necesario en nuestras vidas. La tierra, la gente y los sucesos son parte de la existencia humana. Se nos han dado cinco sentidos para saber lo que sucede a nuestro alrededor, pero también se nos ha concedido sabiduría para comprender la verdad que nos libera.

Una buena pregunta cuando confrontamos una situación difícil es: ¿Cuál es la verdad acerca de esto? Lo que aparece puede volverse como Goliat, mas una idea invisible que comprendemos liberará fuerzas espirituales que transformarán cualquier experiencia terrenal.

¿Qué situación en tu vida te reta ahora?

¿Cuál es la verdad sobre esa situación?

Si hay enfermedad, por ejemplo, la verdad es que eres vida pura y divina, eres perfecto (o perfecta) y la enfermedad no puede tocarte. Si hay indecisión, la realidad es que tienes la mente de Cristo, y eres guiado a conocer la verdad y a expresarla. Cuando hay asuntos terrenales que hacer, da a César, pero recuerda dar a Dios lo que es de Dios. En casi toda situación humana, hay asuntos de César que atender. ¿Qué asunto de César has de atender en tu situación?

¿Cómo darás a Dios lo que es de Dios?

Que el que tenga ojos para ver, vea.

De vez en cuando Jesús decía a sus oyentes: "El que tiene oídos para oír, oiga" (Mt. 11:15). Tal vez esa declaración deje perpleja a mucha gente. Ella oía lo que Jesús oía; no era sorda. El rabí de Nazaret no hablaba sobre la habilidad de oír sonido, sino de discernir significado. El idioma es una parte importante de la evolución de la humanidad, y nuestra lengua se vuelve más y más refinada y detallada en su expresión. Pero no sólo las palabras comunican lo espiritual; ellas deben ser discernidas espiritualmente.

Alguna gente insiste en que la Biblia ha de ser comprendida literalmente. Las palabras dicen exactamente lo que ellas quieren decir. Esto enfoca absurdamente este libro de Verdad. Jesús dijo que era una puerta, y que hemos de aborrecer a nuestros padres. ¿Podemos mantenernos firmes en el sentido literal de un texto a pesar de tales declaraciones? A tales declaraciones Jesús diría: "El que tiene oídos para oír, oiga".

Los "oídos" son verdaderamente el poder perceptivo de la mente. Al ser desarrollada esta habilidad de percibir, estamos menos dispuestos a juzgar por las apariencias. Un maestro interno, el espíritu de la Verdad, nos guía en el vivir diario.

Continuemos el desarrollo de los oídos para oír y los ojos para ver. Nos referimos antes a la declaración de Jesús de que debemos odiar a nuestros padres. Obviamente, no debemos tomar eso literalmente; tiene otro significado. Busca el versículo en la Biblia (Lc. 14:26), y lee los pasajes adyacentes. Luego deja que la mente de Dios en ti revele el significado. Por favor, date cuenta de que no puedes forzar el significado. Por medio de la espera y la gracia, la contestación llegará. Al empezar a comprender el poderoso mensaje, ten presente que estás menos inclinado a juzgar por las apariencias. También, en el espacio que sigue, describe el discernimiento que recibiste:

Semana 34
Día 237

Los campos están blancos para la siega.

El mundo es diferente de lo que hemos creído. Las personas experimentan cambios en sus estados de conciencia y ven a la gente y otras cosas vivientes rodeadas de luz. Los atletas ven una pelota que se mueve casi a cien millas por hora como si estuviera a cámara lenta.

Jesús vio el mundo de un modo único. Hubo un momento en Su vida cuando estaba con Sus discípulos y les dijo: "Os digo: Alzad vuestros ojos y mirad los campos, porque ya están blancos para la siega" (Jn. 4:35). En tu imaginación, ve a Jesús y los discípulos en un lugar donde pueden ver campos que por lo regular producen cosechas. Pero ésta no es la estación para el desarrollo de ellas y los campos están pardos y desnudos. Jesús mira a Sus discípulos, extiende la mano sobre los campos, y dice: "Mirad los campos, porque ya están blancos para la siega". Qué sorprendidos los discípulos están. La persona que juzga por las apariencias nunca podría decir esas palabras.

La gente que juzga por las apariencias ve pocas posibilidades; el mundo es sólo lo que está frente a ella. La persona que expresa una potencialidad invisible reconoce las apariencias, mas toma en consideración las posibilidades. Esa persona es como el científico que sabe que hay una cura para el cáncer, o una manera de poner a los seres humanos en la luna. Las leyes que conocemos pueden decir que eso es imposible, pero el científico insiste en que hay otras leyes aún sin descubrir.

Aprende de memoria la declaración: "Los campos están blancos para la siega". Que esas palabras provoquen en ti las posibilidades de una abundante cosecha, a pesar de las apariencias. Cuando parece que las circunstancias de la vida te frustran y bloquean, recuerda: hasta en el invierno los campos están blancos para la siega.

No juzgo por las apariencias.

Llega un momento en la vida cuando ya no hemos de juzgar por las apariencias. ¡Ese momento es ahora! El mundo de la manifestación no tiene poder sobre la verdad de nuestro ser y la realidad de Dios. Las circunstancias pueden surgir como Goliat y parecer inconquistables, pero lo único que es inconquistable es nuestra alma.

Nuestros juicios y decisiones han de ser basados en la verdad, y ésta viene de nuestro interior, no del mundo. La verdad no puede verse, pero puede sentirse. Nuestra conciencia de la verdad se manifiesta a través de la ley de acción mental, y una gran luz llega al mundo. Si ésta ha de ser nuestra experiencia, dos cosas deben suceder. Primero, no debemos juzgar por las apariencias. Recuerda, nada en el reino de la manifestación tiene poder y dominio sobre nuestras almas inconquistables. Segundo, recuerda que la verdad nos libera.

Lee rápida y completamente los días de esta semana, y escribe un breve resumen de lo que has aprendido y cómo los discernimientos impactarán tu vida.

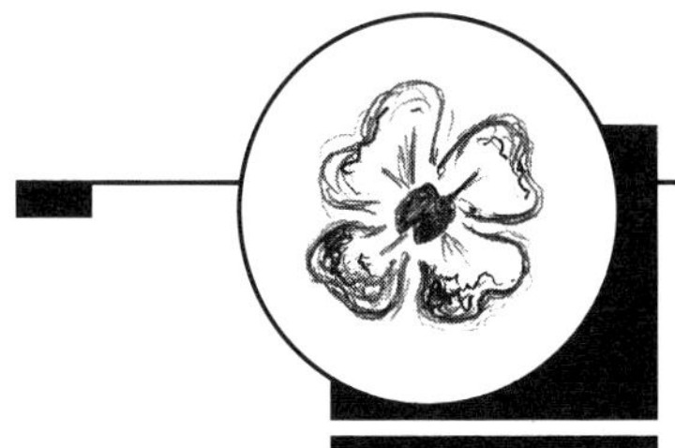

Semana 35

Soy bendecido cuando mi corazón es puro, porque entonces veré a Dios

Nuestros corazones no son puros y, por lo tanto, juzgamos por las apariencias. Si hemos de descubrir *quién* y *lo que* somos, debemos entrar en la corriente purificadora del Espíritu. Dios está dispuesto a unirse con la humanidad y crear un mundo mejor, pero debido a que nuestra voluntad no se alinea a la voluntad del Espíritu, primero debemos purificarnos. El Espíritu es uno con lo que es como Sí mismo. Debido a que nuestra verdadera identidad es pura y no puede ser afectada por el proceso de purificación, no temamos aquello que debemos liberar. Recuerda la promesa: "Bienaventurados los de limpio corazón, porque ellos verán a Dios" (Mt. 5:8). Con un limpio corazón, nos unimos a William Blake al declarar: "Ver el mundo en un grano de arena y el cielo en una flor silvestre, sostener lo infinito en la palma de tu mano y la eternidad en una hora".

¿Qué es lo único que retarda el descubrimiento de lo que eres?

Contestación posible: Juzgar por las apariencias.

¿Qué síntoma te dice que todavía tienes que dejarlo ir?

Semana 35
Día 239

El mundo está lleno de Dios.

Está escrito que en el comienzo era Dios. Seguramente es lo mismo hoy. El mundo está lleno de Dios. No hay sitio desprovisto del Espíritu, y aún así Dios parece estar oculto de nuestros ojos. Algunos insisten en que el Espíritu se esconde y se revela en ciertos momentos. Otros dicen que ven al Todopoderoso detrás de todo arbusto y como parte de las nubes y del rojo cielo a la salida del sol.

Se nos han dado ojos para ver, mas nuestra visión no es clara. Las nubes obscurecen la belleza de Dios, aun en días soleados. El problema no está en el mundo, y el Espíritu no se esconde. El problema está en nosotros. Insistimos en ver un mundo de carencia, por lo tanto, acumulamos nuestros bienes. Creemos en enfermedades contagiosas y por eso no nos damos cuenta de que ningún microbio puede hacer daño a nuestra esencia espiritual. Queremos tener razón y no vemos la mano de amistad que se nos ha extendido.

Escribe lo que ves en el mundo que parece no ser como Dios. Tal vez sea prejuicio, o hambre, o condenación.

Mi corazón no es puro.

"Bienaventurados los de limpio corazón, porque ellos verán a Dios" es un principio sencillo que nos dice algo sobre nosotros mismos. Cuando vemos a alguien como menos que una expresión del Espíritu, nuestros corazones no son puros. Algo en nosotros nubla nuestra visión.

Y aun así hay momentos cuando vemos claramente. Una joven estudiante caminaba por un campo mientras se preparaba en oración para una clase. Allí atisbó una oruga que descansaba encima de una brizna de hierba. La joven observó la verde criaturita por un tiempo, y luego se dio cuenta de que ésta tanteaba el espacio arriba de ella con sus antenas pequeñas y gruesas. Parecía que buscaba algo. La joven comprendió que de algún modo la oruga había sentido su presencia y trataba de "verla". Un pensamiento extraño se le ocurrió a la estudiante: ella caminaba por el campo en busca de Dios y encontró una criatura que ella supuso estaba en una búsqueda similar. Se habían encontrado una a otra en una búsqueda común.

Quién sabe si las orugas buscan a Dios, pero ese día la estudiante vio el mundo de una manera diferente. En otra ocasión, otro día, ella no hubiera visto la oruga, o no hubiera caminado por el campo.

La visión para ver no es asunto del sentido y alcance de la vista. Es cuestión de conciencia. Todo lo que se interpone entre nosotros y esa visión celestial es impureza y debe ser liberada.

Haz una lista de doce impurezas que pueden nublar nuestra visión:

1. ______________________________
2. ______________________________
3. ______________________________
4. ______________________________
5. ______________________________
6. ______________________________

Semana 35
Día 240
continuación

7. ______________________________

8. ______________________________

9. ______________________________

10. ______________________________

11. ______________________________

12. ______________________________

Nota: La impureza primordial es no perdonarnos a nosotros mismos y no perdonar a otros.

Estoy dispuesto a purificarme.

Las impurezas son parte de nuestra conciencia humana. La falta de perdón, la falta de honradez y el temor al cambio obstruyen nuestra habilidad de ver el mundo como verdaderamente es. Estemos dispuestos a ser purificados de las debilidades que se interponen entre nosotros y la visión que "ve" a Dios.

Si estuviéramos acampando y cogiéramos agua de un lago y encontráramos pequeñas partículas obscuras flotando en ella, no la beberíamos. La filtraríamos primero. Sin embargo, limpiar el agua de las partículas obscuras no hace que el agua sea pura. En muchos lagos, hay substancias invisibles que hacen que el agua no sea potable. En nuestras vidas espirituales, hay impurezas obvias que debemos enfrentar. Pero aunque esto es verdad, la gente a menudo se aferra a esas cualidades que ella sabe que son limitativas o dañinas. No beberíamos agua llena de pequeñas partículas obscuras, pero por años nos mantenemos fieles a los agravios.

Así como el agua puede contener impurezas que no podemos ver, pero que aún son perjudiciales a nuestros cuerpos físicos, el alma a menudo contiene creencias que se ocultan de nuestras mentes conscientes. Son esas impurezas las que deben ser liberadas hoy. En la mayoría de los casos, nunca conoceremos al delincuente, pero nuestras vidas cambiarán. La oración y meditación son la corriente purificadora que limpia aquello que no es como Dios.

Que las siguientes imágenes te ayuden al invitar el poder purificador del Espíritu a tu vida.

Estoy en lo profundo de un bosque. El silencio ha sido mi amigo por muchos minutos, pero ahora oigo, desde lejos, el rugido de una caída de agua. Busco una catarata purificadora. Me esfuerzo por encontrar ese sagrado lugar mientras sé, a través de años de prueba, que la purificación que busco no puede llegar por mi esfuerzo.

Sigo el sonido y finalmente me detengo junto a un estanque de agua clara. Un chorro plateado cae desde muy alto. Es extraño, pero en este lugar casi no oigo el ruido del agua. El estruendo del agua que cae me guió hasta aquí, pero ahora hay poco ruido.

Semana 35
Día 241
continuación

Entro en el agua y me detengo debajo de su purificadora corriente . . . sigo adelante, sintiendo la frescura del agua en mis piernas y el hilo plateado del agua que me invita a tener un puro corazón . . .

Mi manera de ver el mundo me dice algo acerca de mí.

¿Por qué alguna gente ve una situación de una manera mientras otros la ven de una manera completamente distinta? Tomás Edison, al buscar el filamento adecuado para la bombilla, fracasó más de mil veces. Cuando se le preguntó acerca de esos "fracasos", el Sr. Edison dijo que no había fracasado; él había descubierto mil formas que no funcionaban. Esta es la visión de una persona que ve claramente.

La manera de ver el mundo nos dice algo sobre nosotros. Por lo general, primero captamos esta norma de verdad de un modo intelectual. No podemos demostrar esta verdad, pero podemos hablar de ella. Este es nuestro comienzo. Cuando usamos esta verdad como una norma en el nivel intelectual, y la comparamos con la vida que vivimos, aprenderemos constantemente sobre nosotros mismos.

Cuando adoptamos este proceso de comparación, dejemos que sea una experiencia favorable, libre de condenación. Cuando comprendemos que no vivimos de acuerdo con la norma, o la línea recta, de la verdad, dejemos que este conocimiento nos dirija hacia la corriente purificadora otra vez. Al hacer esto, somos avivados a la acción constructiva más bien que a un comportamiento contraproducente y con un sentido de culpabilidad. Tenemos una mayor conciencia de nosotros mismos: nuestra naturaleza humana así como nuestra naturaleza espiritual.

Como resultado de participar en los ejercicios de esta semana, ¿qué nuevo discernimiento tienes sobre ti mismo?

Semana 35
Día 243

¿Qué vería Dios?

"¿Qué vería Dios?" es una pregunta maravillosa para tener presente. En el libro *In His Steps* por Charles Monroe Sheldon, un ministro le pidió a la gente del pueblo que considerara una pregunta antes de actuar. "¿Qué haría Jesús?" Esto se llevó a cabo por un año. El pueblo pasó por una transformación. Nuestra pregunta es similar y consistente con el enfoque de la *Semana 35*: ¿Qué vería Dios?

Por medio de la oración y meditación, más bien que por el conocimiento intelectual, contesta las siguientes preguntas. Tus contestaciones deben constar de una sola oración.

1. ¿Qué vería Dios si estuvieses enfermo?

2. ¿Qué vería Dios si estuvieses lleno de odio?

3. ¿Qué vería Dios si fueras pobre?

4. ¿Qué ve Dios cuando te "mira"?

Cuando mi corazón es puro, Dios es mi ojo.

Cuando nuestros corazones son puros, no sólo vemos a Dios en toda persona y en todo; Dios es, también, el ojo con el cual vemos.

Por muchos años, un ministro disfrutaba guiar a la gente en un retiro espiritual con el nombre de "Camina más cerca de Dios". Cada participante pasaba por lo menos una hora y media en silencio y seguía instrucciones que guiaban a la persona a dar un paseo a pie más cerca de Dios. Cuando la persona regresaba al lugar donde el paseo a pie se originó, se le instruía a continuar en silencio y a describir la experiencia mediante la pintura, el dibujo, o la palabra escrita. Después que todos habían regresado y compartido la experiencia de caminar más cerca de Dios en silencio, cada persona luego compartía los puntos sobresalientes del paseo a pie. Invariablemente, la experiencia fue un paseo más cerca de Dios, porque la gente halló a Dios en el bosque, en las personas con quienes se encontraba en el camino, y en sí misma. Cuando "Camina más cerca de Dios" llegaba a su fin, el ministro siempre decía: "Por favor, recuerden: 'Sólo el Espíritu puede verse a Sí mismo' ".

En tus propias palabras, expresa la oración "Sólo el Espíritu puede verse a Sí mismo":

Semana 35
Día 245

¿Qué hay para ver, sino Dios?

¿Qué hay para ver, sino Dios? Los corazones y mentes impuros juzgan por las apariencias y dejan de ver la verdad del ser. Un corazón puro mira más allá de lo físico y ve el Espíritu.

Qué maravilloso es cuando alguien ve algo en nosotros que no hemos notado en nosotros. Los padres, amigos y maestros a menudo tienen una visión de nosotros que hace examinarnos para determinar qué es lo que ellos ven en nosotros. Por su visión de nosotros, su respeto a nosotros, se nos invita a una potencialidad que no hemos visto.

¿Ha habido alguien en tu vida que vio en ti una virtud y potencialidad que no habías visto en ti? Si la contestación es sí, ten la bondad de escribir el nombre de la persona y describir brevemente una ocasión cuando él o ella vio lo mejor en ti. (Si has tenido esa experiencia, comprendes lo útil que tú puedes ser para otra gente al permitirte verla de una manera distinta, más bien que tratar de "componerla".)

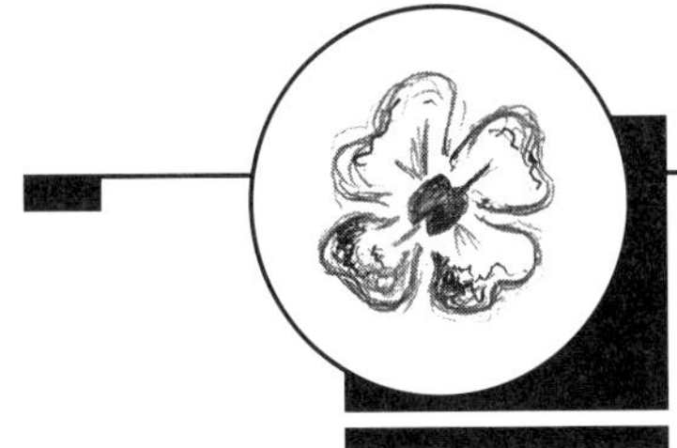

Semana 36

La expresión es igual a la experiencia

El reino del cielo está en ti. Tienes perfección; nada debe ser añadido a ti. En vez de esto, las maravillas de la presencia de Dios deben ser liberadas desde tu interior.

Es bueno esperar la revelación, mas es necesario también actuar como si tuvieras perfección, como si tuvieras la mente de Cristo y fueras el hijo o la hija de Dios. Finalmente, el "encerrado esplendor" es liberado a través de la *expresión*. Recuerda, la expresión es igual a la experiencia. Por ejemplo, el amor es nuestra naturaleza, y lo experimentamos cuando somos amorosos. Decimos que el único amor que podemos verdaderamente sentir es el amor que liberamos desde nuestro interior. Una ley de la vida es: Según damos, así recibiremos. Otro modo de declarar esta gran ley es: *La expresión es igual a la experiencia.*

¿Qué aspecto de la presencia de Dios quieres experimentar?

¿Estás dispuesto a permitir que eso sea liberado desde tu interior?

Semana 36
Día 246

Hoy siento amor al expresarlo.

Según una leyenda, una persona buscaba amor. Al hacer muchas investigaciones, esta persona se enteró de la identidad de la persona más amorosa del mundo. Compró un mapa, y la persona que buscaba amor viajó a un templo semita donde una anciana vivía con sencillez. Después de saludarse, la persona dijo: "Busco amor. Dígame cómo puedo encontrarlo. ¿Tiene usted amor para darme?" La señora contestó tiernamente: "Continúa tu viaje y observa tres acciones amorosas —una por un hombre, una por una mujer y una por un niño o una niña. Luego regresa a mí".

La viajera se fue y, después de un tiempo, regresó a la señora. "He presenciado tres acciones amorosas. ¿Quiere usted saber lo que vi?" La señora contestó: "Eso no es necesario, pero una cosa sí es necesaria. Haz las cosas que has presenciado, y sentirás amor."

La gente más amorosa del mundo no acude a otros para ser amada. Aquellos que han tratado esa desafortunada práctica han encontrado que no recompensa sus esfuerzos. Finalmente, las personas que se vuelven amantes de la humanidad acuden a otros no para ser amadas, sino para descubrir cómo ser amorosas. Una vez que el descubrimiento es hecho, vierten su amor.

El mundo dice que sentimos amor cuando alguien nos ama. Somos como niños abrazando a nuestros animalitos de peluche, sintiéndonos amados y diciendo a nuestras madres cuánto nos ama nuestro osito de peluche. El osito no expresa amor, pero cuando lo abrazamos, desde nuestro interior surge el amor y somos los primeros en sentirlo.

Las personas más amorosas del mundo han descubierto que cuando liberan el amor, ellas lo sienten. El amor genuino que ocurre en este planeta no es para llenar los vacíos corazones de la humanidad, sino para mostrar a los seres humanos que sus corazones están llenos del amor que buscan.

Hoy sentirás amor al expresarlo. Piensa en ti como un peregrino en busca de amor. Has viajado hacia la persona más amorosa del mundo. Tú, como muchos antes que tú, preguntas a esa persona cómo encontrar amor. Esta sabia persona habla y te asigna tres tareas. Cuando las termines, ella te dirá que conocerás el misterio del amor.

¿Cuáles son las tres tareas que te han asignado?

1.

2.

3.

Semana 36
Día 247

Hoy siento paz al expresarla.

La paz está presente ahora. Como todo lo que deseamos, ella es parte de nuestra naturaleza y la sentimos por medio de la expresión. La paz no llega al mundo. Ella está aquí en el mundo hoy, y siempre ha esperado que nuestra buena voluntad la exprese.

Si fueras a la persona más pacífica de la tierra y pidieras tres tareas que hicieran tu alma más receptiva, de modo que su innata serenidad pudiera expresarse, ¿cuáles serían esas tres tareas?

1.

2.

3.

Recuerdo que todo lo que deseo sentir es parte de mí.

Tal vez parezca muy importante que ciertos sucesos pasen en nuestras vidas. Durante esos tiempos es cuando debemos recordar que lo que deseamos sentir es ya parte de nosotros. Los sucesos específicos no son comunes a nosotros, mas la esencia de un suceso —amor, paz, seguridad, y así sucesivamente— es el terreno común sobre el cual todo ser humano camina.

Al recordar esta verdad, dejamos de tratar que el suceso pase y empezamos a tener el alma receptiva, de modo que la experiencia pueda verterse desde nuestro interior al mundo y a nuestra experiencia. Hay dos factores que debemos comprender si hemos de vivir de esa manera. El primero es la necesidad de echar a un lado el deseo de resultados específicos. Nuestras vidas nacieron en misterio y, por lo tanto, una existencia forzada, aun una vida que parece satisfactoria, no es nuestro destino. El segundo factor: recordemos que la experiencia es igual a la expresión. Cuando la expresión viene de lo profundo de nuestro ser, ella es del Espíritu. Se vuelve nuestra experiencia al manifestarse como nuestra vida, pero debido a su origen divino, ella es una bendición para todos. Solamente las personas maduras espiritualmente van más allá del deseo de cosas específicas. Ellas anhelan expresarse y llegan a ser una bendición para muchos.

Hay muchas experiencias posibles que te esperan. ¿Cuál es la que más deseas? Otra forma de escribir la pregunta es: De todas las posibilidades que hay en ti, ¿cuál de ellas deseas expresar primero?

Semana 36
Día 249

He encontrado difícil experimentar ______________.

¿Qué es lo que has encontrado difícil de experimentar? Deseas esa experiencia, pero parece estar más allá de tu alcance.

Expresa con otras palabras la pregunta anterior con la siguiente fórmula como la base por lo que vas a escribir: La experiencia es igual a la expresión.

Contestación posible:
¿Qué es lo que has encontrado difícil de expresar?

Tengo el deseo de experimentar ____________ porque tengo el deseo de expresar ____________.

¿Tienes el deseo ahora de experimentar ______________ ? (Por favor, inserta "lo que" has encontrado más difícil de experimentar/expresar.)

Comprendes la verdad de que la experiencia y la expresión son una. Por ejemplo, al declarar tu disposición de expresar amor, te preparas para experimentarlo.

El día de hoy es para estar lleno de acción. ¿Cómo vas a expresar lo que deseas sentir? Concibe un plan de acción y escríbelo en el espacio abajo. Luego pon en ejecución tu plan. Recuerda que al expresar lo que está en ti, haces lo natural. En realidad, fuiste creado para dar testimonio de la verdad, para atestiguar lo que está en tu interior.

Semana 36
Día 251

Hoy siento vida al expresar vida.

Hoy siento vida al expresarla. ¿En qué dirección guiarás tus energías? ¿Qué harías con tu vida si supieras que no podrías fracasar?

En muchos casos, el temor al fracaso es lo que nos abstiene de cumplir nuestro destino y usar los talentos que Dios nos ha dado. No sentimos la plenitud de la vida porque no expresamos lo que sentimos en nosotros. Hoy no esperamos que la vida llegue a nosotros; nosotros la expresamos.

¿Cuántas personas han esperado que alguien las ame cuando estaban rodeadas de gente que necesitaban un poco de amor o una palabra de bondad? No esperemos que la vida venga a nosotros.

Había una vez un hombre que aprendía a jugar tenis. Tomaba una hora de clase cinco días a la semana con un maestro profesional. Este estudiante era alentado a jugar por su propia cuenta, pero no quería jugar hasta ser suficientemente bueno en el juego. Nunca aprendió a jugar tenis. Ningún deporte es aprendido o disfrutado sin la participación completa del jugador. Observar el juego no nos hace jugadores. Debemos caminar en la cancha y tropezar como hacen todos los que han jugado antes de nosotros. Experimentamos el tenis al expresarlo. Experimentamos la vida al expresarla.

Hoy siento quien soy al expresar mi identidad espiritual.

El ejercicio de ayer se centró en tus preferencias y en tus deseos humanos. Hoy da atención cuidadosa a dejar que tu identidad espiritual se exprese. Una característica principal es que la expresión será una bendición a otros. *Quien* eres realmente vive de esa manera.

Llegamos a conocernos y a sentir *quienes* somos al expresar nuestra identidad espiritual. Cuando no sabemos *quienes* somos, tal vez parezca anormal tratar de expresar algo. Sin embargo, no olvidemos nuestras tendencias naturales y nuestra guía divina, que nos dirigen a pesar de nosotros mismos.

En la Verdad, no hay misterio en cuanto a lo que hemos de hacer, o cómo debemos actuar. No hagamos la vida más difícil de lo que debe ser. Si hacemos una pausa por un tiempo breve, sentiremos la guía y las fuerzas espirituales que nos llevan constantemente por una senda eternamente ascendente hacia la unión con Dios. Es por esto que en la lección de ayer se hizo la pregunta: ¿Qué harías si supieras que no podrías fracasar? Lo que imaginamos y a lo que aspiramos nos hacen discernir las tendencias espirituales que son innatas en nosotros.

En una década pasada, el tema era: Si algo te hace sentir bien, hazlo. Algunas de las cosas que se hicieron tal vez hayan hecho sentir bien a una persona, pero ciertamente no a todas. Hay tendencias naturales y espirituales que buscan expresarse desde nuestro interior. Dos criterios son importantes a medida que expresamos lo que parece natural. Primero, nuestras acciones no deben perjudicar el ser humano que somos, o a otros seres humanos. Segundo, expresamos nuestra identidad espiritual cuando servimos a otros. Luego somos bendecidos porque somos una bendición.

Al concluir este día, escribe sobre la expresión de tu identidad espiritual.

Semana 36
Día 252
continuación

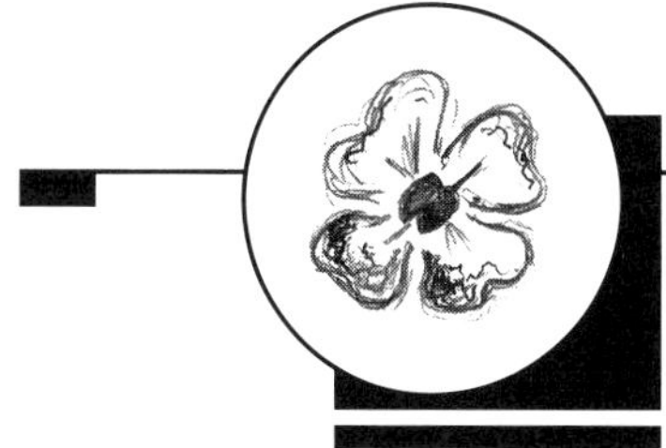

Semana 37

Yo soy

Los principios se individualizan. Por ejemplo, un cocinero concibe un nuevo plato y escribe la receta de cocina. Otros cocineros toman la receta y la individualizan como una comida suntuosa para familia y amigos. Todo juego tiene sus reglas, y en el juego las reglas se vuelven vivientes; son individualizadas.

La gran ley y principio del universo es Dios. Dios cobra vida en cada uno de nosotros a medida que individualizamos el Cristo en nosotros. Moisés estuvo frente a la zarza que ardía y preguntó qué debía decir a los hebreos encarcelados cuando preguntaran quién lo había enviado a ellos. Dios contestó: "Así dirás a los hijos de Israel: YO SOY me envió a vosotros" (Ex. 3:14). YO SOY es uno de los nombres de Dios.

Jesús es una expresión viviente de la individualidad del Espíritu. Pablo descubrió este principio y lo expresó al decir que él no vivía, sino que el Cristo vivía en él. La verdad es que el Espíritu trata de expresarse a través de todo ser humano, pero no siempre lo permitimos. Dios desea ser expresado por medio de nosotros como un ser humano cariñoso y servicial, pero algunas veces decimos no. Los hechos y vidas de aquellos que han dicho sí son registrados durante toda la historia. Canonizamos a esa gente y la llamamos santa, pero repetidas veces ella sencillamente nos ha invitado a tener vidas más simples y útiles al servicio de Dios y de nuestros semejantes.

Durante esta semana daremos mucha atención a las dos palabras *Yo soy*, porque son un puente al reino de Dios.

Semana 37
Día 253

Estoy en el puente.

Estamos en un puente. En una dirección hay un país de luz, amor, paz y alegría. En la dirección contraria hay un atractivo lugar lleno de condiciones opuestas: paz y guerra, salud y enfermedad, amor y odio. El puente se llama *Yo soy*.

Esas dos palabras son palabras de identidad. Al hablar la frase "Yo soy", o al pensar en ella, nos juntamos o identificamos con todo lo que escogemos conectar con esas palabras. Por ejemplo, podemos decir: "Yo soy inservible". Hablar de ese modo nos identifica con la limitación. Sin embargo, cuando una persona dice: "Yo soy hábil en escuchar", esta persona se identifica con destrezas que la hacen hábil en escuchar. Al hablar las palabras *Yo soy* y al pensar en ellas, nos unimos al mundo, a creencias que son tanto útiles como dañinas, y también a ideas divinas como el amor y la vida.

Piensa que estás en medio de un puente. A un lado hay posibilidades ilimitadas y una continua conciencia de Dios. Al otro lado hay cosas terrenales, a algunas de ellas llamamos "buenas" y a otras "malas". Cada vez que te ves en el puente, recuerda que por medio de las palabras *Yo soy*, puedes identificarte con todo lo que escoges —ilimitabilidad o limitación.

Observa tu uso de las palabras *Yo soy*. Enumera cuatro "cosas" con las cuales te has identificado por medio del uso de la frase "Yo soy":

1.______________________________

2.______________________________

3.______________________________

4.______________________________

No tomo el nombre de Dios en vano.

Cuando éramos niños, a menudo se nos enseñaba que tomar el nombre del Señor en vano significaba blasfemia. A medida que maduramos, la blasfemia cesa, pero tal vez aún podamos tomar el nombre del Señor en vano. El nombre de Dios es YO SOY. Este fue el nombre que fue revelado a Moisés desde la zarza que ardía. "YO SOY EL QUE SOY" (Ex. 3:14).

Cuando al principio llegamos a estar conscientes de nosotros mismos, recibimos la comprensión del *Yo soy*. El Espíritu del universo se ha individualizado en nosotros. Somos ilimitados. Bíblicamente, a esto se le da el nombre de "imagen de Dios". "Dios es amor" (1 Jn. 4:8), y "Dios es Espíritu" (Jn. 4:24); por lo tanto, nuestra esencia es del mismo modo amor y espíritu.

Esto puede ser un concepto retador para la gente. Cuando pienses en las palabras *Yo soy*, substituye la frase *Dios en mí es . . .* o *Dios individualizado en mí es . . .* Por ejemplo: *Yo soy solícito* se vuelve *Dios en mí es* solícito, o *Dios individualizado en mí es* solícito.

Hablaremos de esto con más detalles dentro de unos días, pero considera lo incorrecto que es decir *Estoy* enfermo, que se vuelve *Dios en mí está* enfermo o *Dios individualizado en mí está* enfermo. Esto no puede ser. Por tanto, tomamos el nombre del Señor en vano cuando unimos el YO SOY a todo menos Dios.

Vigila el uso de las palabras *Yo soy* otra vez hoy. Haz una lista de tres categorías de condiciones o cualidades con las cuales te has identificado. Por ejemplo, podrías identificarte con las opiniones de los demás, con tu apariencia física, con cierta emoción, y así sucesivamente.

1. ____________________

2. ____________________

3. ____________________

Semana 37
Día 255

Hoy escojo conscientemente aquello con lo cual me identifico.

Estamos en el puente, dando atención al reino de Dios y luego damos la vuelta y nos identificamos con algo de la tierra. Hoy elijamos conscientemente aquello con lo cual nos identificamos. Durante los últimos dos días, hemos vislumbrado las condiciones o cualidades con las cuales nos hemos identificado en el pasado. Nos hemos unido a la enfermedad al decir o pensar *Yo estoy enfermo*. Nos hemos identificado con la salud al declarar o al tener presente *Yo soy vida*.

En algunos casos, nuestra conexión ha durado años y ha sido inconsciente. Hemos permitido unirnos al pasado y hemos limitado el momento presente. Hoy no. Hoy elegimos conscientemente aquello con lo cual identificarnos.

Por favor, indica abajo aquello con lo cual has elegido identificarte. Es mejor que unas el YO SOY a lo que es honorable, hermoso, puro y justo. Recuerda, decir "Yo soy" es decir: "Dios individualizado en mí es . . ."

1.____

2.____

3.____

Escojo identificarme con lo que es positivo.

Se supone que ayer tu enfoque fue en lo positivo. Hoy continúa el ejercicio al imaginarte en el puente e identificarte con la posibilidad de una maravillosa vida humana. Elige tres de las declaraciones abajo. Has de mantener una de ellas en la mente desde el momento en que te despiertas hasta el mediodía. La segunda ha de ser enfocada desde el mediodía hasta las seis de la tarde, y la tercera será tu compañera hasta el momento de dormirte.

Estoy lleno (llena) de posibilidades infinitas.

Yo soy libre; soy ilimitado.

Yo soy mejor y mejor en toda forma.

Yo soy exitoso.

Estoy libre de estrés.

Yo soy saludable, rico y sabio.

Yo soy positivo.

Estoy dispuesto a cambiar.

Yo soy un buen escuchador.

Yo soy un buen amigo.

Yo soy próspero.

Yo soy solícito.

Semana 37
Día 257

Me identifico con Dios.

Tu verdadera identidad es espiritual, porque has sido creado a imagen de Dios y según la semejanza del Espíritu. Eres llamado a conocerte a ti mismo. Este ha sido el enfoque de la tercera cuarta parte de este libro. Obviamente, si has de descubrir *quien* eres, debes identificarte con Dios.

Parece haber una transición con respecto al descubrimiento de nuestra identidad. Empezamos al identificarnos con el mundo a nuestro alrededor. Uno de los primeros "objetos" con el cual nos identificamos es el cuerpo. Creemos que somos el cuerpo. Esto no es verdadero. Tenemos un cuerpo para usar mientras estamos en la tierra, pero no somos el cuerpo. Nos identificamos con las opiniones de nuestros padres sobre nosotros. Si ellos dicen que somos inútiles, hay la tendencia humana de creerlo. Además, la madre y el padre pueden pensar en el niño según las acciones del niño. Esto no es verdadero. Nosotros no somos lo que hacemos.

Toma años para comprender que no somos el cuerpo, o nuestras acciones, o lo que otra gente dice que somos. Cuando consideramos los vastos ejemplos de la expresión humana desde la pintura y la literatura hasta las proezas atléticas y la gente que da sus vidas por otra gente, empezamos a comprender que somos seres increíbles. Esto se debe a que somos hechos a imagen de Dios. Si la plenitud de *quienes* somos ha de ser expresada, debemos echar a un lado los pensamientos del cuerpo, las opiniones de los demás y lo que hacemos, o lo que otros nos han hecho, e identificarnos con Dios.

Hoy, identifícate con Dios. Hazlo del modo que parece correcto para ti, pero recuerda el tema de esta semana. Escribe abajo el método que usaste:

Yo soy . . .

Jesús cruzó el puente y entró en el reino del cielo. El se identificó con Dios. Antes de tratar con un hombre que nació ciego, Jesús se identificó con el Padre y dijo: "Yo soy la luz del mundo" (Jn. 8:12). Antes de enfrentar la crucifixión, El afirmó: "Yo soy la resurrección y la vida" (Jn. 11:25).

Podemos aprender del Maestro e identificarnos con Dios. Hacemos esto al unir el YO SOY a las cualidades del Espíritu. Las afirmaciones abajo ayudarán a cualquier persona a comprender la verdad del ser:

Yo soy luz.

Yo soy amor.

Yo soy gozo.

Yo soy paz.

Yo soy vida.

Yo soy sabiduría.

Yo soy Espíritu.

Añade siete afirmaciones tuyas parecidas a las antedichas:

1.____

2.____

3.____

4.____

5.____

6.____

7.____

Semana 37
Día 258
continuación

Para palpar la verdad de tu ser, habla o canta una de esas afirmaciones, o piensa en una de ellas, como parte de tu tiempo de oración y meditación. Luego espera. Si tu mente divaga, habla o canta de nuevo la afirmación, o piensa en ella, y luego espera otra vez.

Indica la afirmación que empleaste para este ejercicio:

____

Yo soy.

Es beneficioso identificarnos con las cualidades y aspectos del Espíritu según nuestra comprensión, pero no podemos describir a Dios con palabras e imágenes. El Espíritu es demasiado inmenso para la comprensión y explicación humana, demasiado vasto para ser medido y demasiado trascendente para ser contenido. Y aun así podemos conocer la verdad del ser. Tal vez no podamos explicar quienes somos, pero podremos decir lo que no somos. Más importante aún, viviremos desde el centro que es nuestra realidad espiritual.

En un día anterior, conectamos nuestra frase de identidad con el Espíritu según lo comprendimos. Por lo tanto, trabajamos con declaraciones como "Yo soy amor" y "Yo soy paz". Ahora nos hacemos asequibles a la pureza del Espíritu al trabajar con las dos palabras *Yo soy.* No unamos esta frase de identidad a nada. Si hay unión, Dios debe ser el que declare nuestra unidad.

Toma cualquier tonada y canta calladamente "Yo soy" a la canción que has elegido. Haz esto una y otra vez . . . y luego espera. Si te distraes, canta de nuevo, y luego espera otra vez. *Yo soy* es la primera revelación que recibimos cuando nos volvemos conscientes. Anota cualesquiera sentimientos, pensamientos, o imágenes que llegan a ti durante esta actividad:

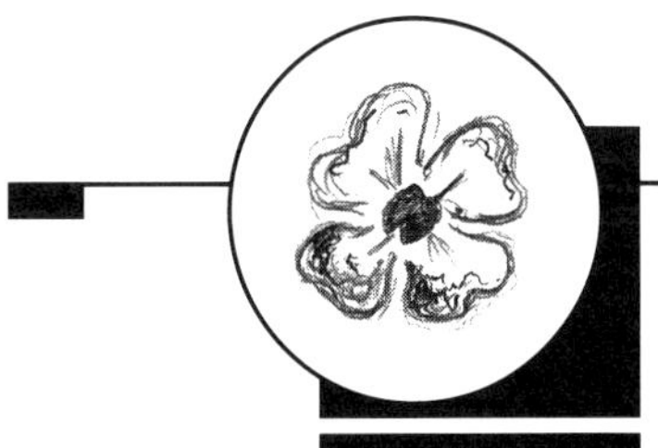

Semana 38

Estoy a mitad del camino

Hace muchos años durante un período de oración y meditación, una voz interna habló a un joven ministro y dijo: "Estás a mitad del camino". ¡Qué agradable! Me felicité a mí mismo. El resto sería fácil después de dar un paso más. Cuán "fácil" era lo descubrí pronto. La voz continuó: "Y siempre estarás a mitad del camino". El tiempo de oración y meditación terminó, y ahora la confusión llenó el lugar donde había habido paz.

Después de un tiempo nos daremos cuenta del significado de la frase "a mitad del camino". El viaje espiritual es infinito. No podemos conocer a Dios como conocemos nuestro pueblo natal, o la casa donde vivimos. El misterio y la maravilla continúan sin cesar . . . eternamente. Estás siempre en medio de la vida —en el mismo medio— porque no hay fin en Dios. El despertamiento espiritual, o el nacer de nuevo, no es una experiencia que ocurre una vez. Es la experiencia de la vida.

Decir que estamos a mitad del camino es decir que el viaje interno nunca terminará. Es comprometernos a un modo de vida espiritual y a la continua exploración del reino de Dios.

Escucha la voz interna que te dice: "Estás a mitad del camino, y siempre lo estarás". Escribe tu contestación en el espacio abajo:

Semana 38
Día 260

No hay destino.

No hay destino, pero hay viaje. No hay paradas, mas hay lugares de descanso.

Se nos dice que debemos tener objetivos. La gente dice: "Las metas indefinidas producen resultados indefinidos". Debido a que la mayoría de la gente aspira a tener bienes materiales y busca lo terrenal, el método de establecer un objetivo parece beneficioso, y la persona se esfuerza hasta llegar al éxito según éste es concebido por las masas. Pero porque somos seres espirituales, estos éxitos no nos satisfacen. Podemos crear más objetivos terrenales y pasar toda una vida obteniendo lo que creemos que deseamos, pero nunca encontramos felicidad. En este modo de vida hay un destino, pero el viaje espiritual casi no tiene sentido.

Cuando descubrimos que somos seres espirituales infinitos, comprendemos que el único destino es Dios. El conocer a Dios se vuelve la meta, más el Creador está mucho más allá de nuestra comprensión. No podemos lograr a Dios de la manera que cerramos un trato comercial; por cierto, no podemos "lograr" a Dios de ningún modo. Sólo hay el viaje, mas está lleno de felicidad, de gozo y de la vida misma.

La pregunta de hoy es: ¿puedes ser feliz al saber que el viaje nunca termina, que no importa lo consciente que estés de Dios, hay siempre más? Cuando nos referimos a ciertas destrezas y habilidades, hay expertos, gente que ha llegado a la cumbre de su profesión. En el reino de Dios, todos somos aprendices. El viaje es tan extenso para el novato como para el artesano experto. Considera este ejemplo en silencio, y encontrarás humildad y emoción para el viaje.

No tengo ni alfa ni omega.

Como seres humanos se nos acondiciona a pensar en términos de comienzos y finales. La vida en la tierra empieza con nacimiento y termina con muerte. La escuela comienza con un día de orientación y termina con graduación. Los eventos atléticos empiezan y continúan hasta que el tiempo se vence para ellos, o la distancia ha sido cubierta por los corredores.

Cuando empezamos (he aquí otra vez esa palabra) a creer que somos seres espirituales infinitos, nuestras mentes se expanden al considerar la idea de que no tenemos principio ni fin. Esta idea de no tener alfa ni omega continuará atormentándonos hasta que pongamos a un lado el concepto de tiempo. Pero, ¿cómo ignorar la salida y la puesta del sol y el movimiento de los cuerpos celestiales? Estas son nuestras normas para el tiempo, y nos acompañan cada momento de nuestras vidas terrenales. ¿Cómo puede el tiempo no moverse, o no ser ya un poder en nuestras vidas? La contestación es: cuando damos completa atención a nuestro "lugar a mitad del camino" —nuestro momento presente— el tiempo ya no es un poder en nuestras vidas.

Deja que las siguientes declaraciones sean la fundación para una meditación que te trae a un lugar a mitad del camino:

El sol no se puede poner en mi vida.
No puedo cesar de ser.
Sin cesar es mi camino.
El nunca se extiende ante mí.
Siempre aquí.
En un estado sin final y sin principio.
Quien soy nunca nació y nunca puede morir.
No tengo alfa, no tengo omega.
Soy Espíritu.
Mi vida no es una línea.
Ella es un círculo.
Mi vida no tiene estaciones.
Sin embargo, en el lugar a mitad del camino, se siembran semillas y se recoge fruto.

Semana 38
Día 262

El misterio me satisface.

Aventurarnos en el reino del cielo o el reino de Dios es entrar en el misterio. Dios es el gran desconocido, y cada paso para profundizarnos en el reino debe ser misterioso.

¿Qué has descubierto acerca de ti mismo desde que empezaste a usar este libro?

Cuando el misterio no nos satisface, hay continuas tentativas para dirigir el curso de nuestras vidas. Sabemos qué es lo mejor. Se conciben objetivos y nos dirigimos hacia ellos. Ocurre lo impredecible, mas lo resentimos. No estaba en la ruta que planeamos. Es extraño, pero entramos en el territorio desconocido y no planeado de nuestras vidas y nos desconcertamos cuando nos vimos cara a cara con el misterio. ¿Podría ser de otra manera?

Cuando Lewis y Clark exploraron la Compra de Luisiana, encontraron misterio tras misterio. Ellos exploraron miles de millas cuadradas de territorio inexplorado, pero encontraron potencialidades inexploradas dentro de sí mismos.

Seamos exploradores sin temor al misterio. No es necesario dirigir el curso de nuestras vidas. En verdad, no sabemos nuestra dirección. La sabiduría divina y nuestra conciencia nos guiarán en el viaje.

Donde existe el misterio, existe Dios.

Cuando en nuestras vidas no hay misterio, no tenemos la experiencia de Dios, porque Dios es misterio. Cuando el misterio es un amigo, tenemos fe, y a través de la fe encontramos a Dios.

El misterio nos acompaña siempre, mas persistimos en creer que conocemos nuestros mañanas. Si hay algo que no conocemos, es el mañana. Parece suficiente para nosotros comprender nuestro ayer. ¿Cómo podemos comprender lo que aún está por llegar?

En el mundo atareado de hoy día, tenemos planes que llevar a cabo. Aun cuando estamos de vacaciones, programamos nuestras vidas y nos parece raro no saber lo próximo que vamos a hacer. Despojamos nuestras vidas de misterio y nos preguntamos por qué no podemos encontrar a Dios.

Mira hacia adelante a un fin de semana cuando puedes hacer un experimento. Quizás haya ciertas cosas que haces usualmente durante tus fines de semana. Enumera esas cosas en el espacio abajo:

1. ____________________
2. ____________________
3. ____________________
4. ____________________
5. ____________________
6. ____________________

En el fin de semana cuando vas a hacer el experimento, no participes en esas cosas. Este debe ser un fin de semana cuando no haces planes. El misterio abundará, ¡y también Dios!

Semana 38
Día 263
continuación

Escribe la fecha en que vas a hacer el experimento:

Escribe todos los sucesos o discernimientos significativos que surgen de tu experimento:

En pocas palabras, describe cómo te sentiste durante el experimento:

Soy misterioso.

La amistad es fundamentalmente el resultado del descubrimiento, porque ella se desarrolla a medida que llegamos a conocer a otra persona. Algo del misterio de la otra persona termina, y nace la amistad. Pero así como un niño o una niña debe crecer si él o ella ha de llegar a la madurez, así también la amistad debe crecer. Esto quiere decir que el continuo misterio es requisito para la amistad. No podemos conocer todo acerca de otra persona y esperar que la relación prospere, porque cuando conocemos todo, llegamos a un punto de estancamiento.

Al llegar a conocernos y a conocer a nuestro Dios, hay descubrimiento y continuo misterio. Poca gente comete el error de pensar que conocen todo lo que hay que conocer sobre Dios, pero algunas veces creemos que nos conocemos. Si examinamos a fondo el ser por medio de la oración y meditación y preguntamos por qué vivimos cómo vivimos, descubriremos nuestro misterioso ser.

El misterioso ser siempre señala hacia un crecimiento necesario. Su mensaje silencioso es que estamos a mitad del camino. No aceptemos el estancamiento ni creamos que sabemos quienes somos. Dios es misterio, y somos hechos a imagen de lo que no puede conocerse plenamente. Nosotros, también, debemos ser misteriosos. ¿En qué día diremos que nuestro viaje ha terminado y nos conocemos completamente? Ese día nunca llegará, porque el Espíritu está siempre dispuesto a revelar más de nuestro ser misterioso.

Hoy identifícate con el misterio y te identificarás con Dios. Aunque parezca raro, esto causa que algo del misterio desaparezca y más de Dios se revele.

La mayoría de los seres humanos tiene la necesidad de conocer. El misterio es el enemigo. Esperamos que descubras hoy el misterio como tu amigo. El propósito de la actividad de hoy es acostumbrarnos al misterio. Tu propósito no es revelar algo del misterio, sino identificarte con él. Cuando haces esto, te identificarás con Dios.

Semana 38
Día 264
continuación

Otro misterio para hoy es que debes determinar cómo te acostumbrarás al misterio. Escribe lo que decidiste hacer:

La fe y el misterio se unen en mí.

Estamos descubriendo *quienes* somos. Qué extraño que el misterio sea parte de lo que descubrimos cuando miramos en lo interno de nuestro ser. Pero no es sólo el misterio, hay fe. La fe escudriña lo desconocido y descubre que lo invisible más bien que lo visible es la realidad. De este modo, la fe y el misterio se unen en nosotros.

Es bueno conocer y comprender, pero nadie conoce la verdad del ser hasta que el misterio sea un descubrimiento tan maravilloso como las islas inexploradas y los artefactos que el tiempo ha olvidado. El conocimiento viene a la mente y se vuelve experiencia y hechos, o verdades. El misterio nos envuelve, fortalece nuestra fe y nos concede valor.

¿Empiezas a comprender el papel que el misterio desempeña en el descubrimiento de nosotros mismos y el crecimiento espiritual? En tus propias palabras completa la siguiente oración:

El misterio es importante para mí porque

Semana 38
Día 266

Estoy a mitad del camino, y siempre lo estaré.

Estamos a mitad del camino, y siempre lo estaremos. "A mitad del camino" declara que el viaje espiritual es infinito. El misterio siempre está ante nosotros, mas él es nuestra potencialidad y nuestras posibilidades ilimitadas. Esta es una manera académica de expresar una verdad, pero el alma divina y fervorosa diría: "¡Lo mejor está por llegar!"

Esa es la manera del universo de Dios. La fuerza del plan divino es una espiral ascendente en la cual un bien mayor siempre está suspendido y listo para ser expresado. Los cofundadores del movimiento de Unity, Charles y Myrtle Fillmore, fueron expresiones maravillosas del Cristo. Ellos sirvieron al mundo y dieron el regalo de Unity, pero serían los primeros en decir: "¡Lo mejor está por llegar!"

Jesús demostró la verdad del ser, pero aun dijo que haríamos las cosas que El hizo y hasta mayores haríamos. Solamente unos pocos hacen una fracción de lo que Jesús hizo, mas la potencialidad para mayores cosas existe. ¿Por qué? Porque el viaje y nuestro potencial son infinitos.

¿Está Jesús a mitad del camino? Si tu contestación es sí, defiende tu respuesta en el espacio provisto. Si tu contestación es no, ¿por qué Jesús sería la gran excepción?

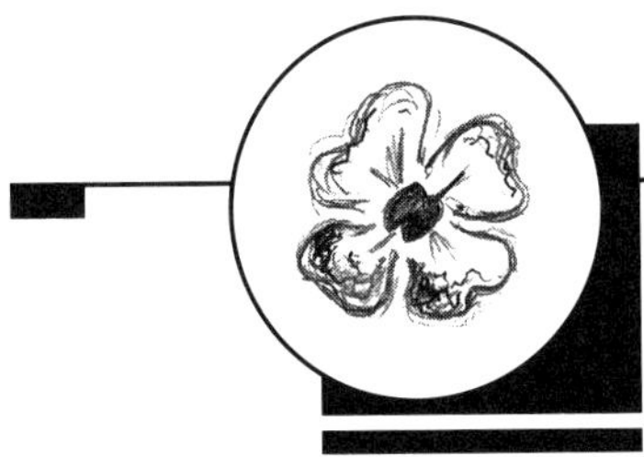

Semana 39

Resumen

Al esforzarnos por conocernos, Dios es un lugar muy bueno para comenzar, porque se ha escrito: "En el principio creó Dios . . ." En esta sección de *Una guía diaria para la vida espiritual*, varias declaraciones han afirmado lo que somos, pero se requiere más que la comprensión intelectual si hemos de ser testigos de la verdad del ser. La memorización cambia nuestro vocabulario, pero no las mentiras que hemos creído sobre nosotros.

Debe haber revelación, un encuentro directo con el Espíritu, otra mirada a nosotros mismos desde el punto de vista de Dios. Y, por lo tanto, estamos receptivos a este despertamiento espiritual, pero en el verdadero nacimiento de toda persona hay un aspecto llamado Herodes, que no quiere ver. Este aspecto resiste y quiere luchar. Gracias a Dios que la batalla no es nuestra, sino de Dios. No obstante, podemos ayudar y prepararnos para la revelación al entrar en el eterno ahora. Solamente en el instante presente podemos encontrar a Dios. Se requiere paciencia y persistencia.

La verdad es que somos perfectos a pesar de las apariencias. A la imagen de Dios nada le falta. Necesitamos purificación, porque al ser purificados del error y al no juzgar ya por las apariencias, *quien* somos comienza a surgir. La experiencia y la expresión se vuelven una. Las palabras más simples que decimos sobre nosotros son, también, las más verdaderas: yo soy. Creemos que hemos llegado finalmente, mas estamos a mitad del camino, y el viaje continúa.

Regresa a cualquier día o combinación de días que no hayas comprendido, o que necesitas darles más atención, o un repaso. Repite la lección (o las lecciones) como la tarea de la *Semana 39*.

Resiste la tentación de omitir el repaso y continuar con la próxima sección, "*Encontrando el propósito*". La continuación del viaje espiritual puede esperar una semana más.

Semana 39
Días 267–273
continuación

En los espacios abajo escribe las lecciones que escoges repasar:

Día 267 *Semana*__________

*Día*__________

Día 268 *Semana*__________

*Día*__________

Día 269 *Semana*__________

*Día*__________

Día 270 *Semana*__________

*Día*__________

Día 271 *Semana*__________

*Día*__________

Día 272 *Semana*__________

*Día*__________

Día 273 *Semana*__________

*Día*__________

Sección 4

Encontrando el propósito

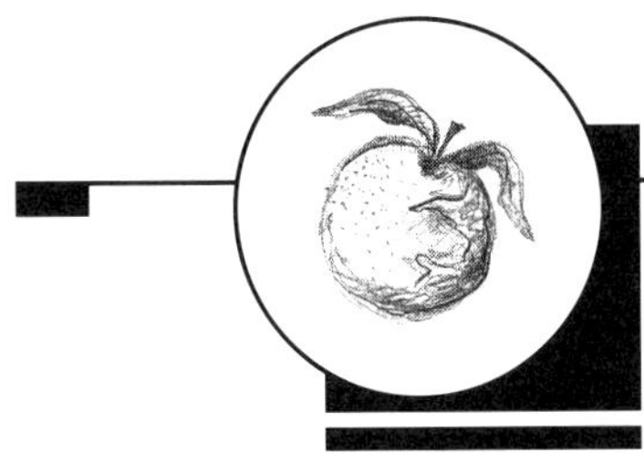

Semana 40
"En el principio creó Dios . . ."

Cuando nuestras vidas eran de la tierra, todo empezaba con nosotros, con alguna condición externa, o con un suceso. Mas no había satisfacción. Nuestro viaje espiritual también comenzó con un descontento divino. Al principio no deseamos conscientemente caminar más cerca de Dios. Queríamos soluciones para nuestros problemas. Eso bastaba para nosotros, o por lo menos así creíamos. Gradualmente, el deseo de Dios para nosotros se volvió nuestro deseo de Dios. Caminamos la senda espiritual conscientemente. Nos llegaban problemas, pero también nos llegaban sus soluciones. La paz y muchas de las alegrías de la existencia humana llegaron a ser nuestras. Sin embargo, algo faltaba: un sentido de misión y propósito.

Hay propósito para toda persona que conoce a Dios. Con una misión significativa que cumplir, sentimos pasión por la vida y energía para el trabajo que debemos hacer. Este es el próximo paso en nuestro viaje. No podemos darlo a menos que Dios sea nuestro comienzo.

Semana 40
Día 274

Admito haber vivido sin un propósito verdadero.

Admitamos que hemos vivido sin un propósito verdadero. El universo es vasto, y somos creaciones de Dios, pero nos hemos preocupado por nosotros mismos. Nos hemos considerado como seres físicos viviendo en un mundo físico y hemos permitido ser compelidos a satisfacer nuestras necesidades básicas. Luego buscamos el respeto de otros y tratamos de encontrar seguridad por medio de la acumulación de riqueza. Aun mientras buscábamos esas cosas, nos preguntábamos si eso era todo lo que había en la vida.

La mayoría de los seres humanos, particularmente cuando se acercan a la edad madura, preguntan: "¿Cuál es el propósito de la existencia?" Da varios ejemplos de lo que creíste que era tu propósito. (Deja que estos ejemplos vengan de tu pasado.)

Descubrirás que tu propósito se relaciona directamente con aquello a lo que le das valor. Escribe abajo las cuatro "cosas" que más valoras en tu vida.

1.

2.

3.

4.

Creo que la vida tiene significado.

El tamaño de nuestro mundo es importante. Si nos consideramos gente pequeña, viviendo en un mundo pequeño y limitado, la vida tendrá poco significado para nosotros. Cuando solamente nos preocupamos por nosotros mismos, ¿cómo podemos creer que nuestras vidas tengan algún significado? El significado de la vida expande en proporción al tamaño de nuestro mundo y de las cosas a las que damos valor. Cuando empezamos a dar valor a nuestro planeta y a la gente que nos rodea, la vida se vuelve más significativa y abrigamos la posibilidad de poder establecer una diferencia.

Si tuvieras que dibujar un círculo que fuera del tamaño de tu mundo, ¿cuántas millas tendría el diámetro del círculo?

¿Quién y qué serían parte de este mundo?

Semana 40
Día 276

Hay una razón de nuestra existencia.

"¿Por qué estamos aquí?" es una pregunta que tiene respuesta. La gente que tiene propósito está llena de energía y parece ser dirigida por una mano invisible. Ella se vigoriza y se vuelve más productiva a medida que los años pasan.

En nuestra sociedad, existe la tendencia a creer que debemos poseer ciertas calificaciones antes de tener propósito o poder contribuir al bien común. Damos valor a la instrucción y la consideramos ser un requisito esencial como condición previa antes de que nuestras vidas puedan tener significado. La historia registra los logros de los eruditos, pero en algunos casos su conocimiento fue imperfecto. Estas personas doctas tuvieron que echar a un lado lo que habían aprendido para que hubiera un descubrimiento. A menudo, mucha gente sumamente instruida vaga sin propósito, porque su conocimiento no les ha dado una razón de ser.

Varios de los discípulos de Jesús no asistieron a la escuela, pero eran personas instruidas. Pablo era sumamente instruido, mas fue su habilidad de pensar en lo que había aprendido y de poner esto en duda que lo llevó a comprender el papel de la fe en el despertamiento espiritual. Y mucha de la gente que captó el mensaje (que le tomó a Pablo tanto tiempo para desarrollar) comprendió sus palabras tan pronto como él las habló. No tenemos que ser personas instruidas antes de tener un propósito.

¿Cuál crees tú que es la razón de tu existencia?

Dios es mi comienzo.

Un creador sabio debe tener una razón para la creación. Los seres humanos tal vez crean que fueron creados para vivir, trabajar, criar niños, de manera que la raza pueda continuar, y luego morir. Si esto fuera verdadero, entonces nuestro Creador tendría poca visión. Hay un plan más grandioso, y éste se desenvuelve ahora. El Espíritu tiene propósito, y somos el centro en el cual el propósito se desenvuelve. Por cierto, sin nosotros el plan divino permanece sólo una posibilidad.

No podemos encontrar nuestra razón para vivir al dar atención al mundo. Nuestra misión está vinculada directamente a la razón del Creador para la creación. Nuestra obra es espléndida y maravillosa, superior a la creencia. Sólo al acudir a Dios podemos descubrir nuestra misión. Es mejor que al dirigirnos al Espíritu no Le pidamos que nos diga nuestra razón para vivir, o nos dé algún trabajo especial para llevar a cabo. Dos asuntos son importantes para hacer hoy.

Primero, acudimos a Dios en oración.

Segundo, admitimos que ignoramos nuestro propósito.

Había una vez un rey que se reunía con doce personas de su reino todos los días. Estas no eran dignatarios, sino gente de pueblos muy pequeños. Las personas entraban en la cámara del rey y tomaban asiento silenciosamente al frente del monarca. Se les instruía a hablar solamente si el rey se dirigía a ellas. Cuando la gente dejaba la presencia del soberano, encontraba siempre paz y la solución de sus problemas, aunque el rey nunca hablaba a ninguna de las personas. ¿Qué motivo descubrió la gente para sentarse con el rey?

(Puedes encontrar la respuesta en la próxima página.)

Semana 40
Día 277
continuación

Contestación:

La gente descubrió que su propósito era estar en la presencia del rey. Si el rey hubiera hablado a la gente, ella no hubiera comprendido la importancia de estar en la presencia del rey. Así sucede con Dios. La primera razón de nuestro ser es estar consciente de que estamos en la Presencia. Mientras estamos en la Presencia, encontraremos que Dios tiene pasión por nosotros. Además, es importante entrar en la Presencia sin un propósito terrenal, porque entonces estamos más receptivos a la misión de Dios que recibiremos.

Dios tiene pasión por mí.

Todo niño (o niña) oye a los adultos hablar de Dios. Debido a que el niño experimenta mucho de la vida por medio de la vista o el oído, el pequeñito quiere ver a Dios u oír Su voz. Debe ser difícil para los niños no poder ver u oír al Dios del cual oyen hablar tanto. Pasarán muchos años antes de que los niños se den cuenta de que el Espíritu invisible se vuelve visible cuando es expresado por los seres humanos.

La verdad es que Dios busca expresión por medio de cada uno de nosotros. Somos las manos y los pies de Dios. Somos la voz de Dios que los niños anhelan oír. Por esta razón, Dios tiene pasión por nosotros. Esta pasión es por unión y expresión o creatividad. Conoceremos la unión como amor, y la expresión o creatividad como propósito.

Para hoy no hay actividad específica más que estar receptivo a sentir la pasión de Dios por ti.

Semana 40
Día 279

Tengo pasión por Dios.

Con Dios como nuestro comienzo, descubrimos que Dios tiene pasión por nosotros. Uso la palabra *pasión* para dar énfasis a la grandeza del deseo del Creador para la humanidad. Finalmente sentimos el amor de Dios por nosotros como nuestro amor por Dios. En las relaciones humanas, la pasión que sentimos los unos por los otros guía a unión y creatividad. Verdaderamente, nuestra pasión por Dios es realmente la pasión de Dios por nosotros que sale a la superficie en nuestras almas. Por último, este deseo unificado resulta en lo que los místicos llaman "el enlace místico". De esta unión, nace un "niño", Dios nos da una misión y nos volvemos cocreadores con Dios.

El ejercicio de hoy es meditativo. Sencillamente considera la idea de que Dios tiene pasión por ti. Haz una pausa por lo menos tres veces durante el día por un período de diez minutos y medita en esa idea. También, una vez cada hora por unos breves segundos recuerda que Dios te ama y Dios desea el enlace místico.

Dios tiene una misión para mí.

Hay un propósito y una misión para cada uno de nosotros. Podemos sentir esto cuando somos jóvenes. Hay algo que hemos de hacer, pero a menudo no sabemos lo que es. Mucha gente muere sin conocer su misión. Hay una sensación de fracaso, un sentimiento de vacío. La vida no debe ser de ese modo.

La única razón por la cual una persona muere sin conocer la razón de su existencia es que él o ella no ha comenzado con Dios. Cuando Dios es el comienzo, decimos *sí* a Su amor por nosotros, escuchamos y hay propósito y significado. La única manera de permanecer sin propósito es decir *no* al amor y a la pasión de Dios por nosotros. ¿Quién rehusaría tal oferta?

¿Cuáles son las razones posibles para decir *no* al amor y a la pasión de Dios por nosotros?

Semana 41

Con Dios nada es imposible

Un ser humano, solo y separado de Dios, encontrará que la tarea más sencilla es imposible, o está desprovista de significado. Un ser humano unido a Dios no encuentra nada imposible y la tarea más sencilla es sagrada. Las cosas imposibles no son logradas por todo ser humano, mas durante el curso de la historia, las cosas que según se supone no pueden ser hechas, han sido logradas al menos por uno de nosotros. La hazaña nos dice que hay un modo y nos reta a no hacer la cosa, sino a descubrir la manera en que toda tarea aparentemente imposible es llevada a cabo.

Semana 41
Día 281

No logro las cosas imposibles hasta que me doy cuenta de que ellas son la oferta del Espíritu de querer trabajar conmigo.

¿Hay una tarea imposible delante de ti ahora? ¿Ha dicho el médico que no puedes ser curado? ¿Has fracasado tan a menudo en los empleos que ya no crees que el éxito sea posible? ¿Ha terminado toda relación con tanta angustia que temes tratar de nuevo?

Hay mucho que parece imposible para nosotros. Tratamos, pero no tenemos éxito. Parece que somos las víctimas de una maldición, pero somos bendecidos. Bendecidos son los que creen que no pueden alcanzar éxito, porque ellos pueden llegar a unirse con Dios.

Las tareas imposibles no son logradas por meros seres humanos, sino por los seres humanos que están conscientes de su unidad con Dios. Lo que no podemos hacer no es más que la oferta del Espíritu de querer trabajar con nosotros. Para alguna gente una relación significativa es imposible, para otra gente, hablar en público o la curación de SIDA es imposible.

Tal vez sea verdad decir que algunas cosas son imposibles para Dios. Dios no puede tocar la cara de una persona o besar una mejilla sin una mano humana. Dios tiene pasión por nosotros. Dios es amor, y el amor quiere expresarse. Dios debe ser amoroso. Sin embargo, una persona llena de odio no puede tocar suavemente la cara de una persona o besar tiernamente una mejilla sin un despertamiento espiritual. Por cierto, todo acto de amor genuino es en unión con el Espíritu.

Si hay una tarea "imposible" ante ti, ¿cuál es?

Si hay una tarea imposible delante de ti, por favor, ten presente que ella es la oferta de Dios para trabajar contigo. ¿Estás dispuesto a unirte y hacer el trabajo?

Con Dios como mi comienzo, nada es imposible para mí.

El principio es claro. Cuando somos uno con Dios, nada es imposible para nosotros. Hay un sentido de poder, pero no es nuestro poder. Somos como el lecho de un río a través del cual el río fluye. No dirigimos el curso del río ni sabemos su próximo recodo, o cuando se precipitará sobre rocas y a través de estrechos cañones.

Se ha dicho que el agua es la substancia más débil. Sin embargo, desgasta montañas. Las rocas y las piedras grandes están en medio de los ríos, mas el agua no resiste la piedra. El agua se precipita alrededor de ella y sobre ella y finalmente la desgasta suavemente. El Espíritu no lucha. Fluye por el cauce que ofrece menos resistencia. Nuestro trabajo es proveer el cauce. Esto no quiere decir que debemos tallar el lecho del río a través del cañón. Todo río poderoso talla su propio lecho. A veces hay ríos, como el Misisipí, cuyos lechos son enormes y en el curso de los años ellos corren por valles que tienen millas de ancho. Sin embargo, hubo un comienzo, un diminuto riachuelo en la altura de las montañas. Si el río del Espíritu ha de fluir a través de nosotros y hacer su poderosa obra, debemos desearla.

Nuestra obra es desear la unión con Dios. Esto es un diminuto comienzo, mas eso es todo lo necesario para Dios. A medida que el Espíritu se expresa, nuestras almas se amplían y hacemos tareas imposibles.

La tarea para hoy es estar dispuesto a unificarte con Dios. ¿Cómo harás esto?

Semana 41
Día 283

Hoy hago algo que nunca he hecho antes.

Hoy, haz algo que nunca has hecho antes. Sin embargo, no lo hagas por el mero hecho de hacerlo. Antes de actuar, siéntate para orar y meditar serenamente, y deja que Dios sea el comienzo. Comenzar con Dios no es complicado. Es asunto de estar dispuesto a sentir la Presencia.

Hay otro asunto que debes saber. Uno tal vez no sienta conscientemente la Presencia antes de comenzar una tarea. Ten receptividad a la unión, y luego actúa con valor e intrepidez. Con el primer paso, date cuenta de que Dios está contigo.

¿Qué has escogido para hacer hoy que nunca has hecho antes? Comprende que debido a tu comienzo, invitas al Espíritu a trabajar contigo.

Con Dios, la curación es posible.

Tu estado natural es perfección. Ninguna condición física puede cambiar la verdad de que eres un ser espiritual, perfecto y completo. Esta innata perfección produce lo que llamamos una curación cuando somos uno con Dios.

Nuestros médicos pueden decirnos que una enfermedad es incurable, pero mientras hablan, los investigadores científicos tratan de encontrar un método curativo, y con el tiempo lo harán. Una enfermedad tras otra ha sucumbido a ese método. Sin embargo, hay gente que no puede esperar un descubrimiento médico. Ella necesita ayuda ahora, y ésta es asequible.

Con Dios nada es imposible. Nuestro estado natural es perfección. Este descubrimiento requiere un alma deseosa, en vez de un grupo de investigadores. Dios primero, luego una conciencia de perfección, y entonces la curación sucede.

Hoy, estés enfermo o no, deja que una conciencia de perfección sea tu propósito. Una cosa no debe ser obstáculo para ti a medida que estás receptivo a ese descubrimiento: no trates de sanar tu cuerpo. La curación espiritual, la clase de curación que Jesús compartió con el mundo, tal vez haya resultado en curación física, pero la curación no fue la cuestión. ¿Cuál fue la cuestión?

Contestación: Una conciencia de perfección fue la cuestión.

Semana 41
Día 285

Con Dios, el amor es posible.

Hagamos una distinción entre las dos palabras *razón* y *propósito.* La *razón* para hacer algo viene de lo externo. Por ejemplo, el dolor nos da motivo para la acción. Queremos ser sanados. El *propósito* para hacer algo viene de nuestro interior. El dolor puede ser la razón por la cual actuamos, pero nuestro propósito es mayor que querer ser sanados. Deseamos comprender nuestra perfección espiritual.

Con los humanos, las relaciones son posibles, mas éstas tal vez no sean las que deseamos. Con Dios el amor es posible, y relaciones poderosas, pacíficas y armoniosas son el resultado natural.

El amor es el propósito de Dios. Todas las fuerzas del universo son concebidas de un modo que promueve la expresión del amor. El amor es natural para nosotros, pero primero debe estar Dios, luego debe haber una conciencia de amor y, finalmente, la manifestación del amor. La verdad es que el amor no es posible sin Dios, porque Dios *es* amor.

Según sigues en esta última sección del libro, continúas hacia tu propósito, o la misión de Dios para ti. Para descubrir tu misión, tu más alto propósito y el propósito más alto de Dios para ti deben ser uno. En cuanto al amor, ¿cuál es tu propósito?

Con Dios, la seguridad es posible.

Hay una diferencia entre lo que queremos y lo que necesitamos. Un padre hizo que esta distinción fuera una oportunidad de crecimiento para su hijo. Cuando el niño expresaba un deseo de algo, se le preguntaba si el "artículo" era un deseo o una necesidad. Para mayor claridad, un juguete sería un deseo, mientras que una necesidad era algo necesario para la vida en el planeta. Lo que el niño descubrió fue que sólo había pocas cosas que él necesitaba, pero que la vida estaba llena de muchos deseos.

Deseamos seguridad, y ésta es tan necesaria para el alma como el aire para el cuerpo. Cuando estamos en la conciencia humana, creemos que la seguridad viene de la adquisición. Obtenemos un buen empleo, y entonces estamos seguros. Después debemos proveer para nuestra jubilación, de modo que buscamos beneficios y tratamos de acumular riqueza invirtiendo en valores, acciones, tierra, etcétera. Alguna gente logra estos objetivos financieros, pero descubre que no ha logrado seguridad. La seguridad es una dimensión del regalo de la presencia de Dios. Todos los que viajan en el sendero espiritual recuerdan una época en que el mundo externo fue sombrío. Tal vez perdimos nuestro empleo, o tuvimos una pérdida en el mercado de valores. El hambre predominaba en el país, pero el alma permanecía rica.

Sentimos seguridad, aunque aparentemente no había estabilidad en nuestro mundo externo. Esta es la clase de seguridad que es posible con Dios. Y no permanece solamente como un sentimiento, porque por medio de la ley de acción mental esa conciencia se manifiesta como una idea próspera, una oportunidad, un nuevo empleo, etcétera.

¿Has sentido esa clase de seguridad? Para tener una idea sobre esa clase de seguridad, lee el Salmo 23. En tu opinión, ¿cuál de los versos expresa mejor la seguridad fundamentada en el Espíritu?

Semana 41
Día 287

Con Dios, la paz es posible.

Una joven se sentía muy perturbada sobre una decisión que debía tomar, porque ésta determinaría el curso de su vida. Fue a su madre para que la aconsejara. Su madre le habló de un secreto jardín en las montañas donde florecían flores silvestres y fluían aguas puras de un manantial eterno. A la joven se le dijo que podía encontrar en ese lugar lo que ella deseaba. La hija preguntó cómo se llegaba al jardín. Su madre sonrió, diciéndole que no sabía el camino. La joven luego pidió a su madre que describiera el jardín, y a medida que lo hacía, la hija pudo verlo en su mente. Allí encontró lo que buscaba: paz.

¿Qué representa el jardín? Por favor, contesta con cinco palabras, o menos.

(Una buena ayuda al contestar esa pregunta es cerrar los ojos e imaginar el jardín en la montaña colmado de flores silvestres. Luego pregúntale lo que representa.)

Contestación: El jardín representa la presencia de Dios.

Semana 42

Lo que Dios puede hacer . . .

La gente cree que Dios puede hacer cualquier cosa. Sin embargo, la mayoría de las personas creen, también, que el Espíritu no hace todo lo que puede hacer y debe ser incitado para actuar. Debemos ofrecer oraciones, cerrar un trato y cumplir promesas; luego el Todopoderoso hará el milagro. Esto no es cierto.

Joel Goldsmith, maestro y escritor de renombre mundial, dijo: "Lo que Dios puede hacer, Dios lo está haciendo". El Espíritu no toma vacaciones o días libres, o rehúsa hacer Su trabajo. Desde la perspectiva humana, hay tanto que debe hacerse. Si Dios hace todo lo que se puede, nosotros conjeturamos, entonces estamos en peligro. Creemos que debemos encontrar un modo de hacer que Dios actúe. Hay enfermedades que sanar, guerras que terminar y personas a quienes dar de comer. Aguijoneamos a nuestro reacio Dios con regateos, alabanzas, oraciones, promesas y un sentido de culpa.

Nuestros métodos parecen interminables y no cesarán hasta comprender que no hay enfermedad, guerra o escasez en Dios. La necesidad no yace en incitar a Dios para que actúe, sino en que descubramos lo que Dios está haciendo.

Semana 42
Día 288

Dios es . . .

Dios es vida, y cuando comprendemos esto, los ciegos ven y los lisiados caminan.

Dios es amor, y cuando captamos esto, no hay más culpa, el odio termina, el perdón abunda y obedecemos el único mandamiento que Jesús nos dio: "Que os améis unos a otros" (Jn. 15:17).

Dios es sabiduría, y cuando sabemos esto, nuestro pensamiento es claro y nuestras decisiones son sabias.

Dios es provisión y cuando entendemos esto, el desierto florece y aquellos que tienen sed encuentran manantiales eternos.

Dios es paz, y cuando comprendemos esto, las guerras terminan y el león y el cordero descansan juntos.

Dios es vida.

Charles Fillmore dijo que Dios es más que ser vivo o viviente; Dios es la vida misma y se expresa de muchas maneras. La vida del Espíritu se expresa como la gran ballena azul, las aves que vuelan, los secoyas de California que parecen no tener edad, y los olivos de Israel. La vida se expresa por todas partes, algunas manifestaciones tan pequeñas que sólo pueden verse con un microscopio y otras tan grandes que debemos dar un paso atrás para ver con claridad.

La vida que anima las plantas y animales, y nos anima a nosotros, es divina. Los ojos humanos no pueden verla, mas debe ser percibida por una mente llena de fe. Nunca estamos sin vida. Aun cuando el alma deja el cuerpo y nuestra familia y nuestros amigos dicen que hemos muerto, estamos vivos. En realidad, estamos más que vivos, somos vida.

Dios es vida, y ya es tiempo de no pedir a Dios que sea más que eso. Despertemos a lo que Dios está "haciendo".

¿Cómo sería un paseo por el bosque cuando despiertas a la verdad de que todo lo que ves es manifestación de Dios como vida?

Si estás enfermo y despiertas a la verdad de que Dios es tu vida, ¿qué sucederá?

Si un ser amado ha muerto y despiertas a la verdad de que Dios permanece como la vida de tu ser querido, ¿cuál será tu experiencia?

Semana 42
Día 290

Dios es amor.

Charles Fillmore dijo que Dios es más que amoroso; Dios es el amor mismo y se expresa de muchas maneras. En ciertos modos, el amor de un niño por un animal casero o un animal de peluche es el amor divino que se expresa a través del pequeñito. Ciertamente la unidad de dos buenos amigos tiene un origen divino. Un hombre y una mujer se casan idealmente no tanto porque se aman, sino porque dejan que el amor de Dios se exprese en ellos.

Dios es amor, y es hora de abstenernos de pedir a Dios que sea más que esto. ¿Qué podríamos pedir que mejorara el que Dios sea amor? Vivimos una vida espiritual cuando somos exigentes con nosotros mismos más bien que con el Espíritu. Dios hace todo lo que Dios puede hacer, pero es bastante. Debemos volvernos conscientes de las implicaciones de lo que Dios hace.

Cuando llegas a estar consciente de que Dios es amor, ¿cómo cambiará esto tus relaciones humanas?

Cuando aceptas las idea de que Dios es amor, ¿cómo transformará esto tu opinión de ti mismo?

Si guardas resentimiento hacia otra persona, ¿te ayudará a perdonar la verdad de que Dios es amor? Si contestas sí, ¿cómo?

Dios es sabiduría.

Charles Fillmore dijo que Dios es más que sabio; Dios es sabiduría. Donde hay alguna expresión de sabiduría, se está expresando la mente de Dios. Las ballenas y aves que emigran son guiadas por la sabiduría divina. Las plantas se vuelven al sol debido a una luz interna. Los seres humanos piensan en asuntos y toman decisiones sobre ellos, no porque son sabios, sino porque Dios es sabiduría.

Como seres humanos, a menudo pedimos a Dios que nos diga qué hacer, o nos dé contestación. Las respuestas y la guía llegan, pero no es porque Dios da la contestación. Dar contestaciones y guía no es lo que Dios hace. Recuerda, Dios es sabiduría. Al despertar a la luz de Dios, experimentamos un sentido de guía o una idea.

Por favor, recuerda que cuando despiertas a la verdad de que Dios es sabiduría, no hay nada que no puedes saber.

Da cinco maneras en que una conciencia de Dios como sabiduría puede manifestarse en tu vida:

1.

2.

3.

Semana 42
Día 291
continuación

4.

5.

Contestaciones posibles:
1. Como una idea
2. Como una voz callada y suave
3. Como un pensamiento
4. Como un sentimiento o una corazonada
5. Como conocimiento de que debes ir a alguien o a algún lugar, y allí encontrarás tu respuesta

Dios es la fuente.

Mucha gente comprende que Dios es más que el dador; Dios es el regalo. Esto es cierto, pero innumerables miles de personas ignoran esta verdad. Queremos consistentemente que Dios haga algo por nosotros. Deseamos que el Espíritu nos dé un empleo o provea cierta cantidad de dinero. Dios no puede hacer estas cosas. Que este discernimiento no nos cause consternación, sino que nos aliente a actuar de manera diferente.

Dios es nuestra fuente. ¿Qué más podríamos desear? La sabiduría de Dios ha ideado un universo, de manera que cuando nos volvemos conscientes de nuestra fuente, ésta se manifiesta en nuestras vidas. La fuente no necesita hacer nada sino ser lo que es. Debemos encontrarla. No busquemos en el mundo aquello que ya está dentro de nosotros. Un estado mental no se encuentra en un país lejano. Es parte de nosotros. Es de este modo cómo se manifiesta nuestra fuente. La fuente suprema de todo el bien se desborda en nuestras vidas cuando estamos conscientes de que Dios es nuestra fuente. Cómo se manifestará no nos incumbe. Es de nuestra incumbencia continuar sabiendo que Dios es la fuente suprema.

Cuando sabes primero que Dios es tu fuente, ¿cómo se manifestará este conocimiento en tu vida?

Contestación: Una conciencia de Dios como fuente se manifiesta primero como un sentido de seguridad. Durante esta etapa nada en el mundo externo cambiará. Las ideas, oportunidades, nuevos empleos, etcétera, llegan según continuamos dando atención al Espíritu como fuente.

Semana 42
Día 293

Dios es paz.

Por mucho tiempo hemos esperado que la paz llegue. La paz del mundo se "establece" a través de la guerra y se mantiene a través de la "fuerza". La paz interna "llega" al hacernos cargo de nuestras vidas y hacer que las cosas se ajusten a nuestra visión de la manera que deben ser. Cuán correcto parece esto, pero cuán incorrecto es.

Las guerras no establecen paz, ni las armas sostienen armonía. La paz no llega, ni la paz de Dios se establece cuando los asuntos se resuelven de acuerdo con nuestros deseos. Alguna gente arguye con esto, mas la base del desacuerdo es que hay dos clases de paz. Hay la paz del mundo que va y viene, y hay la paz de Dios que es y siempre será. "La paz os dejo, mi paz os doy; yo no os la doy como el mundo la da" (Jn. 14:27).

Nos ofrecen algo, pero no hemos sido capaces de recibirlo. Supongamos que el regalo ya ha sido dado. La paz es nuestra; ésta es parte de nosotros ahora.

¿Cómo recibirás el regalo de paz que se te ofrece?

Dios no necesita actuar; debo recordar lo que Dios está haciendo.

Logramos paz al saber que lo que Dios puede hacer, Dios hace. Hay, también, nueva dirección. Dios es amor, vida, sabiduría, paz y nuestra fuente. ¿Qué más podemos pedir? Esto basta, y es evidencia de la sabiduría infinita del Espíritu.

Sin embargo, los hechos permanecen. La enfermedad, el hambre y la guerra existen, y éstos son solamente algunos de los retos que la humanidad afronta. Nuestra tendencia es hacer algo sobre esos problemas. Algunas veces parecen demasiado grandes para nosotros y, por lo tanto, buscamos la ayuda de Dios. Ahora sabemos que este método no cura nuestras enfermedades, no da de comer a niños hambrientos, ni trae paz, porque lo que Dios puede hacer, Dios está haciendo. ¿Quiere decir esto que somos impotentes?

Nada de eso. Sencillamente tenemos una misión nueva. En el reino del cielo no hay guerra, hambre, enfermedad o ansiedad. Nuestra misión es recordar lo que Dios hace: ser. A medida que nos permitimos estar conscientes de la obra del Espíritu, *nuestra misión terrenal se vuelve clara.* El camino del Espíritu es el mismo siempre. Nos ponemos en contacto con Dios, y luego se nos dice lo que debemos hacer. Sin duda, lo que hacemos bajo la dirección de Dios ayudará a eliminar los problemas del mundo. Nuestras misiones terrenales serán variadas, pero nuestra obra será recordar lo que Dios está haciendo.

¿Tienes una dificultad en tu vida? Si la tienes, ¿cómo aplicarás los principios antedichos al reto?

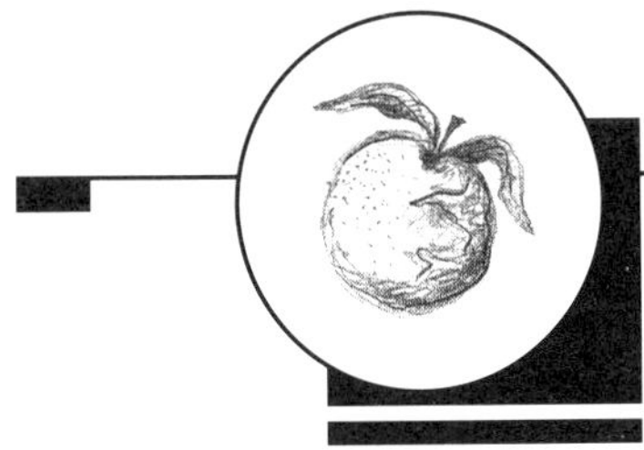

Semana 43
El aprendiz

Jesús les dijo: "De cierto, de cierto os digo: No puede el Hijo hacer nada por sí mismo, sino lo que ve hacer al Padre; porque todo lo que el Padre hace, también lo hace el Hijo igualmente. Porque el Padre ama al Hijo, y le muestra todas las cosas que él hace; y mayores obras que estas le mostrará" (Jn. 5:19–20). En estos versículos, Jesús revela un aspecto de nuestra relación con Dios: la del aprendiz con el maestro artesano. Primero, un aprendiz adquiere los principios fundamentales de una forma de arte, pero finalmente el maestro revela las destrezas más sutiles e intrincadas.

Si hemos de contribuir creativamente a la humanidad, debemos aprender los modos intrincados, sutiles y aparentemente misteriosos del "Maestro". Hemos creído que la obra del Creador era variada, y hacemos esto y aquello, pero ahora sabemos que la obra de Dios es *ser*. Asimismo, esto es lo que debemos "hacer". Sólo por medio del aprendizaje podemos hacer el trabajo creativo del Espíritu. Tal vez queramos actuar y tratar de crear la obra maestra, pero es mejor que nuestro primer trabajo sea la observación.

Semana 43
Día 295

La obra de Dios es creación.

La obra de Dios no es mantenimiento. Ella es creación. La curación del cuerpo es un buen ejemplo de la obra sagrada de Dios. Los seres humanos ven algo que arreglar —un hueso roto que sanar o la vista que restaurar. Cuando un hueso roto es sanado o la vista es restaurada, parece que hay mejoría, mas esto no es cierto. La integridad espiritual de la persona es como siempre ha sido. El individuo es íntegro. Los huesos rotos y la ceguedad física no cambian la verdad de nuestro ser. Al estar conscientes de esa verdad, las fuerzas creadoras se liberan y una norma de perfección se manifiesta. Esto no es mantenimiento; esto es creatividad.

Nuestro mundo se enfrenta con muchos retos. En el pasado, hubo una crisis de energía. La gente sabia declaró que no había escasez de energía, sólo de ideas. La enfermedad nos invita a la creatividad. La devastación causada por un incendio, o por el viento, o por un terremoto, nos llama a ser creativos. No creamos que nuestro trabajo es restauración y mantenimiento. Nosotros, como nuestro Creador, debemos ser creativos.

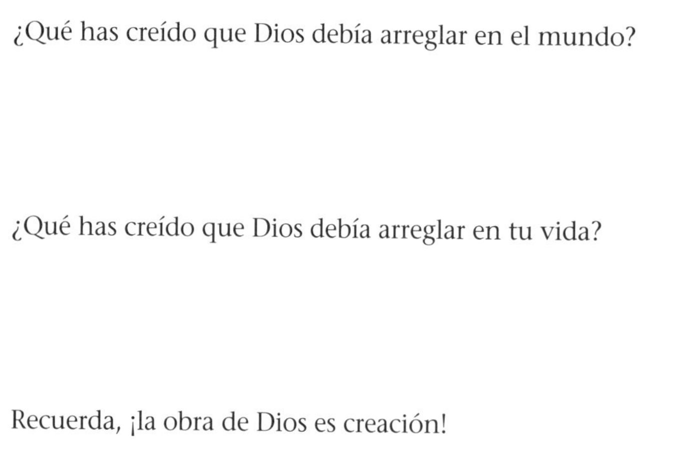

¿Qué has creído que Dios debía arreglar en el mundo?

¿Qué has creído que Dios debía arreglar en tu vida?

Recuerda, ¡la obra de Dios es creación!

Mi obra es creatividad.

La obra de todo ser humano es creatividad. El aprendiz o la aprendiz debe hacer lo que él o ella ve que el maestro hace. No debemos arreglarnos, arreglar a otros, o arreglar situaciones. Nuestra obra, como la del Maestro, es creatividad. Al tomar parte en la creación, nos percibimos, percibimos a otros y a las situaciones de modo distinto.

La creatividad requiere nuevos pensamientos y acciones que nunca hemos intentado antes. A veces podemos esforzarnos más, pero en otras ocasiones es mejor empezar de nuevo. Tomás Carlyle escribió *The French Revolution* (La revolución francesa) y pidió a su amigo, John Stuart Mill, que lo leyera y le diera su opinión. La criada del Sr. Mill creyó que el manuscrito no tenía ningún valor y lo usó para prender el fuego en la chimenea. Esto perturbó al Sr. Carlyle al principio, pero finalmente escribió la versión de *The French Revolution* que tenemos hoy. ¿Qué hubiera sucedido si Tomás Carlyle hubiese tratado de reconstruir su obra de las cenizas? Hubiera sido totalmente inútil.

Cuando pensamos en términos de mantenimiento y arreglo, logramos resultados ordinarios, pero cuando estamos receptivos a la creatividad, los resultados son extraordinarios. Esta es la obra del maestro artesano.

Gente y cosas que he tratado de arreglar:

¿No es interesante cómo ellas continúan fallando y necesitando arreglo de nuevo?

Semana 43
Día 297

Tengo mucho que aprender.

Casi todo el mundo ha estado en un museo y ha visitado la galería de arte moderno. Cuando están en esta galería mucha gente piensa: "Yo podría hacer eso". Algunas personas realmente lo han tratado, pero cuando dieron un paso hacia atrás para ver la pintura, sus "obras maestras" no fueron lo que esperaban ver.

Una verdadera obra de arte evoca algo profundo en nosotros. Nuestra reacción positiva a la obra llega cuando consciente o inconscientemente vemos algo en la obra del pintor que está en nosotros. Por tanto, algo en nosotros se identifica con la pintura. Todo esto nos lleva a la conclusión de que tenemos mucho que aprender. Un aprendiz "sabelotodo" no aprenderá los secretos del maestro.

Vuélvete como un niño y haz preguntas sobre las cosas que te dejan perplejo. Por ejemplo, ¿cómo vuelan los pájaros? ¿Cómo puede una semilla debajo de una acera romper el concreto y crecer? Haz una lista de siete preguntas:

1.

2.

3.

4.

5.

6.

7.

La creatividad surge de mi interior.

Dios logra Su arte en un niño así como en un Miguel Angel. Cuando algo nuevo surge de nosotros, hay creatividad. Puede ser el dibujo de un animal casero por un niño, o un pueril poema en rimas. La obra se realiza, pero de repente, en un instante, la revelación llega.

La fuente de ideas e innovación asequibles a nosotros está más allá de la comprensión. Hagamos nuestro trabajo, de modo que la sabiduría de Dios pueda expresarse en nuestras vidas y en el planeta. No solamente seremos bendecidos, sino que otros se beneficiarán también. La creatividad llega de repente, pero no hay éxito de la noche a la mañana. Un hombre que llevaba un maletín de violín preguntó a un policía de Nueva York cómo se iba a Carnegie Hall. El policía miró al joven y su maletín de violín y dijo: "Práctica, práctica, práctica".

Se requieren años de práctica para ser competentes en cualquier destreza. Un compositor en primer lugar aprende a tocar el piano. Más tarde, esa destreza se volverá asequible a una sabiduría interna, de manera que ella pueda revelar a la humanidad la armonía y el ritmo del Infinito. El compositor está dispuesto a dejar que algo nuevo surja de su interior. Esta disposición se junta a la destreza de haber aprendido a tocar el piano, de modo que una nueva creación pueda llegar a ser. Al "nacer el niño", el compositor empieza a oír internamente las notas que pone sobre el papel.

Todo lo que necesitas y todo lo que Dios puede proveerte, vendrán de tu interior. Esta es la esencia del proceso creativo. Es importante permitir que esto suceda. Tu actividad para hoy es escribir un poema de doce líneas por lo menos sobre un tema que eliges. Escríbelo en la próxima página:

Semana 43
Día 298
continuación

Hoy observo al Maestro en Su trabajo.

El trabajo del aprendiz empieza con observación. El estudiante debe ver lo que el maestro hace. El pueblo colonial Williamsburg, en Virginia, ha sido restaurado y los artesanos llevan a cabo los trabajos creativos del pasado según fueron hechos hace cientos de años. La gente que hace muebles, tazas altas de peltre y mosquetes, y que publica periódicos y libros está dispuesta a decir a los visitantes cómo se hace el trabajo. Una persona probablemente podría pasar horas observando y escuchando, pero finalmente querría probar crear algo.

Sé hoy un aprendiz y observa uno de los actos más sencillos de la creación divina. Encuentra un lugar tranquilo afuera, o siéntate cerca de una ventana, y observa cuidadosamente lo que ocurre alrededor de ti. Tal vez observes el tiempo, la nieve o la lluvia que cae. Quizás observes una mariposa que emerge de un capullo, o estudies diminutos insectos en busca de alimento. No duplicarás esas tareas, pero estarás consciente del hecho de que la creación te rodea. Esto es suficiente por hoy, porque el trabajo inicial del aprendiz es observar y apreciar la creatividad.

Semana 43
Día 300

La creatividad es más que obra de manos.

Recordemos que la obra de Dios es *ser.* El mundo y nuestras vidas pueden estar llenos de actividad, mas la creatividad no es cuestión de hacer. No obstante, es posible que las tareas simples y aparentemente mundanas sean creativas y sagradas. El factor determinante es el contacto con el Espíritu. Cuando estamos conscientes de Dios, lo que hacemos es sagrado. Podemos estar quietos, o estar cortando el pan en rebanadas, y rebosar de creatividad. Recuerda, primero Dios, luego acción.

A nuestra fuente inagotable de comprensión ahora podemos añadir: la creatividad surge del contacto con Dios. Qué equivocados estamos cuando creemos que algunos tipos de trabajo son más nobles que otros. El trabajo no es ni noble ni insignificante. El trabajo sencillamente es, pero la conciencia con la cual cualquier tarea se hace es importante.

Toda nueva religión ha tenido a Dios como su comienzo. El primer trabajo es sagrado, y hay mucha creatividad. Según pasan los años, la creatividad disminuye a menos que el contacto con el Espíritu se renueve. Las religiones mueren porque los seguidores no se hacen asequibles a Dios. Donde hay contacto con Dios, las ideas nuevas abundan, y las religiones seculares son tan nuevas como en el día que comenzaron.

La creatividad es más que obra de manos. Podemos crear dibujos maravillosos, o moldear metales preciosos para joyerías, pero no hay creatividad sin el contacto con el Espíritu.

¿Qué destrezas necesitas para aprender a ser más asequible al Espíritu?

Hoy es un día sagrado.

Hoy puede ser un Día Sagrado, y el trabajo que hacemos, no importa el que sea, puede ser el trabajo de Dios si hacemos contacto con Dios. De hecho, si podemos mantenernos conscientes de nuestra unidad con Dios, nuestra obra será sagrada y habrá plenitud de significado y alegría en nuestro día.

¿Cómo estructurarás tu día, de manera que puedas mantener tu disponibilidad a la Presencia?

Puedes encontrar lo siguiente útil para mantener contacto con Dios.

1. Empieza tus citas con cinco minutos de silencio.

2. Espacia tus citas, de manera que haya tiempo suficiente entre ellas para aquietarte y centrarte en Dios.

3. Haz pausas durante el día para momentos de oración y meditación.

4. Disfruta de momentos monásticos. (Por favor, refiérete al ejercicio dado durante la *Semana 20, Día 139.*)

Semana 44

No soy yo . . .

"Y Jesús les respondió: Mi Padre hasta ahora trabaja, y yo trabajo" (Jn. 5:17). El trabajo del Padre nunca termina, ni tampoco el nuestro. El encontrar en lo más íntimo de nuestro ser los deseos que sentimos, revela que el Espíritu quiere expresarse como cada uno de nosotros. Esta es la obra de Dios y, por lo tanto, es natural. El Espíritu no lucha por hacer Su obra, mas requiere nuestro consentimiento.

En la mayor parte de los hogares, el agua está disponible siempre. Todo lo que tenemos que hacer es abrir una llave, y el agua fluye al lavabo. Viviríamos en perpetua sed si no abriésemos la llave y dejásemos que el agua fluyera. El Espíritu siempre *es* ("Mi Padre hasta ahora trabaja"), pero si el Espíritu ha de expresarse como nosotros, debemos hacer nuestro trabajo también ("y yo trabajo").

Semana 44
Día 302

De mí mismo nada puedo hacer.

A primera vista, parece que hay mucho que podemos hacer y lograr. Alguna gente dice que somos seres poderosos, otras personas dicen que se nos ha habilitado para ser poderosos. No hagamos demasiado alarde acerca de lo que podemos hacer. La verdad es que de nosotros mismos nada podemos hacer. La vida y sabiduría divinas animan el cuerpo y la mente, y sin la "asistencia" del Espíritu, no podríamos levantar ni tan siquiera una paja. De vez en cuando sufrimos una lesión y no descubrimos nuestro poder, sino nuestra falta de poder.

Si hemos de descubrir nuestro poder y propósito, no demos por sentado que esto es nuestro trabajo. La revelación de la misión es el trabajo de Dios; el cumplimiento de la misión es nuestro trabajo. Podemos hacer esto si en primer lugar hay contacto con el Espíritu. Recuerda, la obra de Dios no puede llevarse a cabo sin Dios.

Enumera las cosas que consideras que son las mayores realizaciones de tu vida:

¿Qué cualidades fueron necesarias para lograr cada una de esas cosas? (Por ejemplo, escribir un libro podría requerir sabiduría, fortaleza, o persistencia. La demostración de perdón podría requerir amor y el dejar ir rencores.)

¿No son esas cualidades aspectos de Dios? ¿Podrías haber realizado lo que "tú" hiciste sin ellas?

Semana 44
Día 303

Cuando me engrandezco, soy humillado.

Jesús declaró una ley de la vida: "Cualquiera que se enaltece, será humillado; y el que se humilla será enaltecido" (Lc. 18:14). La historia de David y Goliat que se encuentra en el Primer Libro de Samuel, capítulo 17, ilustra este principio.

Unámonos a David al enfrentarse con el gigante Goliat que le grita con voz tronante cómo los pájaros pronto comerán su carne. David replica: "Tú vienes a mí con espada y lanza y jabalina; mas yo vengo a ti en el nombre de Jehová de los ejércitos; el Dios de los escuadrones de Israel, a quien tú has provocado. Jehová te entregará hoy en mi mano" (1 S. 17:45–46).

Nota, por favor, que cuando David se enfrenta con el campeón filisteo, no depende de su destreza con la honda, aunque ésta es considerable. David confía en Dios. Goliat se engrandece e inutilizó su poder. Estas son lecciones que debemos aprender.

Da un ejemplo de tu vida en el cual te engrandeciste y fuiste humillado:

Cuando me humillo, soy engrandecido.

En el capítulo octavo del Evangelio según San Juan, hay un relato de una mujer que fue sorprendida en adulterio y llevada a Jesús por los escribas y fariseos. La ley judaica estipulaba que la mujer debía ser apedreada hasta morir, y los líderes religiosos estaban preparados para llevar a cabo la sentencia. Sus mentes estaban llenas de pensamientos mortíferos, y Jesús conocía la intención de ellos.

Jesús se inclinó humildemente y escribió en la tierra. El acto físico de inclinarse denota humildad. Obviamente, no hubiera sido propicio pararse y argüir con un grupo que intentaba matar a la mujer. El engrandecimiento de Jesús vino en forma de palabras sabias: "El que de vosotros esté sin pecado sea el primero en arrojar la piedra contra ella" (Jn. 8:7).

El empequeñecernos, o el no resistir, es un acto de humildad. Cuando actuamos de este modo, invitamos el poder levantador, transformador y engrandecedor de Dios en nuestras vidas.

Sin embargo, una popular canción norteamericana dice: "Es difícil ser humilde". Nadie trata de ser humilde. La manera de vida "no soy yo" ("No soy yo, sino el Cristo en mí que hace la obra") resulta de la comprensión de que Dios es la única Presencia y el único Poder. Además, hay una diferencia entre ser humillado y humillarnos. Fundamentalmente, cuando somos humillados, nos hemos engrandecidos y hemos cosechado un fruto amargo. Hemos sido subyugados y, aunque parezca mentira, de esta condición por lo general vemos con más claridad. Cuando nos humillamos, somos sinceros con nuestros defectos e ineficacias, y estamos conscientes de la única Presencia y el único Poder.

El primer paso de los doce pasos de los Alcohólicos Anónimos enfatiza esa idea. "Admitimos que no teníamos poder sobre el alcohol, que nuestras vidas habían llegado a ser inmanejables." La admisión de no tener poder es el comienzo del enaltecimiento.

¿Sobre qué no tienes poder?

Semana 44
Día 304
continuación

Semana 44
Día 305

Por medio de Cristo, puedo hacer todo.

Logramos mucho cuando somos socios de Dios. Comprendemos que Dios es el capataz del proyecto y nosotros somos hábiles compañeros de trabajo. El trabajo es inmenso y está más allá de nuestra comprensión humana. Se nos pedirá hacer cosas que nunca soñamos fueran posibles. Los resultados excederán lo que los visionarios pueden antever. La obra del apóstol Pablo fue así.

La novedad del Espíritu puede ser interminable cuando recordamos quien hace la obra y lo que es posible. Con Dios, todas las cosas son posibles. El requisito principal es dejar que el espíritu de Dios se individualice como nosotros. El Cristo aparece una vez más en forma terrenal. De nuevo los cojos caminan, los ciegos ven y las aguas tempestuosas se apaciguan.

¿Empieza a surgir de ti un sentido de misión? Si es así, describe lo que sientes y lo que él revela.

Semana 44
Día 306

No soy yo, sino el Cristo en mí quien hace la obra.

En el capítulo once del Evangelio según San Mateo, Jesús dice: "Llevad mi yugo sobre vosotros, y aprended de mí, que soy manso y humilde de corazón; y hallaréis descanso para vuestras almas; porque mi yugo es fácil, y ligera mi carga" (Mt. 11:29–30). La gente a quien Jesús hablaba comprendía el significado de esas palabras, porque ella había visto en sus campos el yugo que era fácil. En el campo habría un buey u otra bestia de carga. Enyugaban a una mujer a un animal para arar el campo. La mayoría de las familias no tenían medios para comprar dos bueyes, pero el yugo era para dos animales. Por tanto, era necesario enyugar a alguien al animal para balance. La carga sería ligera, pero la persona enyugada contribuiría mucho al trabajo que se hacía.

Podemos expresar ese concepto en estas palabras: "No soy yo, sino el Cristo en mí quien hace la obra". La oración es continua en Silent Unity, el ministerio mundial de oración de la Escuela Unity de Cristianismo. En la parte superior del servicio de oración están escritas estas palabras: No soy yo, sino el Cristo en mí quien hace la obra.

Antes de hacer cualquier tarea hoy, haz una pausa por unos momentos y di a ti mismo: *No soy yo, sino el Cristo en mí quien hace la obra.* Luego avanza con ímpetu y firmeza a hacer la tarea a mano.

¿Por qué me llamas bueno?

Hubo un incidente en la vida de Jesús en el cual uno de los jefes Le llamó bueno. Jesús se opuso a esto y dijo al hombre: "¿Por qué me llamas bueno? Ninguno hay bueno, sino sólo Dios" (Lc. 18:19). Este es un punto importante.

Las cualidades que admiramos en una persona están establecidas en el Espíritu. Ellas se manifiestan porque la persona siente unidad con Dios. Nadie muestra verdadera paz y alegría sin el contacto con la Presencia. Esas cualidades no son nuestras. Por ejemplo, una gran ventana panorámica nos permite mirar adentro y ver la hermosura y los tesoros de la casa. No llamamos la ventana hermosa o inapreciable. Reservamos esas palabras para lo que está dentro. La conciencia de Dios que tenía Jesús permitía que la humanidad viera la belleza y lo inapreciable del Espíritu que mora en cada uno de nosotros.

Cuando estamos con alguien que admiramos, estemos conscientes de que el amor o la paz no es de la persona; el amor o la paz es de Dios. El individuo es la ventana a través de la cual vemos lo que está dentro. No te regocijes con la persona, sino con el hecho de que Dios nos ha creado de tal modo que Su presencia puede manifestarse en la Tierra.

¿Hay alguien que conoces que es como una clara ventana y te provee una visión momentánea del reino del cielo?

Date cuenta de que lo que ves está en ti.

Semana 44
Día 308

No podemos hacer la obra sagrada sin unión consciente con el Espíritu.

Todo ser humano puede hacer potencialmente la obra sagrada del Espíritu. Por cierto, somos hechos de tal modo que podemos ser las manos, los pies y el portavoz del Espíritu. El Espíritu no nos obliga a eso. El Espíritu está dispuesto, pero nosotros debemos estar dispuestos también.

Nuestra satisfacción viene cuando estamos unidos conscientemente con Dios. Entonces hay una misión para nosotros que cumple la voluntad divina y da significado a nuestras vidas. Ya no tomamos de la tierra; somos un dador. Por medio de nuestras manos y bocas, el Espíritu se da al mundo.

¿Estás dispuesto a cumplir tu destino? ¿Estás deseoso de ser las manos, los pies y el portavoz de Dios? Decir sí es renovar tu compromiso de volverte consciente de tu unidad con el Espíritu. Es así de simple y así de complejo. Primero, hay contacto con Dios, luego tu misión de Dios y su cumplimiento. Escribe una declaración que expresa tu compromiso:

Semana 45

Aquí estoy, Señor

De nosotros mismos nada podemos hacer que tenga valor perdurable. Solamente la obra del Espíritu perdura. Todo lo otro pasará.

La obra de Dios es *ser* y nuestra obra también es *ser,* pero al entrar en una conciencia del Espíritu, ésta se manifiesta en formas concretas y tangibles. Una misión de Dios aparece para cada uno de nosotros, y cuando esto sucede descubrimos propósito y significado. Las lecciones en este libro, aunque enfocadas en muchas y varias facetas de la vida, te han preparado para tu misión. La *Semana 45* es tu preparación final antes de descubrir el trabajo de tu vida. En muchos respectos, clamarás a Dios: "Heme aquí, envíame a mí" (Is. 6:8).

Semana 45
Día 309

Mi primer propósito es el contacto consciente con el Espíritu.

Cuando nos dirigimos hacia nuestra misión de Dios y el descubrimiento del propósito, no podemos dar énfasis suficiente a que nuestro trabajo inicial es el contacto consciente con el Espíritu. El comienzo es siempre la conciencia de Dios. Antes de poder hacer la sagrada obra, un ser espiritual debe despertar a su verdadera naturaleza y potencialidad.

Ilustramos nuestra comprensión de este principio por medio de la acción. Hay ratos de oración y meditación diarias, tiempos periódicos de retraimiento, momentos monásticos y otras actividades que declaran nuestra práctica de la presencia de Dios. Al participar en estas prácticas útiles, descubrimos que surgen "cosas" en nosotros, de manera que puedan ser liberadas. Una reprimida ira o un sentido de culpabilidad tal vez emerja. Un sentimiento de indignidad puede salir a luz. Esto es parte de nuestro proceso de purificación, nuestra liberación. Estas cosas han bloqueado nuestro crecimiento y la habilidad del Espíritu de utilizarnos plenamente.

Desde que empezaste la sección de este libro, "*Encontrando el propósito*", ¿qué ha venido a la fase consciente de tu mente que necesitas dejar ir?

Estoy dispuesto a dejar ir lo que creí que era mi misión.

Muchos creemos que sabemos el propósito de nuestra vida, y nos dedicamos a él. El trabajo es importante para nosotros, y también lo es nuestra familia. Queremos triunfar, hacer dinero, encontrar seguridad, criar una familia y vivir en armonía con ella, ayudar a otra gente, y así sucesivamente. Mas no importa cuál haya sido tu propósito o misión, déjalo ir ahora.

Declara: *Estoy dispuesto a dejar ir lo que creí que era mi misión.* En algunos casos, comprenderemos que nuestra razón de ser era superficial. Otros tal vez sientan que su misión era noble y una verdadera misión de Dios. Esto puede ser verdad, pero antes de que algo nuevo pueda suceder, no debemos asirnos del pasado.

Declara: *Desde este momento, no tengo misión o propósito. Si mi vida ha de tener significado, debo hacer la obra de Dios.*

Semana 45
Día 311

Parte de mi estilo de vida actual obstaculiza mi misión divina.

Hace muchos meses, cuando empezó el viaje, requerimos cambio. Los cambios han ocurrido, y hemos estado en evolución por meses. Si más cambio se requiere ahora, será hecho. Hemos comenzado con Dios, y Dios estará con nosotros hasta el fin. Los cambios que deben ocurrir, se desenvuelven ahora.

Parte de nuestro estilo de vida actual se interpone entre nuestra misión divina y nosotros. Estamos dispuestos a abandonarlo. Tal vez esto cause un cambio dramático, pero es para la gloria de Dios y a la larga será una bendición para nosotros.

¿Hay algo en tu estilo de vida que bloquea tu misión divina? (Tal vez algunos hábitos en lo que comes o bebes deben cambiar, o debes cambiar tu manera de reaccionar a la gente o los problemas. Acaso tus retos consisten en hábitos de trabajar obsesivamente, en las relaciones humanas, en la cuestión de perdonar, u otras cuestiones de tu vida.) Usa este espacio para examinar este asunto.

No pregunto a Dios lo que he de hacer.

Al acercarnos al momento cuando descubrimos nuestro propósito, no preguntemos a Dios lo que hemos de hacer. Dios no está destinado a servirnos. Dios no nos ha dicho: "Aquí estoy, envíame a cumplir tu mandato". Nosotros somos los que diremos: "Aquí estamos, utilízanos".

Nuestro propósito es estar asequibles a Dios. Al sentir Su Presencia, lo que debemos hacer será evidente. Al principio no busques hacer una gran obra. Lo más probable sea que se nos guíe a hacer algo simple, algo que parece de poca importancia.

Una vez había una investigadora científica sumamente talentosa. Ella sacó buenas notas en su entrenamiento y sus compañeros decían que lo más probable era que triunfaría. La facultad aprobaba lo dicho. Esta joven obtuvo su primer puesto como investigadora en uno de los grandes centros de investigación científica en nuestra nación. Se le asignó trabajar con el investigador científico de más alto rango quien le dio tareas triviales para hacer. No se le asignaron los problemas que parecían no tener solución. Esto la perturbaba y después de un tiempo la talentosa investigadora se citó con su consejero para hablarle de sus sentimientos y preocupaciones.

El consejero dijo que había estado esperando tal reunión. Había asignado adrede tareas triviales a su talentosa estudiante porque quería que ella comprendiera que aunque la solución de un problema puede ser un invento decisivo para la humanidad, por lo general éste es precedido por años de experimentos y resultados tediosos, y a menudo triviales. A menos que se encontrara a gusto con esas condiciones, ella no podría realizar su potencialidad.

Es provechoso comprender que nuestros esfuerzos actuales, o nuestro trabajo actual, son parte de una mayor totalidad que nadie puede imaginar. Tenemos la capacidad de hacer todo con alegría y entusiasmo. Dios da Sus misiones a esas personas que pueden llevar a cabo la tarea trivial del mismo modo que la tarea retadora.

Semana 45
Día 312
continuación

¿Cuál es tu trabajo terrenal ahora mismo?

¿Es mundano o retador?

¿Lo enfocas con alegría y entusiasmo?

Estoy dispuesto a aprender las destrezas necesarias que me capacitarán para hacer la obra sagrada.

Por lo general, hay mucha preparación antes de comenzar nuestra misión de Dios y descubrir nuestra razón de ser. Recuerda, Pablo se preparó por espacio de catorce años antes de comenzar sus viajes misioneros. Jesús tenía treinta años cuando empezó Su ministerio. Nadie sabe la preparación que Jesús y Pablo tuvieron, pero siempre hay destrezas internas, y a veces externas, que debemos aprender antes de hacer la obra del Espíritu.

Nuestra preparación es fundamentalmente en la conciencia. En otras palabras, debemos dejar que nuestros pensamientos, actitudes y sentimientos cambien, de modo que el trabajo pueda hacerse. Podemos tener repentinas revelaciones de la Presencia, pero nuestras almas se desarrollan lentamente, y esperamos que firmemente, durante el curso de nuestras vidas. Para usar una analogía que hemos utilizado antes: ésta es la limpieza de la ventana, de manera que la luz pueda brillar desde nuestro interior y otros puedan ver que el Cristo hace Su obra.

Junto con este trabajo interno, hay a menudo destrezas mundanas que debemos aprender. Alguna gente aprende a hablar, otra a cantar; algunos diseñan edificios, aconsejan a otros, pintan, inspiran a la gente, desarrollan destrezas organizativas, adquieren instrucción, escriben, y así sucesivamente. El Espíritu ha utilizado, para Su gloria y propósito, toda destreza aprendida por un ser humano.

¿Hay alguna destreza que crees que debes aprender? Si crees que la hay, ¿cuál es esa destreza?

¿Qué pasos has dado para adquirir dicha destreza?

Semana 45
Día 313
continuación

Tal vez no puedas realizar la obra de tu vida hasta que aprendas esa destreza. Si el dinero es un factor, entonces la primera medida a tomar no es adquirir fondos, sino desarrollar una conciencia de entrega y seguridad que se manifestará como ideas u oportunidades.

Estoy dispuesto a crecer y cambiar para ser un colaborador con Dios.

La preparación para nuestra misión divina va más allá del aprendizaje de nuevas destrezas y de un cambio en nuestros estilos de vida. Estamos dispuestos a crecer y cambiar para ser un colaborador con Dios. Si se nos requiere perdonar, lo haremos. Estamos dispuestos a intentar nuevas cualidades y a aventurarnos por territorios que hemos evitado en el pasado. Esto toma tiempo, por lo tanto, somos pacientes con nosotros mismos. Como sucedió con Pablo, tomemos catorce años si esto es necesario.

La gente que aspira ser ministros y servir a la humanidad de este modo único, encuentra rápidamente que antes de poder ayudar a otros, ella debe comprometerse a descubrir su propia perfección. En años recientes, hemos visto a ministros dotados enormemente que han ayudado a miles, pero han demostrado su humanidad y han perdido el respeto del público. En cada caso, estos lastimados sanadores ignoraron sus heridas hasta que su dolor se volvió demasiado intenso. No los condenemos. Desde la perspectiva humana, su fracaso consistió en no permitirse ser sanados. Desde el punto de vista de Dios, rehusaron la oferta del Espíritu de revelarles su perfección.

No cometeremos ese error. La misión de Dios es demasiado importante. Deseamos ser sanados, queremos conocer nuestra perfección innata.

¿De qué debes ser sanado?

¿Qué pasos estás dispuesto a dar para permitir que el Espíritu te revele tu perfección?

Semana 45
Día 315

"Heme aquí, envíame a mí."

Durante las actividades de esta semana, has llegado al punto donde puedes decir: "Heme aquí, envíame a mí" (Is. 6:8). Esta declaración es más que palabras. Ella declara un estado de preparación.

Estamos dispuestos a poner nuestra fe en Dios.

Entramos vehementemente en el misterio.

Podemos hacer la tarea más sencilla con alegría y entusiasmo.

Hacemos lo que hacemos para la gloria de Dios.

Hacemos lo que hacemos porque somos guiados a ello.

Por favor, añade cuatro líneas semejantes a las escritas arriba:

Semana 46
Mi misión divina

Nuestra misión es conocer a Dios y ser testigos de la verdad. Pero, ¿por qué? ¿Es esto el total de lo que debemos ser y hacer? La respuesta es sí, pero hay más. Toda conciencia se manifestará en nuestro mundo. Primero, habrá generalmente sentimientos, pensamientos, o imágenes. Luego habrá un cambio correspondiente en el cuerpo. Finalmente, la manifestación tendrá lugar en la condición terrenal. Este principio de manifestación está activo continuamente en nuestras vidas. Los discernimientos y actividades de esta semana son una invitación para la manifestación de una *conciencia de Dios* en nuestras vidas. Seremos bendecidos, mas Dios no se da a una persona. Cuando Dios aparece, todos pueden ser bendecidos, porque la persona que está consciente de Dios trabaja para el bien común.

Un hombre cuyos medios de vida es vender muebles y mercancía de segunda mano, dijo que su tienda representa a Dios. Las camas y sofás se venden, pero éste no es su verdadero negocio. Su trabajo es el trabajo de Dios: ser amor, paz, alegría . . . . Esta es la mercancía mayor que la gente recibe cuando va a comprar los muebles de segunda mano. Sin duda, hay otra gente en la tierra que vende mercancía usada, pero ¿cúanta de esta gente ve que sus tiendas representan a Dios?

Lo más probable sea que tienes un empleo o, por lo menos tus días estén llenos de actividad. Esto puede ser más de lo que parece. Una misión divina es una parte potencial de todo lo que haces.

Semana 46
Día 316

Dios puede utilizarme aquí mismo donde estoy.

Dios puede utilizarte ahí mismo donde estás. Donde estás es más que un lugar; tu "casa" es un estado de conciencia que consiste en creencias, actitudes y sentimientos. Según tu estado mental se vuelve un estado de unidad con Dios, descubres propósito. El propósito libera desde tu interior tus talentos y energías ocultos. Los recursos se revelan y hacen posible la obra de Dios.

El primer paso en la misión de Dios es encontrar significado en tu empleo actual. Es verdad que a medida que tu conciencia se desarrolla, la dirección de tu vida puede cambiar drásticamente, mas no esperes esto al principio. Las personas que hacen el trabajo de Dios están empleadas en todos los aspectos del esfuerzo humano: maestros, trabajadores de construcción, conductores de camión, administradores y agentes de bienes raíces. La gente que ama a Dios está en todo lugar.

Te darás cuenta de esas personas cuando te encuentres con ellas. ¿Has conocido alguna vez a tal persona? Si la has conocido, ¿quién fue?, ¿cómo se gana la vida?

Al emprender hoy tus actividades, está dispuesto a conocer a uno de los trabajadores de Dios a quien nunca antes has conocido. Recuerda permitir a Dios utilizarte ahí mismo donde estás. Sé hoy una influencia única en la vida de alguien.

El trabajo no me hace perder de vista mi primer propósito.

Nuestro trabajo diario puede estar lleno de una conciencia de la Presencia, pero también podemos dar tanta atención a nuestro trabajo que no estamos conscientes de Dios. Cuando esto ocurre, hemos perdido de vista nuestro propósito. El empleo parece ser lo más importante, pero no lo es. No hacemos ningún trabajo verdaderamente importante a menos que Dios esté en su comienzo.

Miles, si no millones, de personas tratan de progresar. El éxito, como lo describe el mundo, los ha seducido, y su sentido de propósito es superficial: ocupar el rango más alto, ganar dinero, o jubilarse temprano. Esas cosas pueden ser parte de nuestra búsqueda, mas ellas deben tener su propio lugar. Hacer esas cosas no debe causarnos perder de vista *quiénes* somos. Se nos ha dado el don de vida, de modo que podamos atestiguar la verdad. Cuando otra cosa nos consume, nuestra vida pierde significado.

¿Hubo una vez en tu vida cuando el trabajo lo fue todo? ¿Qué tal te fue? ¿Cómo te sentías? ¿Cuál fue tu propósito en esa época de tu vida?

¿Cuál es tu primer propósito?

Semana 46
Día 318

Para Dios todo trabajo es simple.

Se dice que somos desafiados sólo por aquello que podemos superar. Del mismo modo, se nos da para hacer solamente lo que somos capaces de hacer. Para nosotros una tarea parece más difícil y más importante que otra. Esto no es verdad. Todo trabajo es simple para Dios.

Sir Christopher Wren caminaba a través de un lugar de construcción. Los trabajadores no sabían que este hombre era la fuerza que respaldaba la catedral que se construía. El Sr. Wren preguntó a un hombre lo que éste hacía. El replicó: "Gano un chelín al día". A otro trabajador se le hizo la misma pregunta. "Construyo una muralla", dijo. A un tercer trabajador se le hizo la misma pregunta. Este dijo con orgullo: "Ayudo a Sir Christopher Wren a construir la catedral más grandiosa del mundo". Este hombre tenía un propósito, el cual trascendía ganar dinero y construir murallas.

El Espíritu tiene la sublime visión. Todo trabajo es sencillo para Dios. El trabajo o contribuye al desenvolvimiento espiritual de la humanidad, o no. El factor determinante no es la naturaleza del trabajo, sino la visión del trabajador.

Haz el trabajo que está delante de ti con alegría. Al hacerlo, sentirás la verdadera naturaleza del trabajo que haces. Entonces eres digno de más responsabilidad.

¿Cuál es tu trabajo? Por favor, contesta esta pregunta con veinticinco palabras o menos.

¿Qué determina el valor de tu trabajo?

¡Tengo dos misiones de Dios ahora mismo!

Tenemos dos misiones de Dios: una es conocer a Dios, y la otra es hacer nuestro trabajo actual con alegría y para Su gloria. Aun cuando estemos desempleados, podemos cumplir esas misiones.

Por favor, comprende que es natural para el Espíritu individualizarse. Si estás receptivo a expresar la voluntad divina, se te dará para hacer un trabajo sagrado. Las dos misiones antedichas son el preludio para una tercera misión.

¿Qué estás haciendo en la actualidad para cumplir tu misión de conocer a Dios?

¿Cuál es la evidencia de que haces tus tareas presentes con alegría y para la gloria de Dios?

Semana 46
Día 320

Me vuelvo consciente de los talentos e inclinaciones naturales que Dios me ha dado.

El Espíritu siempre trata de comunicarse con nosotros. Los intentos son hechos de muchos modos. Nuestras inclinaciones naturales y deseos sinceros pueden indicar que el Espíritu nos guía a una misión divina.

La gente a menudo habla de un sentido de carencia de propósito. Ella quiere contribuir y hacer alguna obra con entusiasmo, mas no sabe qué hacer. Por lo general, se siente limitada. Esta gente debe dejar a un lado lo que cree que es limitación y preguntarse: "Si pudiera hacer algo —no siendo el dinero, la instrucción y las destrezas un problema— ¿qué sería?"

Cuando la gente contesta esa pregunta, se pone en contacto con sus talentos e inclinaciones naturales. En muchos casos, nuestros talentos e inclinaciones tratan de llevarnos al cumplimiento.

¿Cuáles son los talentos que Dios te ha dado? ¿Sabes escuchar? ¿Puedes escribir o cantar? ¿Eres bueno para criar niños? ¿Tienes habilidades manuales?

¿Cuáles son tus inclinaciones naturales? ¿Te gusta la vida al aire libre? ¿Te gustan los niños? ¿Te gusta leer?, ¿escribir?, ¿escuchar? ¿Te atrae el mar? ¿Te atraen las montañas?

¿Qué harías si pudieras hacer cualquier cosa?

Semana 46
Día 321

Estoy dispuesto a servir.

Al dirigirnos hacia nuestra tercera misión de Dios, añadimos otra palabra clave —*servicio.* Lo que hacemos no es para nosotros solamente; es para la gloria de Dios y el bien común. No somos islas. Estamos conectados unos a otros tan estrechamente que no estamos libres y satisfechos totalmente a menos que todos estemos libres.

Ahora es el momento de estar receptivo a la guía. No pedimos a Dios que nos diga qué hacer, pero al estar receptivos al Espíritu y dispuestos a servir, la guía viene. Y ésta llega a ser nuestra misión. Haremos lo que se nos dice. Si se requiere desarrollar un talento, lo desarrollaremos. Si significa seguir nuestras inclinaciones naturales, lo haremos.

Querido amigo, hoy es un día para escuchar. Piensa en estar con un amigo en la altura de una montaña que da a un puerto de mar. Buscas una manera de bajar por la montaña para poder estar con la gente. Vas a servirles. Mira cuidadosamente y verás que tu amigo señala el camino.

¿Qué direcciones te dio?

Mi misión divina trae significado a mi vida.

Una vez que el propósito y significado llegan a nuestras vidas y nuestra misión es clara, ésta puede perderse. Sin embargo, jamás tiene que perderse permanentemente. La mayoría de los deportes profesionales son también los juegos de los niños. Cuando somos jóvenes, jugamos por gusto. Ganar es secundario. Más tarde, tal vez la alegría de la niñez nos abandone, y lo que una vez fue regocijo puede volverse faena, algo que hacemos para sostenernos y sostener a nuestra familia.

Durante esas ocasiones, es bueno volvernos como niños otra vez. ¿Recuerdas cuán natural fue el volvernos más conscientes de Dios y hacer de ello el propósito de nuestras vidas? Si hemos perdido de vista nuestra misión, debemos volver a conocer a Dios y hacer con alegría nuestra tarea actual. De esta conciencia surgirá un nuevo entusiasmo. El propósito y significado que parecían tan a lo lejos están realmente a la mano. Una mirada hacia Dios, y estamos de nuevo en casa.

Recuerda la lección de hoy. Tal vez necesites volver a ella dentro de unos años.

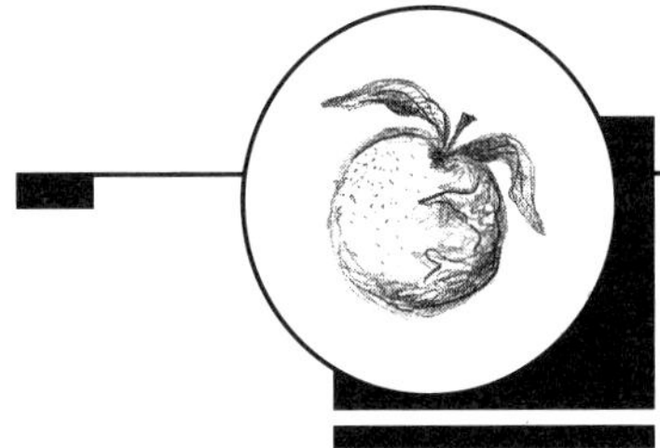

Semana 47

Para la gloria de Dios

Recuerda siempre que una misión divina es para la gloria de Dios. La gente puede colmarnos de elogios, pero recordemos que lo que hacemos es para la gloria de Dios.

En el Sermón de la Montaña de Jesús, hay un interesante versículo bíblico: "Así alumbre vuestra luz delante de los hombres, para que vean vuestras buenas obras, y glorifiquen a vuestro Padre que está en los cielos" (Mt. 5:16). Las implicaciones de esta declaración son de gran alcance. Idealmente, hacemos nuestra misión de Dios de tal modo que la gente sabe que Dios es el que está trabajando más bien que nosotros. Ella ve lo que hacemos, pero sabe que el Espíritu está trabajando. La razón de esto es que una misión divina es extraordinaria en su alcance y habilidad para servir a la humanidad. Lo que se logra excede por mucho lo que parece posible.

Tenemos grandes ejemplos de esto en nuestro planeta. El ministerio de Jesús cubrió tres años, pero aún se extiende después de dos mil años. Una persona, Pablo, inspiró a miles de personas que luego se convirtieron al cristianismo. La Madre Teresa fundó una orden religiosa que se dedica a asistir a los pobres y a las personas en sus últimos momentos de vida; en menos de treinta años, esta obra se extiende a ochenta y siete países. Estos son ejemplos notables, pero hay también numerosas tiendas que representan a Dios. Tenderos y buenos samaritanos que permanecen en el anonimato ayudan a miles de personas a comprender que son amadas, especiales e importantes.

He trabajado para mi gloria.

Casi todos nosotros hemos trabajado para nuestra gloria. Nuestro mundo es pequeño y somos su centro. En nuestra inseguridad, tratamos de asegurar nuestro sitio en el mundo. Creemos que somos gente de mérito cuando recibimos elogios y premios terrenales. Lo que somos necesita la confirmación de otra gente. Esto se debe a que no nos conocemos y desconocemos nuestro papel potencial en el universo.

Escribe un premio que has recibido:

¿Cuál ha sido tu medio principal de asegurar el elogio de otros?

Cuando no estamos en contacto con un poder mayor que el nuestro, en primer lugar, nos agotamos. En segundo lugar, no importan los muchos elogios que recibimos, estos no nos satisfacen porque el vacío que sentimos en nuestro interior no puede llenarse desde lo externo. Solamente el Espíritu puede revelarnos nuestro lugar correcto en el mundo y darnos un sentido de excelencia y seguridad.

He trabajado para recibir el amor de otros.

Desde la perspectiva humana, la gloria tiene muchas formas. Para algunos, la gloria consiste en ganar premios. Para otros, adquirir instrucción. Para la mayor parte de la gente, recibir elogio y amor de otros, debido a que desconocemos el amor que está en nosotros. Somos una copa vacía que levantamos con la esperanza de que el mundo la pueda llenar.

Deseamos que otros nos amen y respeten, por lo tanto, tratamos de conseguir su aprobación. Permanecemos callados cuando realmente queremos hablar porque nos preocupa que alguien pueda estar en desacuerdo con nosotros, o creer que somos estúpidos. Podemos mover la cabeza en señal de aprobación cuando realmente no estamos de acuerdo con una persona. Tal vez vayamos a lugares donde no queremos ir, o hagamos cosas que no deseamos hacer.

¿Cuáles son algunas de las "técnicas" que has tratado para que la gente te ame?

Semana 47
Día 325

Quiero trabajar para la gloria de Dios.

Es natural llegar al punto de desear trabajar para la gloria de Dios. Trabajar para nuestra gloria no nos ha dado satisfacción. Qué solos y abandonados nos sentimos a veces cuando nuestro trabajo es para nosotros. El mundo parece oponerse a nosotros.

Durante el curso del año pasado, nuestras almas se han llenado gradualmente hasta el punto de desbordarse. Ahora es el momento de dar, de compartir y de servir a la humanidad. Es maravilloso sentir que nuestra copa se llena. Hay gran alegría cuando esto sucede, pero la alegría mayor y más abundante ocurre cuando la verdad de *quien* somos se desborda como un río poderoso sobre la sedienta tierra.

"De Jehová es la tierra y su plenitud; el mundo, y los que en él habitan" (Sal. 24:1). No estemos nunca sin una misión divina. Hay mucho trabajo que hacer, pero los trabajadores son pocos. Nuestra tierra, la tierra de Dios, necesita personas que la guarden. Los necesitados se hallan en todas partes. Hay familias enteras sin hogar. Los niños necesitan el cuidado de adultos cariñosos. La gente adicta a drogas quiere ser libre.

Enumera cosas que posiblemente podrías hacer, o que estás haciendo, para la gloria de Dios:

Hago cosas simples para la gloria de Dios.

Cuando pensamos en Dios, pensamos usualmente en términos grandiosos y, por lo tanto, es natural creer que el trabajo para Su gloria debe ser grandioso también. Qué tentador es querer hacer algo importante. Un ministro no desea una iglesia "pequeña" con doscientos feligreses, él desea hablar a miles de personas. El cree que si el trabajo es para la gloria de Dios, debe ser enorme.

¿Pueden ser para la gloria de Dios las cosas simples de la vida? ¿Puede cualquier esfuerzo humano que procura servir a la humanidad ser para la gloria de Dios? ¿Es posible hacer cosas aparentemente mundanas para la gloria de Dios? Tal vez pensemos: "Bueno, nadie sabrá eso". ¿Por qué alguien tiene que saberlo? ¿Es el trabajo para Su gloria, o para la nuestra?

Considera la siguiente idea: todo lo que hacemos *con* una conciencia de la presencia de Dios es para Su gloria. Otros tal vez estén conscientes de eso, o tal vez no lo estén. La atención o alabanza mundana no es la cuestión.

Escoge una simple tarea que haces todos los días, y hazla para la gloria de Dios. Haz la tarea con una conciencia de Dios. ¿Qué escogiste hacer?

Semana 47
Día 327

Hago todo para la gloria de Dios.

Es posible hacer todo para la gloria de Dios. Durante el curso de un día, hacemos muchas tareas. La mayoría son mundanas, pero son tareas que debemos hacer.

Antes de hacer las muchas tareas mundanas del día de hoy, repitamos en silencio para nosotros: *Lo hago para la gloria de Dios*, y luego actúa.

Además, como un ejercicio para hoy, sin revelar tu nombre, haz algo para otra persona. ¿Qué hiciste?

Hay un tesoro en el cielo cuando el trabajo es para la gloria de Dios.

El trabajo que es para la gloria de Dios requiere mucho de nosotros. El Espíritu utilizará cualesquiera talentos que tengamos, pero se necesitan más que habilidades terrenales si el trabajo de Dios va a cumplirse. Por ejemplo, una persona puede ser un orador muy dotado, pero debe expresar más que oratoria antes de que la gloria de Dios se manifieste.

Hay fundamentalmente un don que el Espíritu da —darse de Sí mismo. En el individuo, esto se vuelve una conciencia del Todopoderoso; la persona puede sentir la Presencia. Si esto ocurre en la vida de una persona que comunica la Verdad, el oyente recibe más que palabras habladas. El público tiene un sentido de la presencia de Dios. Esto es más valioso que cualquier palabra hablada.

La humanidad manifiesta muchos talentos, pero aquellos que hacen la obra de Dios sienten y expresan la Presencia.

La Madre Teresa de los Misioneros de la Caridad poseía talentos terrenales, pero ¿qué cualidad del Espíritu permitía ella expresarse desde su interior?

Gandhi de la India libertó a su nación de la autoridad británica. ¿Qué cualidad del Espíritu crees tú que se expresó por medio de él?

Cuando estás con alguien que trabaja para la gloria de Dios, tendrás un sentido de la Presencia. ¿Conoces a tal persona? ¿Quién?

Semana 47
Día 329

El tesoro del cielo es para la gloria de Dios.

Cuando lo que hacemos es para la gloria de Dios, se nos da el tesoro del cielo. Experimentamos la Presencia. Nos sentimos bendecidos, como si hubiéramos recibido algo especial. Tal vez hasta sintamos que no merecemos tan gran regalo, mas comprendamos que el tesoro no se nos da a nosotros solamente. Este es dado para la gloria de Dios y, de este modo, a toda la humanidad.

Al absorbernos en las cuestiones que hacemos y declaramos antes de toda tarea: *Esto es para la gloria de Dios,* se nos da el tesoro. No solamente sentiremos una paz profunda, sino que hablaremos y actuaremos con autoridad. Jesús asombraba a la gente porque hablaba con autoridad. Esta es la señal de que se nos ha dado el tesoro.

Después de la crucifixión, los discípulos se escondieron. Mas después de su experiencia en el Día de Pentecostés, cuando recibieron el tesoro del Espíritu Santo, fueron valientes y no tuvieron temor. Pedro, el que había negado conocer a Jesús, habló abiertamente a la gente.

La gente que trabaja para la gloria de Dios no es tímida. Se le ha dado una misión; por lo tanto, habla y actúa con convicción.

¿Cómo crees tú que una persona actúa o habla cuando ha recibido el tesoro?

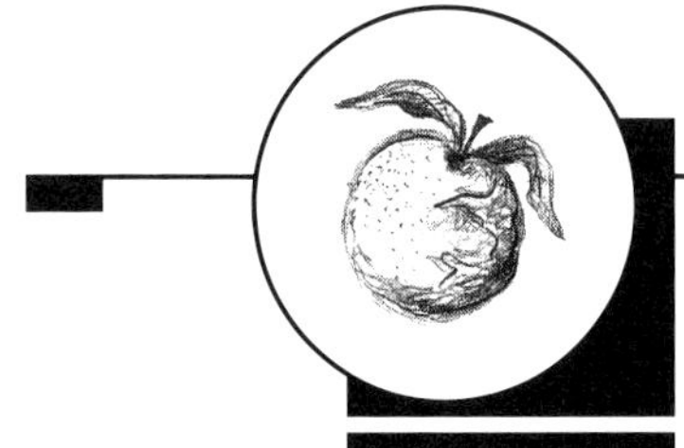

Semana 48

El trabajo sagrado

Ninguna tarea es más importante que la otra. Lo que hacemos no es tan importante como la conciencia con la cual lo hacemos. La obra religiosa no es necesariamente sagrada; el trabajo sagrado no tiene que ser "religioso". La obra sagrada surge de una conciencia del Espíritu. Si estamos conscientes de Dios al preparar la cena para la familia, el trabajo es sagrado. Las obras que surgen de una conciencia de Dios son como Dios, y penetran nuestros seres y encuentran nuestro corazón. Las palabras, aun las que son verdaderas técnicamente, no pasan más allá de nuestros recuerdos cuando se originan en la conciencia humana.

Que esta semana esté llena de trabajo sagrado.

Semana 48
Día 330

Sé cuando mi trabajo no es sagrado.

Sabemos cuando nuestro trabajo no es sagrado. Se mantiene solo, y no es parte de algo mayor. Parece que no tiene otro propósito más que darnos un ingreso para poder llegar a fin de mes. Trabajamos porque nos vemos obligados a ello. Nos jubilamos de igual manera. Sin embargo, el trabajo sagrado es parte de nuestra vida. Es divertido, porque imparte energía y nos levanta. El trabajo que no es sagrado parece que nunca termina; es monótono y fatigoso.

¿Qué haces regularmente que no es trabajo sagrado?

¿Por qué lo haces?

Todo trabajo puede ser sagrado.

Todo trabajo puede ser sagrado si su comienzo es una conciencia de Dios. Un ministro visitó a un prisionero en una cárcel de seguridad máxima. Nunca había conocido al hombre que iba a ver, pero tenía conocimiento de él por correspondencia. El hombre había cometido un asesinato cuando tenía dieciocho años de edad y había recibido una condena de cadena perpetua. El tiempo que pasaron juntos fue significativo, no por lo que hablaron, sino porque fue un suceso sagrado. Cuando el tiempo llegó a su fin, el ministro puso su mano sobre el vidrio que los separaba. Su nuevo amigo puso su mano sobre el vidrio también, y una amistad se estableció.

Cuando un suceso sagrado ocurre, es beneficioso determinar cómo él llegó a ser tan significativo. En este caso, se recibió el tesoro de la conciencia de Dios porque, durante la visita, el ministro dio atención completa al hombre. Hablamos durante la semana pasada que cuando estamos completamente en el momento presente, somos candidatos para la conciencia espiritual. El trabajo se vuelve sagrado y cuando damos atención absoluta a éste se nos da el tesoro.

Elige alguna tarea simple que harás hoy, y dale atención completa. Ella se volverá trabajo sagrado.

Semana 48
Día 332

El silencio puede ser trabajo sagrado.

El silencio puede ser trabajo sagrado cuando es una experiencia de la Presencia. La palabra *trabajo* denota actividad. Esta es la manera humana de ver la vida. La mayor parte de la obra del Espíritu es hecha en silencio.

El silencio puede ser escuchar a alguien, y el trabajo sagrado se hace. Todo lo que se requiere es dar nuestra completa atención a la persona que habla. La obra sagrada puede hacerse cuando nos sentamos en silencio a la cabecera de un ser querido enfermo. La atención y receptividad a Dios mejora la posibilidad de que el trabajo sea sagrado.

Descubre este principio para ti hoy. ¿Cómo puedes poner a prueba la idea de que el silencio puede ser un trabajo sagrado?

Me preparo para hacer un trabajo sagrado.

Hoy es un día especial. Prepárate para hacer un trabajo sagrado. Al hacer esta tarea, descubrirás que las cosas mundanas cobran vida, alegría y propósito cuando se hacen con una conciencia de la Presencia.

Hoy o durante un día de esta semana, prepara una comida en silencio total mientras das completa atención a las cosas simples que haces. Lavar vegetales, por ejemplo, debe ser hecho con reverencia. Tus movimientos deben ser lentos y deliberados, de modo que puedas sentir la Presencia. Tal vez desees meditar sobre la esencia de vida, que es la fuerza vital nutritiva del alimento que preparas. Describe tu experiencia.

Semana 48
Día 334

Cuando el trabajo es sagrado, está lleno de gozo.

Cuando estamos conscientes de Dios, somos sumamente productivos. La creatividad sale a raudales desde nuestro interior. Trabajamos con facilidad. *Sin esfuerzo* son las palabras que usamos para describir lo que hemos hecho. De hecho, hasta podemos mirar lo que se ha logrado y preguntarnos si fuimos nosotros quienes realmente lo hicimos.

Recordemos que la verdadera recompensa no es el logro en sí, sino la conciencia que produjo el trabajo. Es fácil pensar en el trabajo como terminado, pero esto sólo corrompe nuestra experiencia. Finalmente, nos apartaremos y nos orientaremos hacia una tarea. Nuestro modo de vida es orientarnos hacia Dios. La señal que buscamos no es un sentimiento de realización, sino un sentido de alegría. Podemos tener este sentimiento mientras cortamos leña, sembramos en un jardín, o acicalamos a nuestro animal casero. Recuerda, estamos en el mundo, pero no somos de él. La alegría está en nuestro interior. Lo que se logra es de la tierra.

El trabajo simple y sagrado me prepara para la misión de Dios.

Cuando somos competentes y felices en el trabajo simple y sagrado, estamos preparados para nuestra misión de Dios. La obra del Espíritu es demasiado importante para confiarla a una persona que no pueda llevarla a cabo.

Algunas veces sentimos que estamos destinados para hacer un trabajo especial, pero no sabemos cuál es ese trabajo. Buscamos, nos preguntamos y andamos perdidos. Indudablemente hay gente que muere en esa búsqueda, o preguntándose lo que hubiera sido. Probablemente, había algo sencillo que debía hacer antes de que se le diera el trabajo de su vida, pero mucha gente busca una misión grandiosa y pasa por alto el trabajo que está a la mano.

En el ambiente humano de trabajo, a nadie se le ofrece un empleo como presidente de una compañía cuando acaba de graduarse de una universidad o de una escuela de comercio. Antes de concedérsele la oportunidad de asumir la dirección de una empresa, el graduado debe rendir servicio. En el reino de Dios, el desarrollo del alma es el requisito primordial antes de que se nos dé una misión divina.

¿Qué tarea simple y sagrada está a la mano para ti hoy?

Semana 48
Día 336

Mi vida es sagrada cuando hago el trabajo sagrado.

Nuestras vidas son sagradas cuando hacemos el trabajo sagrado. Hay cosas por hacer, pero nuestro énfasis verdadero está en *ser*. Ser es primero, luego hacer. La vida, el don de Dios, parece no tener sentido cuando ignoramos este principio.

Nuestras vidas son preciosas. Ninguna ha de ser desperdiciada. Los campos están blancos para la cosecha, y se necesitan obreros para segar y presentar la promesa de amor, paz y alegría.

En tu imaginación, ve un vasto campo de trigo que es movido por el viento. La cosecha potencial es magnífica. El movimiento de vaivén del grano te incita a ir y hacer la obra sagrada. En tu visión, cuando estés preparado y estés consciente de la Presencia, entra en el campo.

Semana 49
Satisfacción

Hay una forma de saber si sentimos nuestra unidad con Dios. Estamos satisfechos. Cuando éste es el estado de nuestra alma, no necesitamos nada. Desde luego, no pedimos nada. Somos ricos en Espíritu. Nuestro Dios nos tiene; nosotros tenemos a nuestro Dios. Esto es suficiente.

Si tenemos mucho, pero somos compelidos a tener más, no somos ricos. Somos pobres porque hay algo que creemos que debemos adquirir. Somos ricos no porque podemos comprar todo lo que queremos, sino porque nuestra felicidad es tan magnífica que no necesitamos nada. Sobre todo, lo que nuestra alma requiere es una misión: una razón de ser. Cuando tenemos esto, estamos satisfechos. Hemos ido más allá de las necesidades humanas de abrigo, alimento, agua y ropa, y por nuestro deseo más intangible de compañía y valer, hacia el deseo de querer contribuir al bien común.

Dejemos que nuestra riqueza se extienda más allá de lo que el mundo puede darnos. Entremos en el reino del cielo, experimentemos a Dios y encontremos una satisfacción tan completa que cese el pedir.

Semana 49
Día 337

Quiero sentirme realizado.

Queremos sentirnos realizados, sentir una seguridad tan magnífica que no carecemos de nada o, al menos, no hay nada que no podemos tener. Por tanto, tratamos de adquirir las cosas que creemos nos satisfarán, o de descubrir los medios de tener todo lo que creemos que nos hace felices. Aquellas personas que son de la tierra creen que el dinero provee para todos sus deseos. A medida que crecemos, empezamos a ampliar nuestra lista de cosas necesarias para la satisfacción.

¿Qué crees que es necesario para tu satisfacción?

¿Cuáles de esas cosas no tienes?

En el pasado, he pedido mucho.

Creemos que sabemos lo que nos traerá satisfacción. Miramos nuestras vidas y admitimos que no tenemos lo que creemos es necesario para la felicidad. Nos volvemos a la promesa dada por Jesús: "Pedid, y se os dará" (Mt. 7:7). ¡Qué fácil parece! El problema es que queremos que esa promesa cumpla nuestros deseos terrenales. ¿No comprendemos que no es nuestro mundo el que carece? Es el alma la que se siente vacía.

En los últimos cinco años, ¿qué has pedido que has deseado recibir?

Por favor, pon un círculo en esos aspectos que son terrenales. ¿Crees en la promesa de Jesús sobre pedir y recibir?

Semana 49
Día 339

Creí que la satisfacción estaba en el mundo.

Ya estemos conscientes o no de la promesa de Jesús, hemos pedido y pedido y pedido. En muchos casos, o no hemos recibido o hemos recibido aquello que pedimos, mas esto no nos satisfizo. Los niños creen que deben tener cierto regalo en las Navidades. Piden y reciben, y en breve tiempo olvidan lo que recibieron. Por lo general, otra cosa llega a ser importante, y el niño pide de nuevo.

Fundamentalmente, hemos creído que la satisfacción estaba en el mundo. No pasa mucho tiempo antes de que nos demos cuenta de que esa creencia es una mentira. De hecho, después de un tiempo, o rechazaremos la promesa de Jesús sobre pedir y recibir, o consideraremos la ley de un nuevo modo. No olvidemos que Jesús fue un hombre de Dios. No trató de encontrar Su satisfacción en el mundo. Su gozo fue el cumplimiento de la voluntad de Dios. Jesús debió de haber pedido a menudo, pero no las cosas de la tierra. ¡El pidió algo más!

Cuando Jesús pedía, ¿qué recibía?

Lo que pido debe cambiar.

La satisfacción y el pedir son uno, pero lo que pedimos debe cambiar. En esta sección del libro, hemos estado receptivos a nuestra misión divina y hemos pedido estar conscientes de Dios. Nos hemos vuelto sensitivos a la Presencia como parte de las cosas simples que hacemos.

Pedir es estar deseoso. Esta es la conciencia del siervo. Parece extraño, pero creemos que los siervos son personas insatisfechas. No es así. Los esclavos están atados; los siervos no lo están. Los siervos de Dios son levantados. Ellos se humillan, pero la humanidad los alaba, acuden a ellos por dirección y ven a estos individuos como ejemplos para sus hijos.

Pide hoy, pero que tu petición sea diferente de lo que ha sido antes. Deja que la pureza de tu alma pida, de modo que pueda ser satisfecha. ¿Cuál es el deseo del alma?

Semana 49
Día 341

Pido estar consciente de Dios.

Hoy pidamos estar conscientes de Dios, no para que Dios llegue a nosotros, sino para que podamos saber que Dios está con nosotros. Este regalo se dará gratuitamente. Por cierto, el Espíritu ya se ha dado a nosotros, mas espera que pidamos.

Hoy pide con todas las facultades de tu ser.

En tu mente, pide al pensar silenciosamente: *Pido estar consciente de Dios.*

Con tu voz, pide al decir en voz alta: *Pido estar consciente de Dios.*

Con tus manos, pide volviendo hacia arriba tus palmas en un gesto de receptividad.

Con tu imaginación, pide al verte sosteniendo un recipiente vacío que espera ser llenado.

Cuando siento unidad con Dios, el pedir cesa.

Llegamos hoy al discernimiento principal del trabajo de esta semana. Cuando estamos conscientes de nuestra unidad con Dios, el pedir cesa. En los primeros cinco días de la semana, repasamos el estado de nuestro pedir. Cuán placentero es reducir los muchos deseos al anhelo del alma por su Creador. La realización llega cuando pedimos estar conscientes de Dios y recibimos la conciencia espiritual para la cual nos hemos preparado. En este momento de unidad con nuestro Dios, el cumplimiento prevalece. La señal de que esto es así es que todo pedir cesa.

Sentimos satisfacción y no podemos pedir nada. Este estado de conciencia es descrito en los primeros versos del Salmo 23. "Jehová es mi pastor; nada me faltará. En lugares de delicados pastos me hará descansar; junto a aguas de reposo me pastoreará. Confortará mi alma" (Sal. 23:1–3).

La gente que está unida a Dios es gente realizada. Cuando ella vuelve a una conciencia de la tierra que la rodea, no pide; está en los asuntos de Dios. De la satisfacción que siente de unos momentos en unidad con Dios, nace un propósito.

Semana 49
Día 343

Hoy no pediré.

Cuando nuestras vidas están llenas de muchas necesidades, es difícil considerar un modo de vida en que no pidamos nada, sino estar conscientes de Dios. Sin embargo, el sentido común indica que cuando estamos unidos conscientemente a Dios, debe haber un estado de cumplimiento. Nada puede substituir esa experiencia, pero podemos comenzar a movernos en esa dirección.

Podemos prepararnos al no pedir nada durante el curso del día. Si surge una necesidad y nos vemos tentados a pedir, podemos declarar: *Hoy no pediré.* Dejamos que esas palabras nos acompañen durante las próximas veinticuatro horas.

Cuantas veces sea posible hoy, entra en un estado de oración y meditación. Prepárate al decir en lo más hondo de tu alma: *Hoy no pediré.* Ten el deseo de sentir la unidad con Dios. Luego observa el número de veces que quieres pedir algo. Recuerda, el pedir indica que pierdes tu sentido de unidad. En resumen, deja que este día sea para alternar momentos de oración y meditación con momentos de observación consistente. Puedes repetir esta práctica durante todo el día. Finalmente, habrá menos pedir y más cumplimiento.

Semana 50

Soy la responsabilidad de Dios

Cuando el viaje humano está en marcha, somos irresponsables. Alguien o algo es la razón de nuestras calamidades, y si buenas cosas suceden, somos afortunados, pero nos preguntamos cuándo terminarán. El viaje interno comienza cuando nos hacemos responsables. Nos damos cuenta de que nuestros pensamientos y sentimientos se manifiestan como nuestra experiencia. Cambiamos nuestra manera de pensar, y nuestras vidas se transforman.

Con esta comprensión, hay también culpa. Lo que hicimos, nos lo hicimos a nosotros mismos. Según pasa el tiempo y nos perdonamos, nos aceptamos y la culpa pasa. Ahora estamos preparados para ser la responsabilidad de Dios.

Cuando comprendemos nuestra unidad con Dios, somos la responsabilidad de Dios. Lo que pensamos y decimos surge de nosotros. No podemos decir que son nuestros. Su origen es Dios. Somos los portavoces del Espíritu. La mente se llena de ideas, y éstas se derraman al mundo. No actuamos porque creemos que algo debe hacerse, sino porque nos sentimos guiados. El trabajo que hacemos es dirigido desde nuestro interior y es para la gloria de Dios. Esta es una comprensión poderosa, pero debemos también tener precaución. A través de las edades, mucha gente ha atribuido sus acciones a Dios. Ella ha sostenido que Dios fue responsable por lo que ha dicho y hecho. En algunos casos, se han cometido atrocidades y éstas han sido atribuidas a Dios. Tales crueldades no son la responsabilidad de Dios, ni han sido ordenadas por el Creador. Ellas son actos humanos, porque no han sido el resultado de una conciencia de unidad con Dios y, por tanto, no expresan Su amor y suavidad.

Cuando no estamos a tono con el Infinito, la responsabilidad es nuestra. Podemos elegir ser responsables conscientemente o no. Si nuestra elección es la responsabilidad consciente, nos sentimos autorizados. Pero si negamos la habilidad de nuestros pensamientos y creencias para impactar nuestra experiencia, seremos lanzados acá y allá por sucesos y condiciones. Obviamente, lo mejor que la vida

puede ofrecer ocurre cuando somos la responsabilidad de Dios. Por favor, comprende que el requisito previo para este modo de vida es la conciencia de nuestra unidad con Dios. Luego el Espíritu puede expresarse por medio de la voz, mano y corazón de la humanidad. Esto es para la gloria de Dios, pero somos bendecidos y se nos hace conscientes de la verdad de que Dios y la humanidad están destinados a estar unidos en actos creativos que guían a todos los que están dispuestos a seguir una vida de amor, paz y alegría.

Cuando comprendo mi unidad con Dios, Dios es responsable de lo que pienso.

Cuando comprendemos nuestra unidad con Dios, la mente de Cristo se activa en nosotros. Pensamientos que son distintos de los que hemos tenido, se mueven en nosotros. Estos pensamientos están destinados a avivarnos y a vigorizar a otros. Nuestras mentes no son únicamente para nosotros; son para la sabiduría de Dios. Son mechas para la llama del Espíritu. Lo que surge no es nuestra responsabilidad; es la de Dios. No debemos reclamar posesión, pero debemos asumir nuestra responsabilidad al ser deseosos seguidores de la luz.

Nuestra responsabilidad primaria es estar tan asequible al Espíritu como podamos. No tenemos que preocuparnos con los pensamientos e ideas que se moverán en nosotros cuando la mente esté receptiva a Dios. Esta es Su responsabilidad. Puedes tener la seguridad de que el Espíritu hará Su obra. Los pensamientos e ideas nos estimularán y emocionarán.

Hazte asequible al Espíritu hoy por medio de extensos períodos de oración y meditación. Al estar consciente de tu unidad con Dios, tu mente se volverá la responsabilidad de Dios. Deja que te libere y te lleve a nuevas alturas de conciencia y creatividad. Escribe abajo cualesquiera ideas o pensamientos nuevos que vengan a ti:

Semana 50
Día 345

Cuando comprendo mi unidad con Dios, Dios es responsable de lo que digo.

Cuando estamos conscientes de nuestra unidad con Dios, se nos dan palabras para hablar. En nuestra sociedad, hay personas cuya profesión es escribir discursos para oradores. El público no las ve ni las oye, pero estas personas escriben discursos para muchos de nuestros políticos y figuras públicas. En esta profesión, el escritor de discursos trata de identificarse con el orador, de manera que pueda captar la esencia de las creencias y pensamientos de la persona.

Cuando somos la responsabilidad de Dios, nos hemos permitido estar conscientes de las ideas divinas que se mueven en la mente de Dios, y nos volvemos los portavoces del Espíritu.

Hay veces en la vida cuando decimos cosas y nos preguntamos dónde se originaron los pensamientos. Otras veces, ni recordamos haber dicho algo, pero descubrimos más tarde que lo dicho ayudó a otra persona. La verdad es que todo ser humano es capaz de dejar hablar al Espíritu a través de sí.

El ministro o consejero espiritual habla a muchas personas cuyos problemas son tan graves que él o ella no puede pensar en nada útil que decir. En esas ocasiones es común decirnos: "Dios, no sé qué decir. Vas a tener que hablar a través de mí". Nuestro deseo de hablar y nuestra admisión de que no sabemos qué decir invitan la sabiduría de Dios a expresarse.

Que haya extensos períodos de oración y meditación hoy al hacerte asequible al Espíritu. Al estar en armonía con tu unidad con Dios, tus palabras serán la responsabilidad de Dios. Deja que ellas sean una fuerza para el bien en el mundo, y escucha con cuidado, porque no sólo serás el que hablas, sino el que escuchas.

En el espacio que sigue, escribe lo que oyes decir "a ti mismo":

Semana 50
Día 346

Cuando comprendo mi unidad con Dios, Dios es responsable de lo que imagino.

Cuando estamos conscientes de nuestra unidad con Dios, nuestra imaginación se vuelve el instrumento del Espíritu. Nuestros sueños y las imágenes que se forman en nuestras mentes son iluminaciones divinas.

Durante un tiempo de oración y meditación, una imagen poderosa puede ser un amigo y un símbolo del bondadoso amor de Dios.

Cuando comprendemos nuestra unidad con Dios, los sueños, imágenes y visiones son Su responsabilidad. Ellos son dados a nosotros y al mundo.

Que haya extensos períodos de oración y meditación hoy mientras te haces asequible al Espíritu. En tu unidad con Dios, tu facultad de imaginación será la responsabilidad de Dios. Aquiétate y observa cuidadosamente. Anota todo sueño, imagen o visión significativa que recibes. No trates de forzar cualesquiera imágenes.

Cuando comprendo mi unidad con Dios, Dios es responsable de lo que hago.

Cuando estamos conscientes de nuestra unidad con Dios, nuestras acciones no son solamente nuestras. Somos dirigidos por el camino que debemos tomar. En la Biblia hay plenitud de ejemplos de gente que sigue la guía del Espíritu. Abram, quien llegó a ser Abraham, abandonó a Harán y viajó a la Tierra Prometida al seguir la guía divina. Jesús toleró su sufrimiento en la Cruz debido a la guía que recibió en el Jardín de Getsemaní. Pablo llevó el mensaje cristiano a tierras distantes cuando sintió la mano guiadora de Dios.

Esta gente recibió instrucciones y prosiguió sin saber lo que tenía por delante. Ella llegó a ser la responsabilidad de Dios, y estuvo dispuesta a entregarse al cuidado del Espíritu. Cuando sentimos nuestra unidad con Dios, recibimos guía y debemos seguirla. Si nos permitimos ser guiados diariamente, no debemos temer nada, porque somos Su responsabilidad.

Da otro ejemplo de la Biblia de alguien que llegó a ser la responsabilidad de Dios debido a la guía que recibió y siguió. Además, da un ejemplo de este principio activo en tu vida.

Semana 50
Día 348

Cuando comprendo mi unidad con Dios, todas mis necesidades se satisfacen.

Cuando estamos conscientes de nuestra unidad con Dios, somos la responsabilidad de Dios. Las necesidades de nuestras almas y las terrenales ya no son asunto nuestro. Un cuervo alimentó al profeta Elías. El era uno con Dios, y todas sus necesidades fueron satisfechas.

Este mismo proceso puede revelarse en nuestras vidas si estamos conscientes de nuestra unidad con Dios. A medida que continuamos dedicándonos a la experiencia de la Presencia, no debemos preocuparnos por las necesidades terrenales —lo que comeremos y beberemos. Nuestra atención puede descansar en Dios. El pan diario es la experiencia de todos los que son uno con el Espíritu.

Según tu opinión, ¿cuál fue la responsabilidad de los hebreos que recibieron el maná en el desierto?

Contestación posible: La responsabilidad de los hebreos fue hacerse asequibles al Espíritu y recoger el maná que caía cada noche.

Cuando comprendo mi unidad con Dios, nada puede perjudicarme.

Cuando estamos conscientes de Dios, no hay nada que temer, porque somos la responsabilidad de Dios. En Su presencia, no hay daño o perjuicio. Este es el mensaje del Salmo 91:

El que habita al abrigo del Altísimo

Morará bajo la sombra del Omnipotente.

Diré yo a Jehová: Esperanza mía, y castillo mío;

Mi Dios, en quien confiaré.

El te librará del lazo del cazador,

De la peste destructora . . . .

No temerás el terror nocturno,

Ni saeta que vuele de día.

Las palabras claves para nosotros son "El que habita al abrigo del Altísimo". Esta es nuestra responsabilidad —tener conciencia de nuestra unidad con Dios. Luego nos volvemos la responsabilidad de Dios, y nada tememos.

Lee el Salmo 91 hoy y descansa silenciosamente en muchos de sus versos. Esto te ayudará a conocer el bondadoso amor de Dios y la seguridad que tienes cuando eres Su responsabilidad.

Semana 50
Día 350

Soy la responsabilidad de Dios.

Declaremos ahora que somos la responsabilidad de Dios. Esto quiere decir que estamos conscientes de nuestra unidad con Dios. No hay otro modo de abandonar nuestra responsabilidad y descansar al cuidado del Espíritu. Esta verdad nos libera de las preocupaciones humanas. Ella quita la carga de hacer el trabajo de Dios. Aun el trabajo que hacemos y el cumplimiento de la misión se vuelven Su responsabilidad. Nuestra responsabilidad estriba en permanecer consciente de nuestra unidad con Dios y estar dispuesto a seguir nuestra guía. Observamos el movimiento de los pensamientos en nuestras mentes; hablamos las palabras que oímos en nosotros; damos gracias por los sueños, imágenes o visiones que tenemos; y hacemos las tareas que se nos dan para hacer.

Deja que éste sea un día en el cual cumples totalmente la responsabilidad de darte al Espíritu. Todo lo que sucede después es la responsabilidad de Dios. Reúne todo lo que has aprendido en este libro y vuélvete Su responsabilidad. Ora y medita, practica la presencia, haz una pausa para los momentos monásticos y haz cualquier otra cosa que te haga asequible a tu Dios.

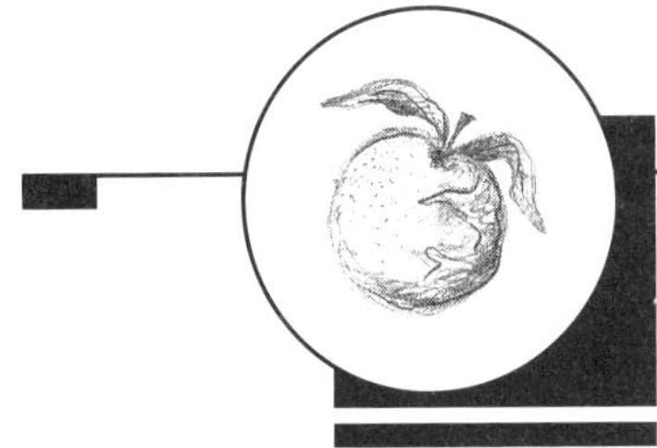

Semana 51

Finalmente . . . el contento

Nuestro viaje comenzó con descontento divino. Ahora hemos cumplido un ciclo completo y podemos decir con Pablo: "He aprendido a contentarme, cualquiera que sea mi situación" (Fil. 4:11). Por mucho tiempo, por demasiado tiempo, nuestra satisfacción requería que otra gente se comportara de cierta manera y que el mundo se amoldara a nuestra visión de lo que debía ser. Qué interesante que siempre hubo alguien que hizo lo que más temíamos y el mundo pareció no dejarse llevar por nadie. Al fin y al cabo, aprendimos lo ineficaz e improductivo que fue depender de la gente y de los sucesos terrenales para nuestra paz mental.

Jesús sugirió que hay una paz que va más allá de la comprensión. Esta es la paz que llega, por ejemplo, después de la muerte de un ser querido. No hay razón lógica para que la paz resida en nuestras almas, pero a menudo lo hace. En una crisis, a veces pensamos con claridad y actuamos con rapidez, valor e intrepidez. Este es el estado normal del alma. Siempre descansamos en la Presencia, mas cuando estamos conscientes de esta Presencia, hay contento.

Semana 51
Día 351

El descontento divino fue mi comienzo.

El descontento divino fue nuestro comienzo hace casi un año. Es, por lo general, el principio para todo el que busca una vida espiritual. Han sucedido tantas cosas desde el primer día que empezamos a usar este libro. Lo que parecía tan apremiante y difícil es considerado ahora desde un nuevo punto de vista.

De este día en adelante, no es seguro que no sintamos descontento de nuevo, pero si lo sentimos, ahora sabemos que solamente es un comienzo que guía a la alegría y la paz.

¿Puedes recordar el descontento divino que llenó tu alma hace un año? Si lo recuerdas, ¿cuál fue?

Da gracias por el descontento del pasado, porque causó que dieras el primer paso en esta fase de tu viaje espiritual.

Creí que el contento dependía de la gente.

Una vez creímos que nuestro contento dependía de otra gente. Hubo un tiempo cuando la gente y sus palabras y acciones parecían ahuyentar nuestra paz. Ahora sabemos que esto no es verdad. Otras personas no son la causa de nuestro contento o descontento.

Enumera la gente que una vez creíste que determinaba tu contento.

¿Cuándo fue la última vez que permitiste a otra persona determinar tu estado mental?

¿Cuál es la clave de poder mantener la posición de Pablo: "He aprendido a contentarme, cualquiera que sea mi situación"?

Semana 51
Día 353

He elegido el contento.

Hemos elegido el contento cuando escogimos a Dios en vez que el mundo. La verdad es que no hay contento en el mundo, sino contienda. El "mundo" se define como un estado de conciencia que no conoce nada de los principios espirituales que gobiernan nuestras vidas.

Hay una elección que debemos hacer cada día. Se nos presentarán personas y situaciones, y tendremos que escoger el contento o la contienda.

Deja que ésta sea tu respuesta: *Elijo el contento en vez que la contienda. Elijo a Dios antes que el mundo.*

Mi contento va más allá de la comprensión.

El contento que reposa en Dios va más allá de la comprensión. La gente que pasa por una crisis ha sentido una gran calma. No hay lógica en la paz que sintió, porque ésta estaba más allá de la comprensión, y aun así estuvo presente. Se dice que Ralph Waldo Emerson observaba desde fuera el incendio de su casa. Dentro de ella había una vasta biblioteca de libros valiosos. Luisa May Alcott trataba de consolarle, y el Sr. Emerson supuestamente contestó: "Sí, Luisa, todos los libros han sido destruidos, pero gocemos del incendio ahora".

Cuando el contento va más allá de la comprensión, podemos disfrutar del momento presente. Esta es la manera que debe ser para nosotros. Nuestro gozo no puede depender de la lógica. Habrá momentos en que la vida nos retará grandemente. La paz está aún presente y la podemos sentir. Permite que sea así hoy.

Semana 51
Día 355

La experiencia de mi unidad con Dios es la fuente de mi satisfacción.

"Nada puede perturbar la serena paz de mi alma" es una declaración que ha ayudado a mucha gente a sentir relajación y calma durante momentos de crisis. Sin embargo, decir esta declaración no es suficiente. Mucha gente ha dicho esas palabras y no ha sentido ningún grado de calma. Las palabras nunca son suficientes. Debe haber revelación. Pero antes de que pueda haberla, debemos sentir nuestra unidad con Dios.

La unidad con el Espíritu es la fuente de satisfacción. El Espíritu es apacible calma; la quietud del atardecer; el silencio de la noche. Durante tu tiempo de oración y meditación hoy, forma una imagen del paraje más pacífico y tranquilo que puedas imaginar. En este lugar, nada perturba la serena paz de tu alma. Descansa en este sitio, y deja que llegue a ti la paz de Dios que trasciende toda imagen.

Cuando pierdo el contacto consciente con Dios, no hay satisfacción.

Encontrar la paz de Dios es maravilloso, pero con la misma rapidez que la encontramos, la podemos perder. Realmente, no es el contento lo que perdemos, sino algo aún mayor. Perdemos el contacto consciente con Dios. Esta es la conexión que debemos restablecer.

La electricidad es útil cuando se mueve en un circuito. Cuando encendemos las luces en nuestro hogar, el circuito se completa (se vuelve un círculo), y la electricidad puede trabajar. El contento puede ser nuestra experiencia, pero un circuito debe completarse. Debemos hacer contacto con Dios. El contacto con Dios y el contento son parte del mismo círculo.

Deja que el día de hoy sea dedicado al círculo: el contacto con el Espíritu y el contento. Si rompes el círculo, sabes lo que debes hacer, de modo que pueda ser restablecido.

Semana 51
Día 357

He aprendido a estar contento, en cualquier circunstancia en que me halle.

Hemos cumplido un ciclo completo y hemos aprendido a estar contentos a pesar de las condiciones de la vida. Pero hay mucho más que estar contentos. Nuestro propósito permanece ante nosotros, porque ninguna condición puede ocultar lo que estamos destinados a hacer. Está claro que cuando hay descontento, la cuestión no es la situación, sino el estado de nuestra relación con Dios. Cuando un problema surge y cubre el panorama de la vida, hemos olvidado nuestra relación con Dios.

Hemos aprendido que, no importa la situación en que estemos, lo más importante es una conciencia de Dios. No solamente hemos aprendido esta verdad, sino que sabemos lo que debemos hacer para volver a descubrir la Presencia que está siempre con nosotros.

Lleva contigo hoy y siempre esta verdad: He aprendido que, en cualquier circunstancia en que me halle, lo más importante es mi conciencia de Dios.

Semana 52
Resumen

La Biblia comienza con Dios y así debe ser una vida espiritual, porque con Dios nada es imposible. Por miles de años la humanidad ha tenido la esperanza de que esto fuera verdad. Hemos pedido a Dios que lleve a cabo lo imposible, que haga lo que no hemos podido hacer. Sin embargo, hemos descubierto que Dios sólo puede hacer lo que Dios ha estado haciendo. Ante todo, Dios es ser . . . ser vida, amor, sabiduría, paz, etcétera. Esto basta, porque cuando despertamos a la obra del Maestro, todo está bien.

Ya no pedimos al Todopoderoso que componga nuestro mundo. La obra del Espíritu es creatividad, no mantenimiento. Tenemos nuestro papel que desempeñar en los actos divinos de creatividad, pero nuestra misión no se nos da hasta que comprendamos que no somos nosotros los que hacemos la obra. Por demasiado tiempo, hemos tratado de hacer a Dios nuestro siervo. Ahora comprendemos que hemos de ser siervos del Altísimo. Cada uno de nosotros debe declarar: "Aquí estoy Señor, úsame".

Al hacer esto, nuestra misión divina comienza a emerger. Somos bendecidos por la misión, pero ella es para la gloria de Dios, no para la nuestra. Comenzamos con cosas sencillas y el conocimiento de que todo trabajo hecho desde una conciencia del Espíritu es sagrado. Y, por tanto, trabajamos y hay cumplimiento en el cual nuestra copa rebosa de tal modo que no podemos pedir nada. Somos uno con Dios y, por consiguiente, somos Su responsabilidad. Lo que pensamos, decimos, imaginamos y hacemos viene de nuestra conciencia de Dios. No es nuestro, sino de Dios. Hemos vuelto a Dios y a lo que Dios nos ha dado —nuestras vidas. Hemos cumplido un ciclo completo. Primero hubo descontento divino. Ahora hay un contento cuyo centro es Dios. No importa el estado del mundo, estamos contentos.

Regresa a cualquier día o combinación de días que no has comprendido, o que crees necesitar más trabajo o repaso. Repite la lección, o las lecciones, como la tarea para la *Semana 52*.

Semana 52
Días 358–364
continuación

En los espacios abajo escribe las lecciones que has elegido repasar:

Día 358 *Semana*__________

*Día*__________

Día 359 *Semana*__________

*Día*__________

Día 360 *Semana*__________

*Día*__________

Día 361 *Semana*__________

*Día*__________

Día 362 *Semana*__________

*Día*__________

Día 363 *Semana*__________

*Día*__________

Día 364 *Semana*__________

*Día*__________

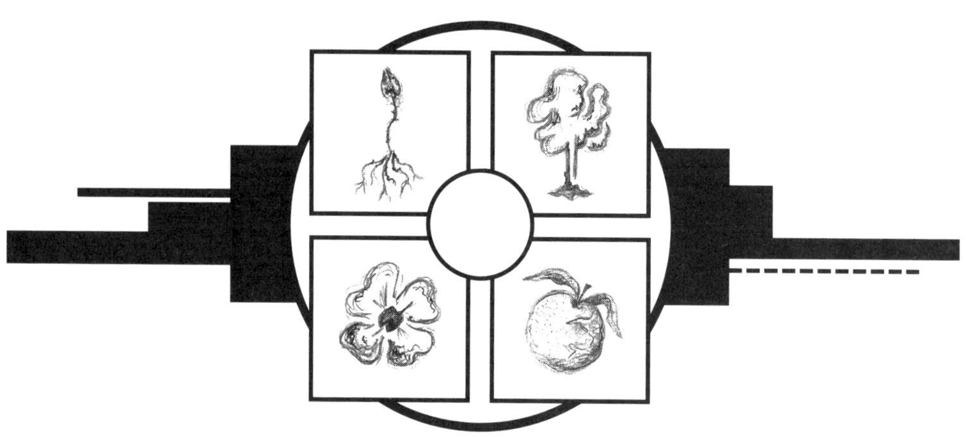

Día 365
El viaje continúa . . .

Tú, querido amigo (querida amiga), debes ser elogiado. *Una guía diaria para la vida espiritual* requirió compromiso y persistencia. Probablemente hubo momentos cuando no deseabas continuar con los ejercicios, mas has perseverado. Tu ser interno se conmovió, y sentiste resistencia al cambio que tenía lugar en ti, mas sabías que sin cambio, no habría nueva vida.

Has hecho más que cambiar. Tu razón de ser, tu motivación, ha sido transformada, y por eso eres nuevo. Deja que haya gran expectación ahora, porque hay un nuevo giro en tu vida.

No conozco las circunstancias de tu vida, o dónde estás ahora según lees las palabras finales de este libro. (Tal vez estés sentado en tu silla predilecta en tu apartamento, o en un banco de un parque disfrutando de las fragancias y la frescura de la primavera.) Pero sé dónde estás en conciencia. Estás en la cima de una montaña, un alto lugar donde puedes ver el mundo y tu vida de un nuevo modo. Y, no obstante, tu viaje no ha terminado. Mira alrededor de ti, y vuélvete consciente de otras montañas que estás destinado a escalar. Cierra los ojos, y deja que el Espíritu revele aún más del reino de Dios. "Despliega tus alas" y permite que el viento del Espíritu te lleve más alto.

La puerta por la que entramos al reino de Dios puede ser estrecha, mas el camino de la vida serpentea interminablemente. Está lleno de eternos recodos. Lo desconocido nos saluda diariamente. Cuando estamos dedicados a vivir una vida espiritual, no hay nada que temer, porque no estamos solos. El Espíritu nos acompaña, más cerca que manos, pies y respiración. Nosotros, el Espíritu y toda la humanidad, estamos unidos en una eterna búsqueda. Quizás no sepamos los nombres de otros, y éstos desconozcan nuestros nombres, pero juntos, con gozosa confianza, viajamos por el camino con el nombre de Vida. Buen viaje, querido amigo, y ten presente siempre que no estás solo. Hay amigos invisibles alrededor del mundo que con amor viajan contigo.

Sobre el autor

Jim Rosemergy es vicepresidente ejecutivo de Unity School of Christianity, y los Departamentos de Servicios Internacionales, Facilidades, Publicaciones, Recursos Humanos, e Instrucción están bajo su responsabilidad.

Como ministro ordenado de Unity, Jim inició su primer ministerio en Raleigh, Carolina del Norte, en 1976. Con profunda devoción a la oración como fundación, él sirvió de inspiración para que dicho ministerio creciera de dieciocho personas a más de trescientas en siete años. Desde entonces ha servido en Unity Church of Truth en Spokane, Washington, y en el Templo de Unity en la Plaza, en Kansas City, Missouri, iglesia creada por los fundadores de Unity. El enfoque de su ministerio ha sido dar firme énfasis al despertamiento espiritual. Para el año 1987–88 fue elegido por sus compañeros en el ministerio para servir de presidente de la Asociación de Iglesias de Unity.

Jim es autor de otros cuatro libros; sus artículos y poesías han sido publicados en una variedad de revistas inspiradoras, tales como *Unity Magazine* y *La Palabra Diaria*. La Escuela Unity ha grabado muchos de sus sermones dominicales y éstos han sido publicados en álbumes en audiocasetes.

Jim y Nancy, su esposa por más de veinte años, tienen dos hijos, Jamie y Ben. A Jim le encanta estar con su familia, dar largos paseos y jugar tenis y golf.

Printed U.S.A.

292-3196-75C-5-98